D0585799

Terug naar Parijs

Opdracht

Voor Lois Gladys Leppard
die in dit verhaal geloofde
en in mijn vermogen het te vertellen

Stephanie Grace Whitson

Terug naar Parijs

Roman

Vertaald door Wim Keesmaat

© Uitgeverij Kok – Kampen, 2006
Postbus 5018, 8260 GA Kampen
www.kok.nl

Oorspronkelijk verschenen onder de titel *A Garden in Paris* bij Bethany House Publishers, 11400 Hampshire Avenue South Bloomington, Minnesota 55438, USA
© 2005 Stephanie Grace Whitson

Vertaling Wim Keesmaat
Omslagillustratie Willy Ronis/RAPHO – Les amoureux de la Bastille – 1957
Omslagontwerp Douglas Design
ISBN 90 435 1200 1
NUR 302

Proloog

November 2003
Omaha, Nebraska

Het enige probleem met haar leven, bedacht Mary, was dat ze helemaal geen leven had. Sam was nu twee jaar weg, maar ze leefde nog steeds volgens zijn regeltjes. Het gewicht van deze charade werd haar te veel. Ze zou de pillen innemen.

Op de dag dat Sam stierf, hadden de verpleegkundige en de sheriff zich ontfermd over de honderden dollars aan medicijnen, die ze hadden meegenomen om te laten vernietigen. Behalve de slaappillen dan. Die had de verpleegkundige bij haar achtergelaten en ze had haar zelfs aangemoedigd ze te gebruiken tot ze naar haar eigen dokter was geweest. Als ze in de pot zou hebben gekeken, zou de verpleegkundige zich waarschijnlijk hebben bedacht. Mary spaarde al een hele tijd pillen. Ze wist ondertussen genoeg van medicijnen om te weten dat ze het zou redden met haar huidige voorraad. Pijnloos. Zelfs als ze de afgenomen efficiëntie van de oudste pillen incalculeerde.

Ze had niet verwacht dat haar hand zou beven toen ze de pot pillen opendeed. En ze had niet verwacht dat ze water zou morsen uit het glas dat naast haar bed stond. Terwijl het water van het nachtkastje op het tapijt druppelde, dacht Mary na over wat er hierna zou komen. Hoewel ze zichzelf graag zag als iemand die bij de hemelpoort met open armen zou worden ontvangen, had ze geen enkele echte garantie voor wat zich bevond aan de andere kant van wat Sam het 'laatste tukje' noemde. Ze deed het deksel weer op de pot met pillen, stopte hem onder de stapel kussens die naast haar lag en leunde achterover. Ze staarde naar het plafond en schold op zichzelf. *Mary Elisabeth Davis, je bent vijftig jaar oud. Je hebt geen eigen leven, je hebt geen toekomstplannen en niet de pit er iets aan te doen. Geen wonder dat Sam Elizabeth met een z spelde in plaats van met een s. Geen wonder dat hij je dochter naar zijn moeder vernoemde. Elizabeth Davis had ruggengraat. Mary Elisabeth McKibbin niet. Elizabeth Davis ging naar de markt... Mary Elisabeth McKibbin bleef thuis.* Ze viel in slaap terwijl ze in gedachten haar bitterzoete versie van het oude kinderliedje neuriede.

De volgende avond was Mary blij dat ze de pillen weer had weggestopt. Eerder die middag was ze een winkel in gelopen en had daar een goedkoop klein rommeldingetje gevonden met een spreuk erop die haar hoop gaf. Ze kreeg hem niet uit haar hoofd. En dan had je nog de omslag van dat tijdschrift, waarop de *Sea Cloud* onder vol zeil en tegen de achtergrond van een helderblauwe hemel door het water sneed. Toen ze het artikel las, was Mary erachter gekomen dat de thuishaven van het schip een klein plaatsje in Zuid-Frankrijk was, genaamd Arcachon. Haar hart bonkte toen ze de pagina omsloeg, op zoek naar de naam van de kapitein.

En in plaats van de pillen te slikken... schreef ze een brief.

1

30 november 2003

Beste Jean-Marc,
Als deze brief jou bereikt, is dat een wonder van de God wiens bestaan jij zo lang geleden ontkende. Het is lang geleden sinds Sam de microfoon overnam van de bandleider en iedereen verraste met onze verloving. Jij stond in de deuropening van de drukke eetzaal en keek naar onze tafel. Ik zal nooit die blik van jou vergeten die je me toewierp voor je je omdraaide en vertrok.
Dat is bijna dertig jaar geleden. Dat was gisteren.
Ik ben de volgende dag naar je hotel gegaan, maar je was vertrokken.
Ik heb een volwassen dochter. Mijn haar is nu kort en ik heb het gevecht tegen de krullen en de grijze haren opgegeven. Als we elkaar nu op straat zouden ontmoeten, zou je langs me heen kunnen lopen zonder ooit te weten dat je me hebt gezien.
Speel je nog steeds Chopin? Ben je die zomer nog de Middellandse Zee rondgevaren? Ik heb nog vaak aan je gedacht, ook al heb ik me niet aan mijn belofte gehouden om met je mee te zeilen.
Herinner je je de dag nog dat je me voor het eerst mee uit zeilen nam? Toen we voor anker gingen om te lunchen, trok je een stuk van de baguette die je moeder had ingepakt in die oude mand, en deed er brie op. Je hield vol dat ik me beter zou voelen als ik er iets van at. En je had gelijk. De zeeziekte werd minder. Ik hou nog steeds van brie.
Het is al bijna Kerst en ik heb besloten naar Parijs terug te

keren. Misschien dat mijn dochter ook meekomt. Sam niet. Hij heeft altijd al geroepen dat hij de eerste was die dood zou gaan en hij hield wel altijd zijn beloftes.
Ik vermoed dat deze belachelijke brief een teken is dat ik oud begin te worden. Ze zeggen dat het een tic is van oude mensen om het verleden te willen doen herleven. En dat ze dingen vergeten. Ik kon me gisteren niet eens mijn eigen telefoonnummer herinneren. Maar na al die tijd herinner ik me nog steeds je adres.
Als ik aan je dacht, was dat altijd aan boord van de Sea Cloud. En nu zag ik een artikel in het tijdschrift Seafaring *en ik kwam erachter dat je droom eindelijk is uitgekomen en ze nu van jou is.*
Wanneer ik al die jaren aan je dacht, zag ik ook die mooie chanteuse aan je zijde, die zo genadeloos met je flirtte wanneer jij en ik samen waren. Je leek haar irritant te vinden, maar zij verafgoodde je, en ik heb altijd gehoopt dat je haar zou toestaan de man te zien die ik in je heb gezien. Een man die verhalen kan vertellen zoals jij, verdient het absoluut om kleinkinderen te hebben. Maar in het artikel wordt niet over een gezin gesproken. Alleen een humoristische opmerking van jou dat de Sea Cloud tot nu toe je beste vrouw is.
Ik weet niet precies waarom ik dit allemaal opschrijf. Ik denk dat ik er ergens op zit te hopen dat je me hebt vergeven. Mijn leven is geen aaneenschakeling geweest van gebroken beloften.
Op kerstavond in Parijs zal ik aan je denken. Als je aan me denkt, beeld je dan in... Ach, je weet waar ik dan ben.

Ze had als een gek zitten schrijven, maar toen ze de brief moest gaan ondertekenen, aarzelde Mary en leunde ze met haar hoofd tegen de hoge rugleuning van de stoel die achter haar bureau stond. De zon begon al over de horizon te gluren. Hij verfde de lucht roze en oranje en bescheen de bomen achter Sams tuin van de achterkant.

Mary legde haar pen neer en keek door het grote raam in de erker tegenover haar bureau om naar de zonsopgang te kijken. Terwijl de lucht steeds lichter werd, streek ze afwezig met haar vingers over de zoom van de oude zijden duster die ze nog in het donker had aangetrokken. Sam had de kleur ervan altijd gehaat, ongeveer de kleur van de modderige kreek die over het zuidelijke deel van hun land stroomde. De gladde zijde accentueerde het feit dat ze vanmorgen nog in de pot met handcrème moest duiken. Een droge huid. Nog een teken dat ze ouder werd.

Ze herlas de brief en wist nog steeds niet zeker hoe ze hem moest ondertekenen. *Je vriendin Mary?* Niet duidelijk genoeg. *Liefs?* Te luchthartig. *Hoogachtend?* Te formeel.

Toen ze vooroverleunde en haar ellebogen op tafel zette om met haar kin op haar gevouwen handen te kunnen rusten, zakten de wijde mouwen van de duster naar beneden en de rafelige rand kriebelde tegen haar arm. Sam had lang geleden al tegen haar gezegd dat ze het ding moest weggooien.

'Zo lijk je net een van die dakloze vrouwen die bij het Leger des Heils in de stapels oude kleding lopen te graaien,' had hij geklaagd toen ze hem uit een stapel op de grond van de kleedkamer trok.

'Hij zit gewoon lekker,' had ze gesputterd. 'Waarom mag ik me in mijn eigen huis niet prettig voelen?'

Sam was achter haar komen staan en had zijn armen om haar heen geslagen, waarbij hij zijn kin op haar hoofd had laten rusten en haar via de spiegel had aangekeken. 'Het personeel zal je nooit respecteren als je daarin blijft rondhobbelen.' Hij had haar geel zijden japon over zijn arm hangen, die hij naar haar uitstak. 'Dit is wat de vrouw des huizes zou moeten dragen. Hij liet de vingers van zijn vrije hand over haar kaaklijn glijden en langs de kraag van haar modderkleurige duster. Hij duwde met zijn neus speels tegen haar oor. 'Zou madame het erg vinden om iets anders aan te trekken?'

Grappig dat zulke herinneringen de laatste tijd vaak de kop opstaken. Dat incidentje had plaatsgevonden op de eerste ochtend sinds ze terug waren van hun huwelijksreis. Op die ochtend had de jonge bruid Mary Elisabeth McKibbin Davis zonder verder commentaar de oude duster uitgetrokken en de nieuwe aangetrokken. Nu ze naar dat oude zijden kledingstuk keek, realiseerde ze zich hoe symbolisch dat incident was voor de rest van haar leven. Ze had zich de afgelopen dertig jaar heel wat keren moeten omkleden.

Met een zucht pakte Mary de omlijste spreuk van zijn plek tegen de bureaulamp. Ze liet haar vingers over de gekraste lijst glijden en vormde met haar lippen geluidloos de woorden die erop stonden. *Het is nooit te laat om te worden wat je had kunnen zijn.* Ze had het gisteren in een winkeltje in het Oude Markt-district gevonden. Dat was een plek waar Sam van walgde, maar waar Mary zich juist door aangetrokken voelde – een stoffige verzameling ruimtes met hoog plafond, met aan de muren hele rijen planken met daarop allerlei prullaria en gordijnen en oude kleding, die men creatief *vintage* noemde.

Mary draaide het lijstje om en glimlachte toen ze zag dat het prijsstickertje met vijftig cent erop nog steeds op de achterkant zat. Dat was het enige wat ze gisteren tijdens haar zwerftocht had gekocht – de dag waarop ze eigenlijk bij de drukkerij had moeten zitten om uitnodigingen te regelen voor het huwelijksdiner van Elizabeth en Jeffrey. Dat zou ze dus vandaag moeten doen. Zelfs al was de bruiloft pas volgend jaar mei, Liz liep toch al te stressen. Nu Mary erover nadacht, deed de bezorgdheid van haar dochter haar pijn. Liz leek ervan overtuigd te zijn dat nu haar vader er niet meer was, alles in elkaar zou storten, inclusief haar trouwplannen. Alsof het Sam was geweest die al die jaren alles op een rijtje had gehouden.

De rode rand van de zon gluurde over de verderop gelegen heuvels en een vuurrode gloed overspoelde de kamer. Mary zette de spreuk terug tegen haar Tiffany-bureaulamp en herinnerde zich hoe Sam had geprotesteerd toen ze erop had gestaan dat het bureau tegenover het raam zou worden neergezet.

'Dat leidt je alleen maar af van je werk,' had hij gezegd. 'Niemand zet zijn bureau zo voor zo'n raam.'

'Ik wel,' had Mary volgehouden. 'Ik wil naar buiten kunnen kijken.' Sam had maar toegegeven. Maar als het over werken ging, was hij niet te vermurwen. Zijn definitie van werken verschilde net zoveel met die van haar als het Engelse landgoed uit de geschiedenis van zijn familie met de Ierse kroeg uit die van haar familie.

Mary realiseerde zich al snel dat zijn definitie van werk haar vader grijze haren zou hebben bezorgd. Maar goed, Michael McKibbin had dan ook geen ervaring met het beheren van fondsen die waren verdiend door een vorige generatie. Een McKibbin zou achter een bureau zitten en uitnodigingen voor liefdadigheidsfeestjes beantwoorden dan ook nooit als werk willen bestempelen. En hoewel Mary het al meer dan een kwarteeuw deed, zag ze het ook nog steeds niet als *werk*. Gelukkig deed Elizabeth dat nu allemaal. Eindelijk was Mary vrij om te doen wat ze wilde. Als ze er maar achter kon komen *wat* ze nu wilde. Ze keek naar de brief en liet haar vingers over zijn naam glijden. *Jean-Marc David.* Drie voornamen. Daar had ze hem mee geplaagd.

Toen het licht in de kamer veranderde in goud, greep Mary de oude balpen die ze uit haar lade had gehaald en ondertekende de brief. *Liefs, Mary.* Ze hoorde Jean-Marc nog steeds haar naam fluisteren met die heerlijke basstem van hem. Zij had er drie jaar op geoefend, en ze dacht dat ze de Franse *r* toen aardig onder de knie had. Maar toen Jean-Marc haar naam uitsprak, wist ze dat dat ijdele hoop was. Hij was niet zo prominent aanwezig en niet zo achter in de keel, zoals bij de Duitsers. Hij was... nou ja, zoals Jean-Marc hem uitsprak als deel van haar naam, klonk hij schitterend.

Haar hand beefde toen ze het adres op de envelop schreef. *Dit eindigt onder in de een of andere postzak in Arcachon. Die buurt is ondertussen waarschijnlijk een parkeerterrein. Zo gaat het er in toeristenplaatsen nu eenmaal aan toe. Ze bouwen hotels en slopen de oude buurten. Met hun uitzicht op de baai heeft de familie David hun stuk grond waarschijnlijk allang voor een goede prijs verkocht. En zo niet, dan zou Jean-Marc dat zelf wel hebben gedaan toen zijn ouders stierven en hij het water op ging. Want zijn ouders zouden ondertussen allang dood zijn.*

Mary stond op. Ze liep om het bureau heen en ging op het kussen in het brede raamkozijn van de erker zitten. Ze pakte een kleiner kussentje en drukte dat tegen zich aan. De zon scheen over de lage heg en verlichtte de toppen van de honderd jaar oude sparren die als afscheiding dienden tussen de verzorgde laan en de wildernis die erachter lag. In sommige van de sparren groeiden tientallen jaren oude klimplanten die zich om hun stammen heen een weg naar boven slingerden en hele trossen oranje bessen produceerden, die elke herfst op de vijf schoorsteenmantels in het huis belandden. In het morgenlicht waren de bessen duidelijk te zien en Mary realiseerde zich dat de eerste vorst er al overheen was gegaan zonder dat iemand ze had geoogst. Het zij zo. Als iemand erover was begonnen, zou Cecil Baxter zijn door artritis aangetaste knieën hebben overbelast om nog een jaar de bomen in te klimmen. En Cecil was veel te oud om nog in bomen te klimmen. Ze zou iemand moeten inhuren voor het komende seizoen en ze zou hard moeten nadenken over hoe ze dat moest aanpakken zonder Cecil op zijn ziel te trappen.

Mary rekte zich uit, stond op en liep naar de andere kant van de kamer, waarna ze in de halflege kleedkamer verdween. Het was haar nooit gelukt zich zo voor kleding te interesseren dat ze alle kledinghaken kon vullen. Laat staan de lades en planken.

'Is alles in orde, mevrouw?' De zachte stem werd vergezeld door een klopje op de dubbele deur van haar slaapkamer.

'Ik ben vanmorgen niet zo vlot, Irene, meer niet. Kom binnen.'

Ze trok de lade met lingerie open, maar liep toen haastig terug naar haar bureau om de brief te pakken en die weg te stoppen in de zak van haar duster, terwijl Irene een dienblad met ontbijt op het bankje aan het voeteneind van haar bed neerzette.

De wenkbrauwen van de oudere vrouw trokken zich samen. 'Ik hoop niet dat u iets onder de leden hebt nu de vakantie eraan komt en zo.'

Mary knikte naar de grote ramen. 'Een heerlijke ochtend.'

Ze wendde zich af en liep terug naar de kleedkamer, waarbij ze over haar schouder riep: 'Ik rijd vanmorgen nog even naar het dorp. Ik denk dat ik nog iets meeneem voor de lunch bij Val vandaan.' Nadat ze een verschoten spijkerbroek had aangetrokken, stak ze haar voeten in een paar gevoerde mocassins voor ze een sweater uit de kast rukte.

Ze schrok van Irenes stem in de deuropening. 'Hoeveel kilo bent u afgevallen?'

'Negentien,' antwoordde Mary terwijl ze de sweater over haar hoofd trok. 'En er moeten er *nog* tien af.' Ze draaide zich om en klopte op haar buik. 'Niet slecht voor zo'n ouwe griet, hè?' Ze stak een hand uit naar een ivoorkleurige blazer. 'Moet ik nog iets voor je meenemen?'

Irene schudde haar hoofd. 'Neem iets lekkers voor uzelf mee bij Val vandaan. Dan krijgt u weer wat vlees op uw botten.'

Mary grinnikte. 'Maak je geen zorgen. Ik ben niet bepaald vel over been.' Ze draaide zich weer om en pakte een leren handtasje van een plank, haalde snel de brief uit de zak van haar duster en deed die in haar tasje. Ze kneep haar ogen tot spleetjes en tuurde in de grote spiegel. Ze tilde haar bril op, tuitte haar lippen en fronste haar voorhoofd. Die twee lijnen bij haar mondhoeken staken met de dag duidelijker af. Misschien wat anti-rimpelcrème. Misschien Botox. Meredith, van de club, haalde regelmatig een injectie en was erg enthousiast over haar arts. En ze zag er inderdaad een beetje jonger uit.

Irene schraapte haar keel. 'Gaat u nog naar het postkantoor?'

Mary ging rechter op staan. 'Hoezo?'

'Ik zag dat u een brief in uw tasje stopte.' Irene knikte naar het leren handtasje. 'Als u toch naar het postkantoor gaat, zou het fijn zijn als u een rol postzegels meenam.'

'Natuurlijk.' Mary haastte zich langs haar heen. 'Ik zal het niet vergeten. Ik ben terug voor de lunch.' Ze liep de slaapkamer in en stopte lang genoeg bij het dienblad met het ontbijt om een slok koffie te nemen. 'Doei.' Mary stond nog even stil bij de deur. 'En nog bedankt voor je hulp bij dat diner van gisteren.' Ze liet haar hand op de deurknop rusten. 'Ik geloof niet dat ik je ooit heb verteld hoeveel je voor me hebt betekend, Irene. Je hebt me al die jaren behoed voor zoveel sociale blunders. En gisteravond was daarop geen uitzondering.'

Irene snoof en schudde haar hoofd. 'Hoe komt u erbij? Ze zouden het echt wel hebben begrepen.'

'Dat denk jij. Ze zouden hebben *gedaan* alsof ze het begrepen. Maar ik zou vandaag in de club over de tong zijn gegaan als jij me niet had gebeld dat ik maar beter naar huis kon komen. Hoe kon ik dat diner met de familie Goldenhirsch nou zijn vergeten?' Mary zweeg enkele momenten. 'Ik mag Maude graag. Echt.'

'Ach, waarschijnlijk is zij vroeger ook wel eens een diner vergeten,' zei Irene terwijl ze zich vooroverboog om de kussens op te schudden. 'En Elizabeth was hier, dus het was geen complete ramp geworden.'

'Ach, misschien had Maude er inderdaad geen probleem van gemaakt. Maar Elizabeth zou het hebben bestorven. Ik weet dat ze rekent op de hulp van de familie Goldenhirsch bij het opzetten van de nieuwe oncologievleugel.'

Irene ging weer rechtop staan. 'Elizabeth zou juist helemaal zijn opgeleefd. Het is nou niet bepaald zo dat zij nooit iets vergeet. En de verjaardag van haar moeder is toch even een stuk belangrijker dan een diner met rijke vrienden!'

'Dat was vorig jaar, Irene,' wierp Mary tegen. 'Ze had toen een hoop stress omdat ze het bedrijf opeens zonder Sam draaiende moest zien te houden. En ik heb nog tegen haar gezegd dat ze zich er niet druk over moest maken.'

'Nou dan,' merkte Irene op. 'Dan hebt u toch uw zin gekregen?'

Mary glimlachte. 'Weet je, je hebt mijn leven gered bij het eerste diner en nu ook bij het laatste. Ik ben je veel verschuldigd. Ik hou van je om alles wat je voor me hebt gedaan. En nu ga ik. Ik vind het niks om toe te moeten kijken hoe jij mijn bed opmaakt.'

'Ik word ervoor betaald om uw bed op te maken, mevrouw Davis,' zei Irene.

Mary keek haar aan. 'Als je later deze morgen een aardbeving waarneemt, ben ik binnengevallen bij de stafvergadering van de stichting.'

Irenes wenkbrauwen schoten omhoog. 'O ja?'

Mary knikte. 'Door iets – nou ja, verscheidene ietsen eigenlijk – wat Elizabeth gisteravond tijdens het eten zei, leek het me wel een goed idee.'

'Dat van George Kincaid,' zei Irene.

Mary zuchtte. 'Sam zou het niks vinden. Eigenlijk wil ik er helemaal niets mee te maken hebben, maar na de halve nacht met mezelf te hebben lopen discussiëren, heb ik besloten dat ik het hem verschuldigd ben om het in orde te maken.'

'Veel geluk,' reageerde Irene terwijl ze een kussen in model stompte.

'Dank je. Dat zal ik nodig hebben.' Mary wierp haar een glimlach toe en liep de gang uit naar de achterste trap toe. *De achterste trap.* Sam had nooit gewild dat ze die gebruikte. *Dat is de ingang voor het personeel,* zei hij altijd. De traptreden waren smal en steil, en de muren waren altijd wit geweest. Toen ze de trap afliep, stopte ze even en keek ze naar beneden, naar de hardhouten overloop. *Geel. We zullen die muren geel laten schilderen. En dan hangen we wat van die zwart-witfoto's van Parijs op die ik bij Target heb gezien.* Ze kon Sam bijna afkeurend horen snuiven. *Goed dan. Ik koop een digitale camera en maak die foto's zelf wel.*

Irene liep om het onopgemaakte bed heen, maakte zich zorgen over dat gedoe met George Kincaid en bromde iets over het onaangeraakte ontbijt op het dienblad. Ze trok de lakens glad en stopte de quilts in, waarbij ze er goed op lette dat ze het patchwork van de bovenste niet beschadigde. Mevrouw Davis had hem een maand geleden in de een of andere antiekwinkel op de kop getikt en was erg enthousiast geweest over de leeftijd van de chintz en het materiaal van de zoom, die ze 'pillar print' noemde, wat dat ook mocht betekenen. Ze had hem opgevouwen aan het voeteneinde van het bed gelegd en gezegd dat hij te fragiel was om echt te gebruiken, maar dat ze er gewoon even van wilde genieten voor ze zou besluiten waar ze hem zou uitstallen.

Toen het bed klaar was, keek Irene uit het raam en zag nog net de zilvergrijze Austin Healey de slingerende oprijlaan uitrijden en daarna de weg op. Dat was een goed teken. Mevrouw Davis had niet veel meer in die auto gereden sinds meneer was heengegaan. En ze ging naar een vergadering op kantoor. Ze interesseerde zich weer ergens voor. Ook dat was een goed teken. Misschien dat ze een drempel over was.

Irene begon te neuriën en ging verder met de rest van de kamer. Ze trok de rolgordijnen in de erker half neer, ruimde het bureau op en plukte een draadje van het tapijt. Toen ze het koffiekopje pakte dat Mary daar had neergezet op weg naar de deur, raakten haar tenen iets wat door de aanvaring onder het bed rolde. Met een kreun bukte Irene zich om het onder het bed vandaan te halen. Net achter de damasten bedrand lag een omgevallen pot pillen. Ze raapte hem op, tilde haar bril op en kneep haar ogen tot spleetjes om het etiket te kunnen lezen. *Voor het slapengaan één à twee pillen via de mond innemen. Kan sufheid veroorzaken. Alcohol kan het effect vergroten. Niet gebruiken bij autorijden.* Irene opende de pot. Er zat een hele collectie pillen in. Verschillende groottes. Verschillende kleuren. Echt heel veel pillen. *Genoeg om een paard om zeep te helpen,* dacht ze. Ze liet zich op de stoel bij het raam neerploffen en sloot haar ogen.

Och, Vader. Laat het niet waar zijn. Irene bleef een paar

minuten uit het raam zitten kijken. Haar man kwam in zicht en reed op de motormaaier, waarbij zijn stakerige benen aan beide kanten uitstaken. Hij stuurde de maaimachine langs het bed meerjarige planten, waarna hij bij de spiegelende vijver stopte en afstapte. Hij keek naar het huis. Op zoek naar haar, wist Irene. Het was de bedoeling dat ze vandaag de late vlierbessen zouden plukken die achter die bedden groeiden. De bessen die van de vrieskou moesten worden gered.

Irene keek weer naar de pillen. Ze stond op en liet ze in de zak van haar schort glijden. *Net nu ik dacht dat ze weer begon te leven.*

Ze moest aan iets denken wat ze had gehoord in een programma van Oprah. Soms deden mensen zoiets. Dingen op orde brengen. Net voor ze – *stop daarmee, Irene Baxter. Dit is onzin.* Maar was dat zo? Was dat echt zo? Mevrouw Davis en Elizabeth konden de laatste tijd niet best met elkaar opschieten. Om eerlijk te zijn, Liz kwam de laatste tijd zelfs amper meer langs. En wat had mevrouw Davis over gisteravond gezegd? Iets over dat het haar *laatste* diner was geweest? En waarom had ze hoe dan ook besloten om naar die duffe vergadering te gaan? *George Kincaid.* Ze wilde dat graag rechtzetten. Wat zou er gebeuren, vroeg Irene zich af, wanneer alles eenmaal rechtgezet was? En wat stond er in de brief die mevrouw Davis in haar handtasje had gestopt?

Irene pakte het dienblad en ging op weg naar de gang. Bij de slaapkamerdeur draaide ze zich echter om en keek de kamer rond, waarbij ze op zichzelf stond te schelden dat ze zo dramatisch deed. Mevrouw Davis pakte gewoon langzaam de draad weer op. Die quilt aan het voeteneind van haar bed was daar toch een duidelijk teken van? Ze was met iets nieuws bezig. En dan de kilo's die ze al kwijt was. Ze zag er tien jaar jonger uit. En ze reed weer in haar Austin Healey.

Irene begaf zich op weg naar de trap, maar liep nog steeds te malen. Boven aan de trap keek ze achterom naar de slaapkamer. Het morgenlicht stroomde door de open deuren de gang in.

Veel te groot voor één eenzame vrouw. Te groot, Heer. De pot met pillen in de zak van haar schort tikte tegen de trapleuning. Irene zuchtte toen ze het gerammel van de pillen hoorde. *Laat me weten wat ik moet doen.*

2

Als iemand haar zou hebben gewaarschuwd voor wat er zou gebeuren op het moment dat ze de enorme vergaderkamer van Davis Enterprises binnenstapte, zou Mary Davis waarschijnlijk linksaf in plaats van rechtsaf zijn gegaan toen ze de lift uitstapte, waarna ze de trap af zou zijn gerend naar de begane grond, via de achterdeur de steeg achter het oude stenen gebouw in zijn geglipt, in haar Austin Healey zijn gesprongen en zijn ontsnapt. Het maakte niet uit dat ze er bijna een kwarteeuw over had gedaan om iemand te zijn die ze niet kende. En het maakte niet uit dat ze had geleerd een groot deel van haar tijd door te brengen op plekken die ze niks vond. Als Mary had geweten wat er tussen haar en Elizabeth zou plaatsvinden, zou ze nooit naar deze vergadering zijn gegaan en zeker niet tijdens een diner bij Vivace zijn begonnen over een architect voor de Samuel F. Davis-oncologievleugel van het Creighton University Hospital – met Jeffrey Scott erbij om de rechtopstaande haren van zijn verloofde glad te strijken.

Maar er was niemand die haar waarschuwde. Dus Mary arriveerde vroeg genoeg om wat te kletsen en het te doen voorkomen alsof ze niet had gemerkt hoe verbaasd de bestuursleden waren over haar aanwezigheid. Ze vroeg Derrick Miller hoe zijn zoon het deed aan het Creighton, vroeg naar de welstand van de oude basset van Harvey Fagan en stelde Millie Patton gerust over wat ze nu toch bij de volgende inzamelingsactie van de stichting moest serveren.

En toen kwam Elizabeth binnen.

'Kijk nou toch eens wie we hier hebben!' Harvey Fagan sloeg zijn arm om Mary's schouders en trok de stoel aan het hoofd van de vergadertafel voor Mary tevoorschijn. Ze was blij dat Harvey niet de afkeurende blik van Elizabeth zag over haar moeders spijkerbroek en de mocassins.

Mary nam de stoel naast die van de voorzitter. 'Ik ben alleen maar toehoorder,' zei ze.

Er zat een scherp randje aan de stem van Liz vanaf het moment dat ze de vergadering opende. Mary vroeg zich af of zij en Jeffrey ruzie hadden gehad. Dat gebeurde de laatste tijd maar al te vaak. Op dit moment zou een verbroken verloving niet alleen een logistieke nachtmerrie zijn, maar ook nog eens een grote vergissing. Jeffrey James Scott was het beste wat Elizabeth in lange tijd was overkomen en Mary hoopte dat Liz dat besefte.

'Het strijkkwartet is besproken,' zei Millie Patton, 'maar hun gage is sinds het afgelopen jaar behoorlijk omhooggegaan.'

Elizabeth fronste haar wenkbrauwen. 'Omhooggegaan? Hoeveel?'

'Nou...' Millie keek de tafel rond. 'Een paar honderd dollar wel. Maar jij zei dat je hen wilde hebben, dus ik heb ze toch maar geboekt.' Ze zweeg even. 'Misschien dat ik je beter even had kunnen bellen.'

'Nee,' zei Elizabeth. 'Het is goed. Een telefoontje zou fijn zijn geweest, maar het was de bedoeling dat jij het regelde.' Ze keek naar de agenda van vandaag en streepte een van de punten af.

Mary keek naar haar en dacht na over de gave van Liz om absoluut beleefd over te komen, terwijl ze tegelijkertijd liet merken dat wat ze dacht precies tegenovergesteld was aan wat ze zei. In de vergaderruimte was Elizabeth Davis bijna een exacte kopie van haar vader. En dat hoefde niet per se positief te zijn, dacht Mary. Niet voor de vrijwillige bestuursleden die er deze morgen bij waren en ook niet voor Liz.

Mary probeerde haar aandacht weer op de agenda te richten. De groep besprak diverse agendapunten en hoe langer de vergadering duurde, hoe meer Mary zich begon te ergeren aan de manier waarop haar dochter over de anderen zat te bazen. Ze deed wat ze kon om te bemiddelen en het botte gedrag van Elizabeth te verzachten.

'Nou,' zei Elizabeth terwijl ze de agenda opzijschoof, 'die onderwerpen hebben we in elk geval behandeld.' Ze pakte een dun dossier. 'Maar dan zitten we nog steeds met een architect.' Ze sloeg het dossier open en haalde een stuk papier tevoorschijn.

'Daar hebben we overeenstemming over bereikt,' zei Harvey terwijl hij de aanwezigen aankeek. Iedereen glimlachte en knikte instemmend.

'Dat lees ik in dit dossier,' reageerde Elizabeth. 'Maar daar kan ik niet mee instemmen.'

De spanning in de ruimte steeg merkbaar. Mary ging iets rechter op zitten. Ze wierp een blik op de andere bestuursleden. Millie Pattons mond was een dunne streep die de rimpels benadrukte die van haar mondhoeken naar haar kin liepen. Derrick Miller zat met zijn pen te spelen en vermeed het om oogcontact met wie dan ook te maken. Hij keek pas op toen Mary haar mond opendeed.

'Wij hebben allebei besloten ons neer te leggen bij de bevindingen van het comité,' zei ze tegen Liz.

Elizabeth schudde haar hoofd. 'George Kincaid had nooit op de lijst mogen staan. Hij heeft ervoor gezorgd dat hij het mikpunt van spot voor heel Omaha is geworden. Meerdere keren zelfs. En om hem dan voor zo'n project te kiezen, is een teken van –'

'Medeleven,' maakte Mary haar zin af. 'De publiciteit zal hem goeddoen.'

'De Samuel Davis Stichting is geen rehabilitatieorganisatie,' zei Liz.

'Er is hier ook niemand die dat beweert,' reageerde Mary. 'Maar de vleugel wordt vernoemd naar een man die een van de beste vrienden van George is geweest.' Ze leunde naar de tafel toe en legde haar handen neer naast het dossier dat voor haar lag. 'Je vader zou het met het comité eens zijn geweest. En George kan de publiciteit die dit project trekt, heel goed gebruiken.'

De linkerwenkbrauw van Liz ging een klein stukje omhoog. Haar neusvleugels stonden wijd. Ze stond op. 'Kan ik je even onder vier ogen op mijn kantoor spreken, ma?'

Mary lachte. 'Ik denk niet dat dat nodig is, lieverd.'

'Alsjeblieft.' Liz verliet de ruimte zonder achterom te kijken.

Mary keek de tafel rond. Millie bestudeerde de agendapunten van vandaag en deed alsof ze iets opschreef. En Derrick en Harvey vermeden ook haar aan te kijken. Ze haalde diep adem.

'Luister, mensen. We hebben verder alles besproken. Millie, je hebt goed werk verricht.' Toen Millie opkeek, wierp Mary haar een warme glimlach toe en voegde eraan toe: 'Je hebt juist gehandeld met dat strijkkwartet voor de receptie. Dank je.' Ze richtte zich op de mannen. 'Derrick, Harvey,' zei ze, 'gaan jullie vanmiddag alsjeblieft lekker een partijtje golfen. En doe jullie vrouwen de groeten van me.' Ze stond op. 'En dank jullie voor jullie belangeloosheid ten behoeve van de stichting. Jullie hebben vele uren werk in dit project gestoken, terwijl jullie duizend andere dingen hadden kunnen doen. Ooit zal ik een manier vinden om jullie te bedanken.' Mary klopte Derrick op zijn schouder. 'Zeg maar tegen je zoon dat hij eens moet langskomen om met Liz over vakantiewerk te praten.' En toen ging ze op weg naar de deur.

Op het moment dat Mary de deur van Liz' kantoor achter zich dichtdeed, stak die haar hand op. 'Het is mijn laatste, dat beloof ik.' Ze drukte de sigaret uit voor ze zich omdraaide om door de grote ramen achter haar bureau te kijken. Ze sloeg haar armen over elkaar en wachtte af. De spanning was zichtbaar in elke lijn van haar elegant geklede lichaam, van haar twee iets uit elkaar neergezette voeten op het geïmporteerde tapijt tot haar rechte rug en haar naar achteren getrokken schouders. 'Zou je het erg vinden om me te vertellen wat hier aan de hand is?'

Mary liet zich in een van de leren fauteuils in de zithoek zakken. 'Nou,' zei ze terwijl ze haar vinger langs de structuur van het leer liet glijden, 'volgens mij zijn we de plannen voor de receptie na de eerste steenlegging van de Samuel F. Davis-vleugel van het Creighton aan het afronden en de details aan het bespreken.'

Liz draaide zich om en keek haar moeder aan. 'Dat is niet wat ik bedoelde en dat weet je best.'

'George dan?' zei Mary terwijl ze opkeek.

'George Kincaid is een zuiplap,' gooide Liz eruit, 'en ik wil niet dat zijn naam wordt geassocieerd met dit project. En ik zou het op prijs stellen als jij me niet op die manier met het comité erbij in verlegenheid brengt. Je bent al in geen eeuwen meer bij een vergadering geweest en nu je zomaar onaangekondigd bent komen opdagen en me als een kind hebt behandeld –' Liz haalde diep adem. 'Dat was erg onbehoorlijk.'

'Het is nooit onbehoorlijk om een redelijke en vriendelijke stem te laten horen waar die ontbreekt,' reageerde Mary. 'En als je je ongemakkelijk voelde, dan spijt me dat, maar daar kon ik niets aan doen. Je deed het jezelf aan toen je George belachelijk begon te maken.'

'Ik heb in die vergaderruimte niets gezegd wat niet iedereen al weet,' beet Liz haar toe. 'Ik was alleen maar de enige die genoeg lef had om het te zeggen.'

'Dat iets algemeen bekend is, wil nog niet zeggen dat het ook publiekelijk geventileerd moet worden. Het laatste wat George kan gebruiken is *nog* een groep mensen die zich afsluit voor de kwaliteit van zijn werk en weigert hem bij te staan wanneer hij dat nodig heeft.'

'De kwaliteit van zijn werk?' Liz snoof. 'Welk werk? Wat heeft hij de afgelopen twee jaar dan gedaan? Hij zit al twee jaar in een afkickcentrum.'

Mary leunde naar voren en liet haar kin op haar gevouwen handen rusten. Ze zuchtte voor ze naar de stoel naast haar wees. 'Haal eens even diep adem en ga nou eens zitten, Elizabeth. Dit is een discussie en geen steekspel.'

Liz knipperde een paar keer met haar ogen. Ze liep naar de stoel die Mary had aangewezen, maar in plaats van te gaan zitten, ging ze erachter staan en legde ze haar handen op de rugleuning.

'Bij wat je opmerking betreft over het feit dat ik lang niet naar de vergaderingen ben geweest, wil ik even een kanttekening plaatsen,' zei Mary. 'Ik ben bij vrijwel elke vergadering geweest waarover me iets is verteld.' Ze zweeg even en liet bezinken wat ze niet had gezegd – dat Liz een heel aantal vergaderingen had belegd zonder haar moeder daarvan op de hoogte te stellen – voor ze verder ging. 'Ik heb me charmant gedragen en heb mijn meningen gegeven, waarvan overigens de meeste zijn genegeerd. Maar ik ben niet boos. En ik snap niet waarom jij dat wel bent. Heb je soms ruzie gehad met Jeffrey? Je kwam die vergaderzaal binnen met een enorme donderwolk boven je hoofd.' Ze deed een blikseminslag na, in de hoop dat dat een glimlach op haar dochters gezicht zou toveren.

Maar Liz glimlachte niet. In plaats daarvan bitste ze: 'Als ik dan met een enorme donderwolk ben binnengekomen, komt dat omdat ik onder enorme druk sta en ik niemand zie die *mij* wil bijstaan. En nu spant mijn eigen moeder samen met het comité en helpt hen een enorme vergissing te begaan.'

'Nou,' zei Mary terwijl ze opstond, 'als het een enorme vergissing zal blijken te zijn, neem ik de volledige verantwoording op me.'

Liz snoof.

'Is dat grappig?'

Liz schudde haar hoofd. 'Kom nou, ma. Jij hebt nog nooit de verantwoording genomen voor wat dan ook in je leven. Behalve dan de smaak van de koffie en de versheid van het gebak op de avondjes van pa.'

Mary liet zich achteroverploffen. Hard. Haar hart bonkte. Ze haalde scherp adem, alsof ze zich herstelde van een klap. Ze slikte en vocht tegen de tranen die haar in de ogen sprongen.

'Het spijt me, mam. Dat was...' Liz stak een hand uit om die op haar moeders schouder te leggen.

Mary wuifde de hand weg en schudde haar hoofd. 'Ik denk,' wist ze uiteindelijk uit te brengen, 'dat ik maar ga.' Ze duwde zichzelf omhoog uit de stoel en begaf zich op weg naar de deur.

'Mam, alsjeblieft,' zei Liz.

Mary keek naar haar dochter en was zich pijnlijk bewust van de boosheid in de felblauwe ogen van Liz. Haar vaders ogen. Ze wendde haar blik af, slikte en keek toen nogmaals in die ogen. 'Ik neem het je niet kwalijk dat je denkt dat je mijn mening kunt negeren, lieverd. Ik loop al in de mist rond te dolen sinds je vader stierf.' Ze glimlachte. 'Maar ik ben wakker aan het worden. En ik zal de komende dagen meer mijn zegje moeten doen.' Ze legde haar hand op de deurknop. 'Ik ga nu mijn tasje en dat dossier uit de vergaderzaal halen en daarna vlieg ik naar huis. En jij, Elizabeth, gaat George Kincaid bellen om hem te feliciteren met de winnende offerte voor de nieuwe vleugel. Dat is de juiste stap.' Het volgende dat ze zei, sprak ze langzaam en met nadruk uit. 'En, wat nog belangrijker is, *dat is wat je vader zou hebben gewild.*' Toen Liz haar mond opendeed om te protesteren, onderbrak Mary haar. 'En zo gaan we het doen, Elizabeth. Je kunt het comité afbekken, maar mij niet. Niet meer.'

Toen ze door de gang naar de vergaderzaal liep, passeerde Mary het verlichte olieverfschilderij van Samuel Frederick Davis, dat recht tegenover de lift hing. Ze stond even stil om in de diepblauwe ogen te kijken. *Het heeft lang geduurd, Sam, maar ik ga terugvechten. Ik hoop dat het nog niet te laat is.*

Op weg naar huis deed Mary de brief op de post.

3

Liz

Het heeft geduurd tot ik achttien was voor ik mezelf uiteindelijk toestond *niet* van mijn moeder te houden. Begrijp me niet verkeerd. Ik hou van mijn moeder. Maar ik *hou* niet van haar. Daar zit een verschil dat je niet in het Engels kunt uitdrukken. Ik weet niet of er een taal bestaat waarin dat wel mogelijk is, maar ik hou mezelf voor dat er ergens een familiestructuur bestaat waarin het mogelijk is voor een dochter om haar moeder in ideële zin te respecteren en te koesteren zonder in emotionele zin van haar te hoeven houden.

Misschien is het verkeerd om te zeggen dat ik niet van haar hou. Natuurlijk waardeer ik het dat ze me het leven heeft geschonken en mijn luiers heeft verschoond en het me gemakkelijk heeft gemaakt. Het is alleen zo dat het nooit echt heeft geklikt tussen ons. Ik heb altijd meer op mijn vader geleken. Hij en ik konden lol hebben onder het eten om dingen die totaal aan mijn moeder voorbijgingen. Wanneer we met het gezin naar een film keken, lachten mijn vader en ik altijd om dezelfde dingen. Mijn moeder deed dan beleefd mee, maar negen van de tien keer was het niet meer dan dat – ze probeerde alleen maar beleefd te zijn. Ze vond de kampvuurscène in *Blazing Saddles* niet grappig, maar elke keer dat mijn vader en ik hem zagen, rolden we over de vloer van de lach.

Ik heb mijn hele middelbare-schooltijd geworsteld om het te laten klikken met mijn moeder. Ze deed alles wat de moeders van al mijn vriendinnen deden. Ze zat in allerlei comités en heeft vaak genoeg feestjes gegeven. Ze was aardig tegen mijn vriendinnen en gedoogde de vriendjes die ik mee naar huis sleepte en die ik daarna een voor een dumpte. Ze was enthousiast over mijn goede cijfers en gaf een van de meest gedenkwaardige examenfeestjes toen ik afstudeerde. Ze huilde zelfs bij de uitreiking.

Maar ondanks al die gelukkige momenten is er nooit een punt geweest waarop ik kon zeggen dat het echt klikte tussen ons. We hebben altijd op twee danseressen geleken die nooit helemaal precies met elkaar in de maat dansten. Het is alsof we ergens in ons hoofd muziek horen, maar de melodie nooit hetzelfde is. Of misschien is het wel het feit dat we allebei willen leiden. Of volgen.

Ik heb me hier tijdens mijn middelbare-schooltijd altijd schuldig over gevoeld. Alsof er iets aan me mankeerde waardoor mijn moeder me afkeurde. Toen ik ten slotte ging studeren, heb ik het opgegeven haar te begrijpen. Ik stopte met haar naar haar mening te vragen en accepteerde gewoon het feit dat we niets gemeen hadden. Zij was echt een pure huisvrouw. Niet dat ik daarop neerkijk, begrijp me goed, maar ik zag mezelf nog niet zo zijn. Toen ik opgroeide, heb ik meer dan eens tegen mijn vader gezegd dat ik op zekere dag met hem mee naar zijn werk zou gaan en dat bleef zo. Nadat ik de middelbare school had afgemaakt, ben ik economie gaan studeren. En uiteindelijk had ik mijn Master of Business Administration, waardoor ik de mogelijkheid had om samen te werken met mijn vader.

Het gelukkigste moment in mijn leven was toen ik naar mijn nieuwe kantoor bij Davis Enterprises liep en mijn naamplaatje op de deur zag. Mijn moeder stuurde me bloemen. Mijn vader nam me mee uit lunchen.

Werken voor Davis Enterprises was alles wat ik me maar

had kunnen wensen. Behalve één ding. Twee jaar nadat ik mijn MBA gehaald had, kreeg mijn vader te horen dat hij kanker aan zijn twaalfvingerige darm had. Hij deed zijn best om me binnen een paar weken te leren wat hij wist en ging toen naar huis om te sterven. Ik ben er nog steeds niet gelukkig mee dat hij het zo snel heeft opgegeven. Ik heb uren over internet gesurft, op zoek naar alternatieve therapieën en behandelingen, maar mijn vader zei nee en wilde bij mijn moeder thuis zijn. Hij had geen zin om heen en weer te reizen, zei hij. Wat ik altijd heb vermoed, is dat mijn *moeder* niet heen en weer wilde reizen. Ze was al nooit iemand die ver van huis wilde. Het lijkt me dat ze zich daaroverheen had kunnen zetten voor mijn vader. Misschien dat hij dan nog iets langer had geleefd.

Ik weet niet wat er met ons tijdens die vreselijke dagen was gebeurd als Jeff er niet was geweest. We ontmoetten elkaar tijdens een conferentie waar ik niet naartoe wilde en waarvoor ik me bijna had gedrukt. Ik ben blij dat ik dat toen niet heb gedaan. We waren al verloofd voor mijn vader te horen kreeg dat hij ziek was en het betekende veel voor me dat Jeff mijn vaders goedkeuring kon wegdragen.

Jeff vult alle gaten in de bres tussen mijn moeder en mij. Zijn eigen moeder is aan kanker gestorven, dus hij weet wat het is om op die manier een ouder te verliezen. En hij herinnert me eraan hoe waardevol het is om een moeder te hebben, of ik haar nu begrijp of niet.

Ik dacht dat de dood van mijn vader mijn moeder en mij dichter tot elkaar zou brengen. Dat is niet zo. De dingen aan haar die ik niet begrijp, blijven zich maar opstapelen. Ik heb net zoveel pijn als zij, maar je kunt niet zomaar stil gaan zitten wanneer je iemand verliest waarvan je zo veel houdt. Mijn vader zei tegen ons dat hij verwachtte dat we zouden doorgaan met leven. Ik heb nooit gedacht dat mijn vader en moeder een diepgaande liefdesrelatie hadden. Maar misschien had ik het mis, want toen mijn vader overleden was, leek mijn moeder haar greep op het leven kwijt te raken. Ze komt het huis niet uit, of je moet erop staan dat ze samen met je gaat lunchen bij Val. Ze nodigt nooit iemand uit, of het moet iets zijn wat ik heb gepland in verband met de stichting. Wanneer ik opmerk dat ze een sociaal leven nodig heeft, werpt ze me alleen maar zo'n blik toe die zegt dat ik haar niet begrijp. En dat is ook zo. Ik weet dat ze als weduwe het vijfde wiel aan de wagen is tijdens een diner. Maar als ze haar energie eens niet zou steken in haar zinloze tochtjes naar de Old Market en die antiekwinkeltjes, maar in een poging om een interessant persoon te worden, zou het niet uitmaken of ze de helft van een stel was of niet. Als ik er niet op stond dat ze van tijd tot tijd iets voor de stichting doet, weet ik niet of ze zich wel altijd 's morgens zou aankleden.

Zelfs Irene maakt zich zorgen. De mensen denken dat ze alleen maar een huishoudster is, maar ze is veel meer dan dat. Irene en Cecil Baxter wonen al in het huisje achter de vijver zo lang ik me kan herinneren. Cecil zorgt voor het land en de auto's. En Irene zorgt voor het eten en het huis.

Het grootste deel van de tijd behandelen ze ons allemaal meer als surrogaatkinderen dan als hun werkgevers. Dat irriteerde pa soms zo dat hij een keer het idee heeft geopperd hen te ontslaan. Volgens mij heeft Irene dat nooit geweten, maar de volgende dag bakte ze twee taarten. Rabarber en kruisbessen. En dertig cakejes. Pa heeft nooit meer geklaagd dat Irene ons behandelt als familie. En Irene deed haar uiterste best om pa als 'meneer' en ma als 'mevrouw' aan te spreken wanneer er buitenstaanders in de buurt waren. Ze legde zich zelfs neer bij pa's verzoek om een uniform te dragen.

Irene beweert dat ma gewoon tijd nodig heeft. Maar na

dat gedoe vanmorgen tijdens die bestuursvergadering denk ik eerder dat ze therapie nodig heeft. Ze is zichzelf niet, dat is in elk geval duidelijk. Ik wil dat ze zich weer voor dingen gaat interesseren en natuurlijk hoort de stichting daar ook bij, maar het is niets voor haar om met het comité erbij overal dwars tegenin te gaan. Natuurlijk heb ik er spijt van dat ik haar pijn heb gedaan. Maar ik heb ook verdriet. Die oncologievleugel van het ziekenhuis is belangrijk voor me en ik wil niet dat dat project wordt verknoeid. George Kincaid was een groot architect. Ooit. Maar hij heeft zijn beste tijd gehad. Pa zou zich dat hebben gerealiseerd. Ik snap niet dat ma zei dat hij de comeback van George zou hebben toegejuicht. De Samuel Davis die ik kende, was niet iemand die een belangrijke onderneming in de waagschaal stelde door met een zwakke schakel in zee te gaan.

En dat ma me dan ten overstaan van het comité... Dat was gewoon erg onbeschaafd. Nogmaals, dat zou pa nooit hebben gedaan. En dat zou ook niemand ooit bij hem hebben gedurfd. Ik begin te denken dat ik een vergissing heb begaan door ma meer te willen betrekken bij het werk. Het is duidelijk dat ze niet heeft begrepen wat ik in gedachten had. Het is goed dat ze Jeff en mij vanavond voor het eten heeft uitgenodigd. Ik weet niet wat er met haar aan de hand is, maar ik zal zorgen dat ik daar snel achter kom. En we moeten ook hoognodig even schoon schip maken wat dat gedoe met George Kincaid betreft.

4

'Ma, je maakt een geintje? Toch?' Liz forceerde een lachje en keek over de tafel heen naar Jeffrey, waarbij haar blauwe ogen hem een duidelijke boodschap toewierpen. Jeff keek naar zijn bord en inspecteerde zijn biefstuk alsof hij naar een petrischaaltje zat te turen.

Dat herinnerde Mary eraan hoe Liz en Sam elkaar vaak op dezelfde manier onder het eten boodschappen toe seinden. Ze zei tegen Jeff: 'Dat is een nieuwe saus. Ik heb Irene gevraagd hem eens te proberen.' Ze keek Liz aan en glimlachte. 'En nee, ik maak geen geintje. Ik heb afgelopen week mijn paspoort gekregen en ik sta op het punt de vlucht te boeken.'

Het was duidelijk dat Jeffreys radar anders was ingesteld dan die van Sam. Na een hap van de biefstuk te hebben genomen en zijn goedkeuring te hebben laten blijken, knipoogde hij naar Mary en zei: 'Fijn plan!'

'Ik dacht dat je had gezegd dat je je meer met de stichting ging bemoeien,' zei Liz fronsend. 'Maar daar lijkt het niet echt op als je ervandoor gaat naar Parijs en daardoor het kerstgala mist.'

'Zaten we vandaag wel in dezelfde vergadering?' vroeg Mary. 'Want als ik het me goed herinner, gaat Millie over het eten en het vermaak, en zijn Derrick en Harvey mans genoeg om de gasten te verwelkomen.' Ze zweeg even. 'Er zal niets wereldschokkends gebeuren. Het enige wat we altijd doen is glimlachen en de mensen bedanken dat ze zijn gekomen.'

'Misschien was dat alles wat *jij* deed,' beet Liz haar toe, 'maar er gaat een hele hoop pr vooraf aan alles wat we hopen te bereiken. En het zal een negatieve indruk geven als de vrouw van Samuel Davis niet aanwezig is.'

Mary haalde haar schouders op. 'Ik denk dat we er alleen maar voor hoeven zorgen dat de mensen plezier hebben tijdens dat diner. We verwachten al van hen dat ze tijdens de veiling buitensporig hoge prijzen betalen voor dingen die ze niet nodig hebben. Dat is genoeg gebedeld voor één avond. Ik denk dat als we eens wat meer kleinschalige lunchafspraken met de mensen zouden maken, we een beter overzicht zouden krijgen van op wie we kunnen rekenen. Ik zou er in het nieuwe jaar zo een aantal voor mijn rekening willen nemen. Wanneer ik weer terugkom.' *Als ik terugkom.*

'Maar wanneer heb je dit verzonnen?' wilde Liz weten.

'Nooit,' antwoordde Mary. 'Millie heeft het verzonnen. Maar na erover te hebben nagedacht, vind ik het wel een goed idee. Op lange termijn is bouwen aan persoonlijke relaties met begunstigers veel effectiever dan van die eenmalige gebeurtenissen als een gala.'

'Misschien dat *jij* de tijd hebt voor een hele serie intieme lunches,' zei Liz, 'maar ik niet. Ik moet een bedrijf draaiende houden. Een huwelijk plannen. Een leven leiden.' Ze pakte haar vork en mes en begon in de dikke plak vlees op haar bord te snijden.

Mary nam een slokje water voor ze verder ging. 'Er is één ding wat ik niet snap, Elizabeth.' Zoals gewoonlijk kreeg ze de aandacht van de jonge vrouw wanneer ze haar volledige voornaam gebruikte. 'Je zit me al maandenlang op de huid om actiever te worden in het werk van de stichting. En dat heb ik vandaag dus gedaan. En ik bied aan actief deel te gaan nemen vanaf het begin van volgend jaar. Maar je lijkt er niet echt blij mee te zijn.'

'Omdat ik me niet had gerealiseerd dat dat zou betekenen dat je me voor schut zou zetten met het comité erbij,' zei Liz. 'En ook niet dat je het land uit zou gaan in plaats van bij onze belangrijkste inzamelingsactie te zijn, waarna je met het idee komt van die lunches, waarvoor ik absoluut geen tijd heb.'

'Je maakt mij niet wijs dat je lunchagenda voor de komende zes weken al vol is,' reageerde Mary. 'Het is goed dat je druk bezig bent, maar niemand heeft het *zo* druk.'

'Ze heeft gelijk, Bitsy,' voegde Jeff eraan toe.

Mary was blij met zijn poging om haar te kalmeren.

Liz wierp een boze frons in zijn richting. 'Goed dan,' zei ze. 'Misschien kan ik wat ruimte maken voor een enkeling.' Ze leunde achterover en zuchtte. 'Ik vermoed dat het nu ook weer niet *zo'n* slecht idee is.'

'Dank je.' Mary gaf haar een hoofdknikje.

'Maar over George Kincaid valt niet te praten. Daar geef ik geen duimbreed toe.'

Mary nam nog een slokje water. Ze sloot even haar ogen, deed ze weer open en keek naar het olieverfschilderij van haar en Sam samen dat boven de open haard aan de andere kant van de kamer hing. Ze haalde diep adem en hoopte dat ze autoritair genoeg klonk. 'Dit is niet het juiste moment voor dat soort onderwerpen, lieverd. Zoals je vader altijd zei, krijg je opstoppingen van onenigheid aan tafel en dat is voor niemand goed.'

'Inderdaad,' knikte Jeff. Hij gebaarde met zijn vork naar Liz. 'Dus laten we ophouden over inzamelingsacties en het weer over Parijs hebben. Want ik denk dat je intens zult genieten, Mary.'

'En waarom denk je dat ze er intens van zal genieten?' vroeg Liz uitdagend.

'Dat zou jij ook doen, *ma chérie*,' zei Jeff met een dikke Franse tongval.

'O ja? En waarom denk je dat?'

'Nou,' reageerde Mary, 'je hebt bijvoorbeeld een poster van een Monet in je kantoor hangen. De plek waar Monet het origineel schilderde, ligt maar een dag reizen bij Parijs vandaan. En dan heb je het Musée d'Orsay – gewijd aan de impressionisten. En het Rodin-museum. Om het maar niet over het Louvre te hebben.'

Liz produceerde een spottend glimlachje. 'Je klinkt als een vakantiegids, ma,' zei ze. 'En je zult moeten toegeven dat dit een beetje vreemd klinkt, omdat je nooit hebt gereisd.'

Toen Mary niet reageerde, zei Jeff: 'Als je de dingen wilt gaan bekijken waarvan je het idee hebt dat je ze hebt gemist, zeg ik nogmaals: fijn plan!' Hij hief zijn glas. 'Op het proberen van nieuwe dingen.'

Liz vatte de boodschap en Mary herkende de geforceerde glimlach. 'Jeff heeft natuurlijk weer gelijk. Het is goed dat je iets nieuws probeert, ma. Maar... kun je niet wachten tot na het gala?'

'Ik wil daar juist met de Kerst zijn. Sterker nog, ik heb al gereserveerd in een klein hotelletje in de buurt van de Sorbonne.'

'Ben je met de Kerst weg?'

'Niet boos worden. Je gaat me toch niet vertellen dat jullie niet samen zullen genieten van een romantische vakantie?' Mary grinnikte. 'Irene zal niet weten wat ze moet. Ze heeft al in geen eeuwen meer een kerstdiner voor twee verzorgd. Die heeft nog nooit zo veel vrije tijd gehad met Kerst!'

Terwijl ze luisterde, had Liz aan haar oorring zitten friemelen. Nu viel die, stuiterde een keer op haar schoot en verdween ergens onder de zware kersenhouten tafel. Ze schold zachtjes.

'Ik pak hem wel even,' zei Jeff, waarna hij van zijn stoel gleed.

'Kan ik u ergens mee helpen, meneer Scott?' Het was Cecil Baxter, die net uit de keuken kwam. Hij was gekleed in een smetteloos zwart pak met stropdas en leek absoluut niet op de tuinier die hij was.

Liz wuifde hem weg. 'Jeff pakt hem al.'

Jeff verscheen weer van onder tafel vandaan, de oorring van Liz in zijn hand. Cecil verdween naar de keuken met instructies om het dessert binnen te brengen en het gesprek over Parijs werd vervolgd.

'Ik wil dit al een tijdje,' zei Mary.

'Ik ben zeer verrast,' reageerde Liz. 'Pa haatte reizen. Ik dacht jij ook.'

Mary schudde haar hoofd. 'Ik vond het vroeger heerlijk.'

'Wist pa dat?'

Mary koos ervoor om die vraag niet te beantwoorden.

'Waarom heb je hem dat dan niet gewoon verteld?'

Daar had je het weer. Dat toontje. Dat toontje dat haar het gevoel gaf dat alles haar schuld was. Mary zuchtte. Ze keek uit het raam. Cecil kwam weer binnen en had een taartstandaard met een ongebruikelijk hoge chocoladetaart erop. 'Dat *heb* ik hem ook verteld, schat.'

Liz fronste haar voorhoofd. 'Echt? En heeft hij het... gewoon genegeerd?'

'Het zit een klein beetje ingewikkelder in elkaar,' reageerde Mary. Ze gebaarde dat Cecil naar haar toe moest komen. Hij zette de taart voor haar neer en liep naar een kast om enkele dessertborden te halen.

'Blijkbaar,' zei Liz. Ze schudde haar hoofd. 'Het laatste wat ik verwachtte, was wel dat je zou zeggen dat je de Kerst in je eentje in Parijs zou vieren.'

Mary glimlachte toen ze het mes pakte dat naast haar bord lag en de taart aansneed.

'Mam,' protesteerde Liz. Ze liep naar de kast, trok een

lade open en haalde een zilveren gebaksmes tevoorschijn. Mary wilde het stuk taart op het kleine dessertbordje schuiven, maar het stuk eindigde op zijn kant op het tafellaken.

'Je kunt er maar beter voor zorgen dat je Irene laat serveren tijdens die intieme lunches die je wilt gaan houden,' zei Liz afkeurend. 'Je zult zien dat het een beetje ongemakkelijk aanvoelt om honderdduizend dollar te vragen terwijl je de chocolade van het damast af schraapt.'

En weer voelde Mary de woorden van haar dochter in haar maagstreek landen.

'Och, Liz,' reageerde Jeff vriendelijk maar lichtelijk afkeurend, terwijl hij zijn dessertbord neerzette.

'Nou,' zei Liz koppig, 'het is gewoon waar. Bij dat soort dingen zijn tact en stijl vereist.'

'Talenten die ik blijkbaar geen van tweeën bezit,' zei Mary, die haar vinger in de chocoladesaus op het tafellaken doopte en hem met smaak aflikte.

Toen Liz reageerde, was dat om het onderwerp dat haar moeder net van tafel had geveegd weer ter sprake te brengen. 'Nu je er toch over begint, mam, het *was* toch ook niet tactvol van je om tijdens die vergadering tegen me in te gaan waar iedereen bij zat? Pa zorgde er altijd voor dat we één front vormden tijdens bestuursvergaderingen. Jij en ik zouden eigenlijk hetzelfde moeten doen.'

'Zijn we weer terug bij het onderwerp George Kincaid?' vroeg Mary.

Liz haalde diep adem. 'Luister, mam. Er is niemand die je vertelt dat je je niet mag bemoeien met zaken die de stichting aangaan. Je bent welkom. Ik begon het nogal zat te worden om je te excuseren. De mensen begonnen al te denken dat de weduwe van Samuel Davis op het randje zat.'

'Liz...' Jeff stak een hand uit om de hare te pakken.

Ze schudde hem af. 'Nee, Jeff. Ze moet de waarheid weten.'

'De waarheid?' vroeg Mary.

Liz knikte. 'Je weet het niet omdat ik je heb beschermd, uitvluchten voor je heb verzonnen. Ik heb redenen verzonnen waarom je niet meer naar de club komt. Waarom je zoveel bent afgevallen. Waarom je nooit naar de kerk gaat.' Ze leek bij elk woord bozer te worden. Ze noemde een lijst van vergaderingen op waar Mary niet was komen opdagen, dingen waarmee ze Liz had teleurgesteld en wat er allemaal nog meer niet klopte. Liz ging een heel eind terug in de tijd, naar momenten waarvan Mary nooit had geweten dat ze zich daarvoor had geschaamd. Ze tipte haar universiteitsbal aan. 'Mam, je kwam op *blote voeten* de deur opendoen. En je nam zelfs niet eens je fototoestel mee. Alsof het je allemaal niets zei. En nu, na al die jaren, wil je plotseling een stem in het bedrijf hebben? Denk je dat je me bevelen kunt geven?' Liz ging steeds harder praten toen ze de genadeslag toediende. 'Pa heeft *mij* de leiding over het bedrijf gegeven, mam. Dat zou een teken aan de wand moeten zijn.'

Mary stond op. Heel even staarde ze in de woedende blauwe ogen van haar dochter. Toen ze langs Liz heen keek naar het portret aan de andere kant van de kamer, begon haar hart te bonken. Ze rukte haar blik los van de blauwe ogen van Sam voor ze diep ademhaalde en kalm maar duidelijk zei: 'Ik heb een meerderheidsbelang in de organisatie en het werk van de stichting, Elizabeth. Dus of we het er nu over eens zijn of niet, George Kincaid wordt de architect voor de Samuel F. Davis oncologievleugel van het Creighton University Hospital.' Ze liet haar vingertoppen op het damasten tafellaken rusten toen ze vervolgde: 'Millie Patton heeft de leiding over het gala. Derrick Miller en Harvey

Fagan heten de gasten welkom. Harvey wordt de ceremoniemeester. En ik,' zei ze terwijl ze haar stoel naar achteren duwde en naar de deur liep, 'ga naar Parijs.'

Ze hoopte dat ze op waardige wijze verdween. Jeff probeerde haar nog tegen te houden, maar ze wuifde hem opzij. Eenmaal in de gang leunde ze even tegen de muur, onderdrukte ze een snik en probeerde haar ademhaling tot rust te brengen. Het geluid van naderende voetstappen dwong haar om er haastig vandoor te gaan. Ze struikelde de gang uit en haastte zich de grote trap op en de ruime overloop over. Eenmaal in haar eigen vertrekken liep ze naar haar nachtkastje toe. Ze zou vannacht geen oog dichtdoen, behalve...

Ze veegde de tranen uit haar ogen en voelde achter de stapel kussens aan het hoofdeinde van haar bed. *Niets.* Ze hield haar adem in, knielde neer en voelde onder het bed. Toen haar hand alleen maar lege ruimte voelde, keek ze eronder. De pillen waren verdwenen. Mary zonk neer op het tapijt, streek met haar hand door haar haar en vroeg zich af wat ze moest doen.

Irene stond aarzelend in de donkere gang en leunde in de richting van de deur. Ze legde haar oor bijna tegen het hout en luisterde. Ze hief een vuist op om aan te kloppen, bedacht zich en voelde aan de deurknop, opgelucht dat hij meegaf. *Ze heeft me in elk geval niet buitengesloten.*

De deur ging geluidloos open en ze keek een donkere kamer in. Een van haar tenen bleef achter een tapijt hangen dat Mary daar een paar dagen geleden had neergelegd en ze struikelde. Toen ze een hand op het bed legde om overeind te blijven, kraakte er een veer.

'Ga alsjeblieft weg. Wie je ook bent, ga gewoon weg.' Er stond een donkere vorm op van de stoel aan de andere kant van de kamer en keerde zich naar Irene toe. 'O,' zei Mary zacht, 'ben jij het.' Ze zweeg even voor ze weer iets zei. Haar stem klonk geforceerd vrolijk. 'Er is niets met me aan de hand, Irene. Ga lekker naar bed. Het is al laat.'

'Er is *wel* iets aan de hand,' zei Irene. 'Er is geen moeder ter wereld die niet aangedaan zou zijn als haar kind zoiets tegen haar had gezegd. Cecil en ik hebben – vanuit de keuken – woord voor woord verstaan wat er werd gezegd.' Toen Mary zich afwendde om uit het raam te kijken, volgde Irene haar blik. Het maanlicht verlichtte de standbeelden in de tuin, die zo op geestverschijningen leken.

Mary liep naar de stoel bij het raam en ging zitten. 'Het kwam niet echt als een verrassing.' Ze zoog een lange, beverige hap lucht naar binnen. 'Hoewel de intensiteit van haar gevoelens me niet de wind uit de zeilen heeft genomen.'

'Ze was ronduit bot,' hield Irene vol. 'Gegarandeerd dat ze morgenochtend haar verontschuldigingen komt aanbieden.'

'Misschien,' zei Mary met onvaste stem. Ze wierp een blik over haar schouder naar de plek waar Irene nog steeds stond. 'Nou, als je dan toch niet naar bed gaat, ga dan alsjeblieft zitten.' Ze klopte op de kussens naast haar.

Irene gaf toe en ging op het randje van de stoel zitten, haar handen in haar schoot en haar rug kaarsrecht.

'Het is met jouw kinderen zo goed gegaan,' zei Mary. 'Waar ben ik de fout ingegaan? Wat doe ik dan verkeerd? Of wat doe ik niet? Of zeg ik niet? Of juist wel?' Ze veegde het haar uit haar gezicht.

'Het gaat niet om u,' zei Irene. 'Het gaat om haar. Ze ziet het niet.'

'*Wat* ziet ze dan niet?' mopperde Mary.

'Van alles,' gooide Irene eruit. 'Hoe het voor u is geweest. Daar weet ze helemaal niets van.'

'Nou, dat kan ik haar niet kwalijk nemen,' reageerde Mary. 'Ik heb Sam beloofd niet over Parijs te praten.' Ze zweeg even. 'Wat er ook over Mary McKibbin kan worden gezegd, *die* belofte heeft ze in elk geval gehouden.' Ze schudde haar hoofd. 'Elizabeth is ervan overtuigd dat ze alles van me weet. Ik ben gewoon "dat vrouwtje" dat feestjes organiseert... en af en toe chocoladetaart op het tafellaken laat vallen.'

'Maar *ik* weet dat er meer in u zit,' zei Irene. 'En ik ben alleen maar de *huishoudster*. Het lijkt erop dat als uw dochter even lang genoeg niet naar zichzelf zou kijken, ze zou zien wie haar moeder werkelijk is.'

'Val haar niet te hard. Ze heeft het zwaar gehad. Al die verantwoordelijkheid die op haar schouders is gelegd –'

'Dat vindt ze heerlijk en dat weet u,' wierp Irene tegen. 'Ze houdt ervan beslissingen te nemen en de baas te spelen. Dat was altijd al zo, zelfs toen ze nog klein was. Ze heeft waarschijnlijk model gestaan voor Mary Engelbreits opmerking "Koningin over Alles".'

Mary grinnikte. 'Nou, in elk geval "Koningin over Behoorlijk Wat". Ze hield Sam al onder de duim vanaf het moment dat ze die blauwe ogen van haar opendeed.' Ze mompelde: 'Het moet vreselijk voor haar zijn om hem niet in de buurt te hebben.'

'Natuurlijk is dat zo,' was Irene het met haar eens. 'Maar ze zou eens om zich heen moeten kijken om haar zegeningen te tellen. En nadat ze haar zegeningen heeft geteld, zou ze voor de verandering eens aan *u* moeten denken. Ze loopt nu al een jaar te jammeren dat u niet genoeg interesse voor de stichting toont. En nu u dat wel doet, klimt ze meteen in de hoogste boom.'

'Zo erg was het nu ook weer niet.'

Irene trok beide wenkbrauwen hoog op.

'Oké,' gaf Mary toe, 'zo erg was het wel.' Ze zuchtte en rekte zich uit. 'Nou ja, gebeurd is gebeurd.' Ze stond op. 'Ik zal haar morgen wel even bellen en me verontschuldigen. Dan is alles weer in orde.'

Irene sloeg met haar handpalmen op haar knieën. 'Dat gaat u *niet* doen! Elizabeth zou zich moeten verontschuldigen. Ze zou hier nu moeten zitten smeken om vergeving voor de dingen die ze heeft gezegd.'

'Misschien kunnen sommige dingen gewoon niet worden hersteld, Irene. Misschien *is* het wel te laat. Vanaf de dag dat ze werd geboren, ben ik haar stukje bij beetje kwijtgeraakt aan Sam. Ik zag het gebeuren en deed er niets tegen. Ik heb mezelf voorgehouden dat ik geluk had dat Sam zo'n toegewijde vader was en haar zo compleet accepteerde. Ik was zo blij dat hij tijd voor haar vrijmaakte –'

'Dat,' zei Irene, 'is een te zwakke weergave van de werkelijkheid. Als u het mij vraagt – en ik realiseer me dat u dat niet deed – heeft die man, te veel naar haar omgekeken en te weinig naar u.'

Mary zuchtte. 'Dat geloof je toch zeker zelf niet? Je kunt nooit te veel van een kind houden.'

'Het ging niet om te veel houden van,' was Irene het met haar eens. 'Het gaat erom dat hij verkeerde prioriteiten stelde. Hij –' Ze stopte halverwege haar betoog.

'Het is al goed, Irene,' zei Mary. 'Ik weet dat ik in Sams leven voor Liz op de reservebank ben gaan zitten. En als ik helemaal eerlijk ben, ook in zijn hart. Dat heb ik leren accepteren.' Ze schudde haar hoofd. 'En toen haar vader stierf en het centrum van haar universum ineenstortte, heb ik me naar binnen gekeerd.' Ze zuchtte. 'Zij mag dan afstandelijk zijn geweest, maar ik heb niets gedaan om dat tegen te houden. Tot van de week heb ik geen enkele poging gedaan om echt betrokken te zijn bij de dingen die haar interesseren en dat weet je best.'

'U had uw eigen verdriet,' wierp Irene tegen. 'En maar erg weinig hulp om ermee te leren omgaan, als ik zo vrij mag zijn.' Ze greep Mary's hand en trok haar naast zich op het bankje. 'Vergeet niet dat ik niet veel jonger was dan u toen mijn eerste man overleed. En toen hij stierf, had ik het liefst naast hem in dat graf willen gaan liggen. Ik weet wat het is om dagen door te maken dat je jezelf eraan moet herinneren dat je adem moet halen. Ik weet wat het is om je man stukje bij beetje te zien sterven en hem te helpen zijn waardigheid te behouden, terwijl je wordt geconfronteerd met dingen waarvan je gruwt. U had verpleegkundigen voor hem kunnen inhuren, maar u bent zelf bij hem gebleven.'

'Maar dat *wilde* ik ook,' protesteerde Mary. 'Niemand heeft me daartoe gedwongen.'

'Wat het er alleen maar lovenswaardiger op maakt. En des te tragischer is het dat Mevrouw Weetal Elizabeth niet ziet wat een fantastische vrouw u bent.'

Mary schudde haar hoofd. 'Ik ben geen fantastische vrouw. Ik ben een oplichter. Een meid van het platteland die heeft doen voorkomen alsof ze een rijke erfgename is. Sam heeft de charade in het leven geroepen en ik ben er gewoon mee doorgegaan.' Ze stond op en liep naar de muur die zich tegenover de erker bevond.

Het was donker, maar Irene had geen licht nodig om te kunnen zien waar ze naar keek. De enige foto uit Mary's verleden was die met de Rolls Royce erop. Zelfs Elizabeth nam aan dat het een foto van de jonge Mary McKibbin was die pronkte met de Silver Cloud van haar vader. Alleen Irene kende de waarheid. Het was een foto van een arme Amerikaanse studente in Frankrijk, die wat bijverdiende door tijdens een autoshow een designjurk te showen en die in een limousine reed die eigendom was van een vriend van Samuel Frederick Davis, de man die het model zou ontmoeten en die haar leven zou veranderen.

Mary zei: 'Maar Sam is er niet meer en zonder hem kan ik die charade niet volhouden.' Ze draaide zich om om Irene aan te kijken. 'En dat *wil* ik ook niet meer.'

'U moet het haar vertellen,' zei Irene.

Mary schudde haar hoofd. 'Het is te laat. Dat moet ik accepteren. Misschien is het maar beter zo.'

Irene stak een hand uit naar het nachtkastje en pakte de ingelijste spreuk die ze had gezien toen ze gisteren aan het stoffen was. *Het is nooit te laat om te worden wat je had kunnen zijn.* Ze hoopte dat haar werkgever zelfs in het donker begreep wat ze probeerde duidelijk te maken. 'Ze begint steeds meer op haar vader te lijken,' zei Irene. 'Hoe kan dat nou het beste voor haar zijn?'

'Sam had ook zijn kwaliteiten,' zei Mary snel. 'Ze heeft zijn gedrevenheid, zijn oog voor details, zijn –'

'– hang naar macht,' maakte Irene de zin af. 'En zijn vermogen om over iedereen heen te walsen die in de weg staat.'

'Ze is onafhankelijk,' wierp Mary tegen.

'Ze is egocentrisch en koppig,' reageerde Irene. 'En ze zou eens naar haar moeder moeten luisteren.'

'Nou,' zei Mary, 'dat is ze duidelijk niet van plan.' Ze keerde terug naar het raam. 'En om eerlijk te zijn, denk ik niet dat ik de wil heb om haar te dwingen naar me te luisteren.' Ze streek haar haar uit haar gezicht. 'En ik weet niet eens zeker of dat er wel iets toe doet.'

De twee vrouwen zwegen enkele momenten. Irene zat op het bankje en Mary stond naast haar, en beide vrouwen keken naar buiten. Toen Mary zich bewoog en Irene zich realiseerde dat ze een traan van haar wang veegde, pakte de oudere vrouw haar hand en gaf er een kneepje in.

'Ik ben haar kwijt, Irene,' zei Mary met brekende stem. 'Ze is het enige wat ik nog heb in deze wereld om van te houden en ze accepteert mijn liefde niet eens. En ik heb niet de kracht om voor haar te vechten. En de waarheid is dat ik dat zelfs niet eens wil. Ze heeft me vanavond heel erg bezeerd. Hoe kan een moeder zich zo over haar eigen kind voelen?' Ze onderdrukte een snik.

Irene trok Mary naast zich op het bankje en sloeg haar armen om haar heen. Zelfs toen ze zo haar moederlijke gevoelens liet spreken, voelde ze de boosheid in zich opwellen. Boosheid ten opzichte van Elizabeth Davis om haar onmacht om de behoeften van haar moeder te zien. Boosheid ten opzichte van welke kracht het dan ook was die de muur tussen de twee vrouwen overeind hield. En boosheid ten opzichte van Sam Davis, die een onschuldig meisje op de wereld had gezet en er systematisch elk enthousiasme voor het leven uit had gestampt.

Toen Mary's tranen ophielden te stromen, dwong Irene haar zachtjes in de richting van het bed, nam de oude duster van haar aan en drapeerde die over de bureaustoel. Ze stopte haar werkgeefster lekker in en toen Mary achteroverzakte tegen haar kussen, legde Irene een hand op haar hoofd en fluisterde een kort gebed.

Toen Irene een van de massieve dubbele deuren van de slaapkamer opendeed om te vertrekken, riep Mary haar naam.

'Ga nu maar slapen,' zei Irene vriendelijk. 'Straks breekt er een nieuwe dag aan en ik heb God gevraagd je iets te geven waarover je je kunt verblijden.'

'Dank je.' Het was even stil en toen zei Mary weer: 'Irene...'

'Ja, mevrouw?'

'Ik zou ze niet hebben ingenomen. Ik heb er vaak genoeg de kans voor gehad.'

'Jazeker, mevrouw.'

'Je kunt ze weggooien.'

'Heb ik al gedaan. En ga nu lekker slapen.' Irene sloot de deur.

5

Jeff

Als ik van tevoren had geweten wat er allemaal zou gebeuren toen ik Liz ontmoette, zou ik misschien hard de andere kant op zijn gerend. Misschien, maar dat betwijfel ik. Ze is mooi, capabel en intelligent. Zo'n beetje alles waar een man naar verlangt. Tel daar nog eens bij op dat ze heel enthousiast lijkt over het idee om de rest van haar leven samen met mij te slijten en iedereen snapt dat ik hier tot over mijn oren in zit.

Het probleem is de onzichtbare muur tussen Liz en haar moeder. Niemand die goed bij zijn verstand is, wil klem komen te zitten tussen twee vrouwen die niet met elkaar overweg kunnen. Soms denk ik weleens dat *ik* niet goed bij mijn verstand ben dat ik er niet al lang geleden tussenuit ben geknepen. Of dat ik Liz niet heb gezegd eindelijk eens volwassen te worden of haar moeder een beetje de ruimte te geven. Of dat ik Mary niet heb gevraagd iets meer haar best te doen. Maar ik mag Mary graag en ik hou van Liz... En dus houd ik me meestal koest en hoop er maar het beste van. Meestal.

De meeste mannen zouden in mijn geval hun schouders ophalen en zich niet druk maken. Als ze het probleem al opmerkten. Maar ik kan niet net doen alsof het me niet uitmaakt of Liz en haar moeder nu wel of niet goed met elkaar overweg kunnen. Iedereen die beweert dat volwassen kinderen hun ouders niet langer nodig hebben, is een idioot. En ik kan het weten, omdat mijn moeder stierf toen ik vijfentwintig was. Het gebeurt nog steeds weleens dat ik naar de telefoon grijp om met haar ergens over van gedachten te wisselen en me dan realiseer dat ze er niet meer is. En dat verstikt me weleens. Mijn moeder en ik waren nogal close met elkaar, omdat het zij en ik tegen de rest van de wereld was toen mijn vader ervandoor ging. Ik was toen dertien. Ik had een broertje en een zusje en ik herinner me nog dat ik mijn armen om mijn moeder heen sloeg en haar vertelde dat we het wel zouden redden. En dat was ook zo. Gelukkig was ik intelligent genoeg om een beurs te krijgen voor een school in de buurt. Ik heb ook wat aanbiedingen gehad van enkele zeer goed bekendstaande scholen, maar ik koos ervoor om dicht bij mijn familie te blijven. Ik bleef dus nog een paar jaar thuis wonen. Ten slotte heeft mijn moeder me het huis uit geschopt, met de mededeling dat ik nog wat dingen moest leren en dat ze geen toeschouwer wilde zijn wanneer ik die leerde. Ze had gelijk.

Ik wil hiermee gewoon maar even duidelijk maken dat we close waren. Ze was een ongelofelijk moedige vrouw en ze redde het zo goed om alleenstaand ouder te zijn, dat ik nooit heb geweten hoe erg ze het huwelijk miste. Tot ik een keer 's avonds laat thuiskwam en haar achter de televisie aantrof, terwijl ze snikkend naar de film *Sabrina* zat te kijken. 'Zo'n liefde heb ik altijd gewild,' zei ze. Ze vertelde me toen dat ze het gevoel had dat ze ons zo tekort had gedaan doordat haar huwelijk met pa niet was geworden wat ze ervan had verwacht. Er waren jaren voorbijgegaan en ik had er geen idee van dat ze daar zo'n verdriet over had gehad. Ik heb mijn armen om haar heen geslagen en haar verteld dat ze geweldig was. En ik besloot ervoor te zorgen dat ze dat nooit zou vergeten.

Danny en Sarah zaten allebei op school toen ma stierf aan

een zeldzaam soort lymfeklierkanker waar je snel aan overlijdt. Ze was al gestorven voor we goed en wel wisten dat ze kanker had. En dat was, denk ik, in zekere zin een zegen. Ik heb geen pijnlijke herinneringen aan een slopende ziekte, zoals Mary en Liz hebben meegemaakt met Sam. Ma is naar het ziekenhuis gegaan en is er gewoon nooit meer uitgekomen.

Ik had een goede baan en Danny, Sarah en ik zijn een tijdje aan elkaar blijven klitten in mijn appartement. We zijn er samen doorheen gekomen en we kunnen nog steeds heel erg goed met elkaar opschieten, hoewel Danny nu in Californië woont en Sarah in Denver, met drie kinderen onder de vier.

Ik kan niet veel geduld opbrengen als Liz over haar moeder loopt te klagen. Eigenlijk klaagt ze ook niet. In elk geval niet zoals je zou denken. Ze lijkt alleen gewoon haar moeder niet naar waarde te schatten. En er zijn momenten dat ik denk dat ze zich een beetje voor haar schaamt. En daar kan ik behoorlijk kwaad om worden. Eigenlijk ging de enige echte ruzie die Liz en ik hebben gehad, over haar en haar moeder.

Mary Davis is een geweldig mens. Ze is graag thuis en staat met beide benen op de grond, hoewel ik er geen idee van heb hoe ze dat doet, te midden van het leven dat ze heeft geleefd. Liz lijkt niet veel over het verleden van haar moeder te weten. Dat vind ik vreemd, maar Liz beweert dat Mary's leven pas is begonnen toen ze Sam ontmoette en dat is alles.

Volgens mij vond ik Mary al aardig vanaf het moment dat ik haar ontmoette. Liz nam me mee naar huis om kennis te maken met haar ouders. Ze had me al gewaarschuwd dat haar ouderlijk huis nogal groot was. Dat was niet overdreven. De familie Davis woont niet in een huis. Ze wonen in een klein formaat paleis dat ergens midden in het bos is neergezet. Maar je kunt pas in de buurt van het huis komen wanneer de man bij het hek de poort voor je opendoet. Wanneer er gasten worden verwacht, trekt de oude Cecil Baxter een net pak aan en wacht in het wachthuisje op hen.

Nou, je kunt je wel voorstellen hoe ik me voelde. Daar was ik dan, de jongen die was opgegroeid in een hokkerig huisje met een slaapkamer die alleen maar was te bereiken via een steile trap in een kast in de kamer van mijn zusje. Met andere woorden, Danny en ik sliepen op zolder.

We reden in mijn volkswagenbusje met een grote *Grateful Dead*-sticker op de achterruit de oprijlaan op. We sloegen linksaf en het huis kwam in zicht. Ik wilde het liefst mijn stuur omgooien en er als een haas vandoor gaan. Maar toen werd de deur opengedaan, en niet door een butler. Het was een vrouw in een spijkerbroek en een oversized shirt met lange mouwen, waardoor ze nog kleiner leek dan ze was. En ze liep op blote voeten. Ja, ik weet zeker dat ik Mary Davis vanaf het eerste ogenblik al mocht.

Maar Liz vond haar moeders outfit maar niks. Dat was wel duidelijk. 'Hallo, mam,' zei ze. Ze gaf haar niet eens een knuffel. Ze stelde me voor en zei toen: 'Het spijt me dat we wat vroeg zijn. Ik neem Jeffrey wel even mee naar het zwembad. Dat geeft jou even de tijd om je te verkleden.'

Ook al had ik Mary nog maar net ontmoet, ik zag de pijn in haar ogen. Ik opende mijn mond om iets te zeggen, maar ze liep al weg. Ik keek nog een keer om toen Liz me door de hal heen naar de achterzijde van het huis trok. Ze stond op de onderste traptrede en keek naar ons. Toen onze blikken elkaar kruisten, glimlachte ze naar me. Maar alleen met haar mond. Het duurde een maand voor ik me realiseerde dat je nooit de ogen van Mary Davis ziet glimlachen. Als ik haar niet had gekend voor meneer Davis stierf, zou ik zeggen dat het verdriet was. Maar als het verdriet is, treurt Mary om nog iets anders dan alleen de dood van haar man.

De vader van Liz ging niet zo snel overstag als haar moeder. In het jaar nadat hij overleden was, kwam ik erachter dat hij me had laten natrekken. Maar blijkbaar had hij niets gevonden om bezwaar te hebben tegen onze relatie. Ik heb me vaak afgevraagd wat er zou zijn gebeurd als dat wel het geval was geweest. Liz houdt van me, maar ik betwijfel of onze relatie zou hebben standgehouden als haar vader het er niet mee eens zou zijn geweest. Gelukkig is dat nooit het geval geweest. Sam Davis kwam niet gemakkelijk los, maar na zes maanden van dineetjes, waarna we spelletjes schaak speelden die ik steevast expres verloor, moet hij hebben besloten dat ik wel oké was. Hij begon me Jeff te noemen in plaats van Jeffrey en een keer of twee heeft hij me een vriendschappelijke klap op mijn schouders gegeven toen ik naar huis ging. En toen hij me op zekere avond in zijn Austin Healey liet rijden, wist ik dat het wel snor zat. Ik weet niet wat er met die auto was, maar Samuel Davis liet er niemand bij in de buurt komen. Zelfs Liz mocht er niet in rijden, hoewel die bijna alles kreeg wat haar hartje begeerde. Ik heb er maar één keer in gereden, maar dat was dan ook vreselijk opwindend. Begrijp me goed, niet omdat het een Austin Healey was, maar omdat het de auto van Samuel Davis was.

En nu is Sam er niet meer en ik had gehoopt dat er iets zou gebeuren wat Mary en Liz in staat zou stellen om over wat er dan ook tussen hen in staat heen te stappen.

Het grappige is dat buitenstaanders alleen maar een zorgzame moeder en een toegewijde dochter zien, hoewel dat na die vergadering van gisteren voor een paar mensen weleens veranderd zou kunnen zijn. Toch denk ik dat je een langere periode wat intenser met hen moet optrekken om te merken dat er iets niet helemaal in orde is. Ze lijken een manier te hebben gevonden om zo om elkaar heen te cirkelen dat alles tussen hen gladjes verloopt. En dat is nu juist, naar mijn bescheiden mening, het probleem. Ze lijken er tevreden mee te zijn dat 'alles gladjes verloopt'. Ik word er gek van. Af en toe lunchen ze met elkaar, zoeken elkaar op tijdens de feestdagen en de vakanties en nemen dan wat kiekjes en zo. Liz heeft een foto van haar en haar moeder op de ladekast in haar kantoor. Die is tijdens de laatste Thanksgiving gemaakt. Mary heeft op die foto haar arm om Liz heen geslagen en als je niet beter zou weten, zoals ik, zou je denken dat ze op die foto gelukkig lijken.

Feit is dat ze geen van tweeën gelukkig zijn sinds Sam dood is. Hij was de lijm die deze twee vrouwen bij elkaar hield en toen hij eenmaal weg was, begon alles snel af te brokkelen. Liz liet haar irritatie blijken over wat ze haar moeders 'achterbuurtbezoek' noemde. Mary liet haar geveinsde interesse in de Davis-stichting varen en ging niet meer naar de vergaderingen. Volgens mij is ze dat eerste jaar niet bij Davis Enterprises geweest. Ik denk dat dat Mary's manier was om de handschoen op te nemen. Een soort uitdaging. Maar Liz protesteerde niet. Sam had ervoor gezorgd dat zij zijn werk kon voortzetten. Ze is wat dat betreft echt een dochter van haar vader. Ze doet het uitstekend aan het roer van het bedrijf. En ze protesteerde niet toen Mary een stapje terug deed.

Ik heb me afgevraagd of Liz niet een beetje te veel kickt op de macht en de invloed. Of ze niet een beetje *te* graag de boel over wilde nemen. Na wat er gisteravond gebeurde, denk ik dat ik een kant van Liz over het hoofd heb gezien en dat ik me daar eens goed in moet verdiepen.

Mary legt blijkbaar een hernieuwde interesse voor de stichting aan de dag – voornamelijk vanwege George

Kincaid. Die vent is het onderwerp van heel wat roddels in die sociale kringen. Hij was een oude vriend van Sam en Mary laat hem niet vallen, ook al doet de rest dat wel. En dus ging Liz daar recht tegenin. Maar de manier waarop ze dat deed – ik haat het om het te moeten zeggen, maar het was op het valse af. Ik weet dat ze het absoluut niet kan waarderen dat haar moeder de neiging heeft achterover te leunen, maar ze maakte er zo'n heisa van dat die chocoladetaart op tafel viel, dat ik me voor haar schaamde. En ik vond het vreselijk om te zien wat het Mary deed. Ik had waarschijnlijk moeten ingrijpen, maar het is niet gemakkelijk om te bepalen *hoe* je dat moet doen. Ik denk dat ik over vijf jaar zal moeten toegeven dat tussen deze twee vrouwen leven *het* recept is om heel snel oud te worden.

6

Arcachon, Frankrijk

Hij sloot zijn ogen en raakte de toetsen van de piano aan. Zijn vingers sloegen gevoelig het koele ivoor aan. Eén, twee, drie akkoorden en toen een stilte omdat hij ging verzitten op de afgeleefde pianokruk. Zijn handen zweefden boven de toetsen. Hij spande zijn linkerpols, perste zijn lippen op elkaar bij het krakende geluid van bot tegen bot, waarna hij een vuist maakte en die rondjes liet draaien tot het kraken stopte. Weer ging hij verzitten, alsof het bankje zijn gepolijste oppervlak moest aanpassen aan zijn lichaam, om hem zijn vertrouwde plekje te helpen terugvinden, waar hij ooit urenlang had zitten oefenen op de technieken die zijn muziekleraar hem had onderwezen.

Zonder zijn ogen te openen vond hij de juiste positie en zijn vingertoppen vonden met gemak de eerste akkoorden weer. Deze keer klonk de melodie door en zijn linkerpols ondersteunde zijn hand goed genoeg om de eerste paar pagina's van zijn partituur door te spelen. Hij opende zijn ogen na de eerste maat, maar niet omdat hij de partituur nodig had. Hij wist waar hij zich bevond. Inderdaad, dit stond net zo goed in zijn geheugen gegrift als de jongedame die ooit naast hem zijn kundigheid zat te bewonderen, terwijl zijn vingers nooit misgrepen. Maar dat was toen. En nu was het meer dan een kwart eeuw later. Hij negeerde de eerste gemiste noot en speelde door. Hij vertrok zijn gezicht bij de tweede. Bij de derde sloeg hij abrupt met beide handen op het klavier, waarna hij de bijna melodieuze herrie op zijn rauwe zenuwen liet inwerken en hij bewegingloos en peinzend achter de piano bleef zitten.

Het geluid was weggestorven voor hij een hand uitstak en ermee op het borstzakje van zijn witzijden overhemd klopte. Hij liet zijn vinger over de rand van de envelop glijden waarmee hij sinds gisteren rondliep. Ze had hem met spoed laten versturen. Hij vroeg zich af waarom die haast na al die jaren. Verrast door de emoties die het zien van haar handschrift had wakker gemaakt, had hij de grote envelop opengescheurd. Toen hij de kleinere envelop zag die erin zat, had hij geaarzeld, de grote envelop weggegooid en de brief in zijn zak gestopt. Hij haalde hem er nu uit, liet zijn vingers over het retouradres glijden en toen over zijn eigen naam. Hij begon hem te openen, stopte hem toen weer terug in zijn borstzak en stond op, waarna hij naar de glazen wand liep die uitzicht bood over de heuvels.

Een heel aantal sparren had ooit het zicht op de baai verstoord, maar die had hij jaren geleden omgehakt, waarbij hij de protesten van zijn buren had genegeerd. Hij had het nooit betreurd dat het hem dagen had gekost om die bomen om te zagen. Ze hadden hem van brandstof voorzien voor de kleine haard die deze kamer had verwarmd op de paar dagen per jaar dat dat nodig was. Maar het werk had meer opgeleverd dan hout. Hij had vanaf dat moment vanaf de hele achterkant van het huis een schitterend zicht op de baai. Lang geleden hadden zijn ouders hem verteld dat er zeewater door zijn aderen moest stromen. Misschien hadden ze gelijk. Er gebeurde iets met hem wanneer hij aan land kwam. Het was maar één keer gebeurd dat iemand hem langer dan een paar dagen van zee weg had kunnen houden. Maar hij had in 1974 het stof van Parijs van zich afgeschud en gezworen er nooit meer terug te zullen keren.

Zijn gsm ging over. *'Oui?'* Hij schudde zijn hoofd. '*Pas aujourd'hui.* Vandaag niet, Dominique. Ik heb een afspraak.'

'Je hebt voor vandaag niets op de agenda staan,' jengelde de stem. 'Ik heb het nog nagevraagd bij Paul voor ik je op je privé-lijn belde.'

'Ik moet nog wat klusjes doen voor ik het huis afsluit. En ik moet nog wat dingen doorspreken met Paul.'

'Je behandelt die boot als een vrouw,' klaagde de stem.

'Om eerlijk te zijn,' zei hij, 'lopen er twee vrouwen op deze aardbol rond die je zullen vertellen dat ik haar *beter* behandel dan een vrouw.'

De vrouw aan de andere kant van de lijn had geen boodschap aan zijn waarschuwing met betrekking tot zijn verleden met vrouwen. Ze lachte. 'Ik maak me niet druk. Maar goed, stop met geintjes maken en vertel me wat je wilt eten voor *le déjeuner*.'

Hij voelde dat zijn kaakspieren zich spanden. Waarom had hij ermee ingestemd om Dominique Chevalier een lift te geven naar de villa van haar ouders, een rit die het halve land besloeg? Hij had het gevoel gehad dat ze een verborgen agenda had toen ze om die lift bedelde, maar hij had zich ervan weten te overtuigen dat hij egoïstisch begon te worden. Ze was jong genoeg om zijn dochter te kunnen zijn. Bijna dan. Maar haar auto stond bij de garage en het was inderdaad belachelijk geweest als zij met de trein had gemoeten terwijl hij vlak langs het huis van haar ouders zou hebben gereden, op weg naar Celine en de jongens. Het zou bot zijn geweest om haar die lift niet aan te bieden.

'Wordt het lastig voor jou om morgen te vertrekken?' Hij probeerde niet al te hoopvol te klinken.

'Natuurlijk niet,' spon de stem. 'Ik wilde je gewoon op een lunch trakteren voor we vertrekken. Om je te bedanken.'

'Je hebt me al bedankt. Het is echt geen enkele moeite voor me. Ik kom praktisch langs de villa wanneer ik naar Celine ga.' Hij probeerde positief te klinken. 'Ik ben blij wat gezelschap te hebben.'

'Dus ik kan je niet overhalen om vandaag samen met mij te gaan lunchen?'

'Nee,' antwoordde Jean-Marc. 'Ik zie je morgenochtend. Ik denk dat ik er om een uur of negen ben.' Hij hing op voor ze de kans kreeg om nog meer te zeggen, liet de telefoon in zijn broekzak glijden en liep naar de deur. Hij streek zijn grijzende haar van zijn voorhoofd en trok een jack aan en zette een pet op voor hij naar buiten ging.

'Welke auto, meneer?!' riep Paul vanaf de plek waar hij de groene replica van een Triumph stond te poetsen, in een garage voor zes auto's.

Jean-Marcs ogen gleden over de rij glimmende motorkappen en smetteloze wielen. 'Eigenlijk,' zei hij grijnzend, 'hoopte ik die van jou te kunnen lenen.'

Paul schoot in de lach. Hij greep in zijn zak en gooide zijn baas de sleutels van zijn roestige Peugeot toe die naast de garage stond geparkeerd. 'De huur gaat wel omhoog als u er kilometers mee gaat maken.'

Jean-Marc knikte en raakte de rand van zijn pet aan als bedankje. 'Noem een bedrag en neem de Triumph mee voor een ritje, als je wilt.'

'U maakt een geintje – toch?'

Jean-Marc schudde zijn hoofd. 'Nee hoor. Moest jij vandaag niet gaan lunchen met je vriendin?'

'Ik lunch elke dag met mijn vriendin,' reageerde Paul.

'Nou, neem haar vandaag dan maar mee naar een speciaal restaurantje,' zei Jean-Marc terwijl hij naar de Peugeot toe liep. 'Ik ben voorlopig niet terug. Ik zie je vanmiddag in de haven. Dan kunnen we daar de auto's weer omruilen.'

Twintig minuten later stuurde Jean-Marc de Peugeot een parkeerplaats in en liep hij tussen de bomen door naar de achterkant van Dune du Pilat. De Dune du Pilat, die daar was neergesmeten door een vroegere orkaan, had een gedeelte van een dennenbos opgeslokt. Toen hij naar boven klom, passeerde Jean-Marc enkele dode bomen die uit het zand staken. Hij pauzeerde halverwege om op adem te komen, waarna hij ten slotte de top van het duin bereikte en diep ademhaalde. De zee was kalm vandaag, grijs, en likte rustig aan het strand beneden hem. Hij was hier al in geen jaren meer geweest en toch was er maar weinig veranderd, op de trap na dan, die de klim moest vergemakkelijken. Aan zijn rechterkant stonden nog steeds de Duitse bunkers, stille wachters uit een oorlog van meer dan een halve eeuw geleden, waar een bezettingsmacht ze had gebouwd tegen een inval van de geallieerden, een inval die uiteindelijk ver weg in Normandië had plaatsgevonden. Als kind had hij hele dagen om en in deze bunkers gespeeld. Hij las de opschriften die de Duitsers hadden achtergelaten en speelde soldaatje met zijn vriendjes.

En nu dacht hij na over de mannen die hun namen in de muren hadden gekerfd. Als ze nog leefden, zouden ze ondertussen tachtigers zijn. Nu hij volwassen was en enkele verloren liefdes en huwelijken achter de rug had, vroeg hij zich af hoe het voor deze mannen moest zijn geweest om naar huis terug te keren. Hadden hun vrouwen en geliefden op hen gewacht, zoals ze hadden beloofd? Of waren ze teruggekeerd naar platgebombardeerde huizen die door hun gezinnen waren verlaten?

Er kwam een windvlaag over het duin heen zetten, waardoor hij moest huiveren. Hij had een deken of iets dergelijks mee moeten nemen. *Een fles wijn,* dacht hij met een vleugje zelfmedelijden toen hij de brief in zijn borstzak aanraakte. Hij liep het duin af, in de richting van het strand en ging op een enorm stuk drijfhout zitten, vanwaar hij een tijdje naar de golven zat te staren. Hij schatte de kracht van de wind in, op dit moment meer uit macht der gewoonte dan uit interesse in de weercondities. De *Sea Cloud* lag in de winterstalling. En morgen zou hij naar zijn dochter en haar tweelingzoons rijden om de vakantie door te brengen. Hij was stiekem van plan hen voor de Kerst allemaal mee te nemen naar Griekenland.

Met een frons op zijn voorhoofd haalde hij de brief uit zijn borstzak. Het was bijna Kerst. Wat als... Hij zuchtte. Als hij Xavier en Olivier zou teleurstellen, zou dat niet bepaald gezond zijn voor de relatie met zijn dochter. Feit was dat ze al niet veel met elkaar spraken. Hij had gehoopt dat deze vakantie daar verandering in zou brengen.

Hij volgde met zijn blik de waterlijn en zag in de verte een stelletje hand in hand lopen. Hij sloot zijn ogen en dacht terug aan die ene middag, bijna dertig jaar geleden, toen hij een meisje had meegenomen naar deze plek. Ze hadden gepicknickt en gepraat en naar de golven gekeken. Hij was nooit eerder zo close met een meisje geweest. In elk geval niet met zo'n lieftallig iemand als zij.

Hij glimlachte toen hij zich zijn jeugdige beslissingen voor de geest haalde. Hij zou niet zoals de andere jongens worden die hij kende. Hij zou wachten tot het echt iets zou voorstellen. Hij was een geval apart en dat wist hij. Franse mannen hadden een reputatie hoog te houden en daar begonnen ze altijd zo snel mogelijk mee, met zo veel mogelijk jonge vrouwen. Jean-Marc David zag geen heil in het veroveren van vrouwen, alleen maar om weer een verhaal te kunnen toevoegen aan de collectie van halve waarheden en leugens die de jonge mannen elkaar over hun veroveringen vertelden. Zulke idioterie paste totaal niet in zijn levensfilosofie.

Maar het Amerikaanse meisje dat naast hem op het strand zat, maakte iets in hem wakker wat hij nooit had willen toelaten. Toen ze zich achterover op het zand liet ploffen, haar armen boven haar hoofd uitstrekte en zich uitrekte als een luie kat, moest hij alle zeilen bijzetten om op zijn eigen handdoek te blijven liggen. Hij had zijn zonnebril opgezet en had net gedaan alsof hij naar de zee keek, terwijl hij in werkelijkheid toekeek hoe zij lag te zonnebaden. Zijn ogen namen elke ronding van haar jeugdige lichaam in zich op, zoals ze daar met gesloten ogen op het zand lag en haar borst op en neer ging in een gekmakend langzaam ritme.

'Het is hier zo mooi,' zei ze. Ze glimlachte zonder haar ogen open te doen. 'Ik wed dat je hier met al je vriendinnen heen gaat.'

'Ik hou van deze plek,' antwoordde hij. 'Maar tot vandaag heb ik hier nog nooit een meisje mee naartoe genomen.'

Haar blauwe ogen vlogen open en ze draaide haar hoofd naar hem toe en staarde hem twijfelend aan. 'Dat geloof ik *echt*,' reageerde ze enigszins cynisch.

Hij haalde zijn schouders op. 'Geloof het of niet. Dat moet je zelf weten.'

Ze draaide zich naar hem toe en kwam iets omhoog, waarbij ze haar hoofd ondersteunde met haar hand, haar elleboog in het zand. 'Maar als je de meisjes dan niet meeneemt naar dit duin, waar ga je *dan* heen?' Ze haalde lichtjes haar schouders op. 'Ik bedoel, ik ben gewoon nieuwsgierig naar hoe de Franse cultuur werkt. Het is niet gemakkelijk om iemand hier in het dorp te leren kennen.'

'We hebben de neiging om nogal gesloten te zijn over ons gezinsleven,' legde Jean-Marc uit. 'We hebben echt niets tegen buitenlanders.' Hij glimlachte. 'Monsieur Bertrand moest... ons bijna een arm uit de kom draaien – zo zeggen jullie dat volgens mij – om ons naar dat diner in het lyceum te krijgen.'

'Maar waarom ben je dan gekomen?'

'Ik sta bij hem in het krijt. Hij sprong voor me in de bres toen mijn ouders niet wilden dat ik naar zee ging.'

'Echt? En wat wilden je ouders dan dat je ging doen?'

'Dat zijn allebei leraren. Ze wilden dat ik ook leraar werd.'

Het meisje schudde haar hoofd en ging weer liggen. 'Jij zou het helemaal niks vinden om opgesloten te zitten in een klaslokaal, dat ziet iedereen. Ze hoeven alleen maar naar je te kijken wanneer je aan het zeilen bent.' Ze giechelde zacht. 'Misschien kun je wel zeilleraar worden.' Ze verdraaide haar hoofd iets en deed één oog half open. 'Denk je dat je ouders dat een goed compromis zouden vinden?'

'Misschien zou ik het jou wel kunnen leren.'

Beide blauwe ogen vlogen weer open. 'Echt? Zou je dat willen?' Ze ging abrupt rechtop zitten en borstelde het zand van haar ellebogen. 'Voor jij me meenam had ik zelfs nog nooit in een zeilboot gezeten. O, ik zou het heerlijk vinden om zeilen te leren!' Er gloeide een vuur op in haar blauwe ogen.

Hij greep haar onhandig beet en wist een ongemakkelijke kus op haar lippen te drukken, waarna hij zich daar meteen voor verontschuldigde.

'Verontschuldig je maar niet,' zei ze. 'Ik begon bijna te denken dat er iets niet in orde met me was.' Ze greep zijn hand, hield die vast en keek ernaar. 'Ik bedoel, je bent toch Frans, nietwaar? En je hebt niet...' Haar blauwe ogen zochten die van hem. 'Ik bedoel, je hebt me tot nu toe niet eens proberen te kussen.'

'Ik heb nog nooit een meisje proberen te kussen,' zei hij. 'Echt nooit.'

'Nooit?'

Hij schudde zijn hoofd. 'Ik wilde dat het inhoud had. Zelfs de eerste keer.' Hij bloosde. 'Dus ik vermoed dat ik niet de typische Franse jongen ben die jij dacht te ontmoeten.'

'Nee, dat ben je inderdaad niet.' Ze raakte zijn wang aan en liet haar vingers langs zijn kaaklijn glijden. 'Maar je bent *precies* de Franse jongen die ik *hoopte* te ontmoeten.'

Terwijl hij zo terug dacht aan die romantische momenten op ditzelfde strand, zat de vijftig jaar oude Jean-Marc David naar het stelletje te kijken dat langs de waterlijn liep, tot ze niet veel meer waren dan twee kleine stipjes in de verte. *'Je bent precies de Franse jongen die ik hoopte te ontmoeten.'* Hij had haar geloofd met heel zijn onervaren hart. Hij had haar leren zeilen. Hij had haar geleerd zeeziekte te vermijden, hij had haar mee naar huis genomen om haar aan zijn ouders voor te stellen, hij had Chopin voor haar gespeeld... en hij was uit haar leven verdwenen op een dag die al zo ver in het verleden lag, dat hij zich erover verwonderde dat het nog steeds pijn deed.

Hij had de brief moeten weggooien. In elk geval kon niemand hem hier op dit duin zien zitten lezen. Zelfs toen hij hem opende en naar het handschrift staarde, beeldde hij zich in dat hij hem in stukjes scheurde om hem daarna in zee te gooien en toe te kijken hoe de golven de snippers meevoerden.

Beste Jean-Marc,

Als deze brief jou bereikt, is dat een wonder van de God wiens bestaan jij zo lang geleden ontkende...

Hij stopte even en keek langs de brief heen naar de horizon. Hij was ooit een goede vriend kwijtgeraakt door het idee van het bestaan van God.

Hij las door. Las hem nog eens. Het verwonderde hem dat

zijn bloeddruk nog steeds steeg door het zien van haar naam en de wetenschap dat haar eigen hand dit had geschreven. Hij wist alleen niet of het boosheid of spijt of een nog steeds niet verdwenen verlangen was. Maar hij verscheurde de brief niet. In plaats daarvan stopte hij hem terug in zijn borstzak, klom hij het duin weer op, daalde hij af naar de oude Peugeot van Paul en ging hij op weg naar huis.

7

Liz

'Je luistert niet naar me, Bitsy.' Ze zaten achter het raam van hun favoriete Italiaanse restaurant. Jeff stak zijn hand uit over de gepolijste mahoniehouten tafel en legde hem over die van haar. 'Je moet naar je moeder toe.'

'Noem me geen Bitsy!' Liz rukte haar hand onder die van hem vandaan.

'Hooo,' zei Jeff. De glimlach verdween. 'Je bent echt overstuur. Het is al vierentwintig uur geleden en je hebt niet alleen niet met je moeder gepraat, je bent ook nog steeds niet afgekoeld.'

Liz keek hem strak aan. 'Je weet dat ik het niet leuk vind om Bitsy te worden genoemd,' zei ze. 'En je weet ook dat dit niet het een of andere wissewasje is.' Ze pakte haar servet, sloeg het met een knal open en legde het op haar schoot. 'Ik begrijp haar gewoon niet.'

'Dat,' merkte Jeff op, 'is nogal zwak uitgedrukt.'

'Nou, leg jij het dan uit, als je zo slim bent. Ze heeft nog nooit ook maar een spatje oprechte interesse aan de dag gelegd voor Davis Enterprises of de stichting. En plotseling begint ze zich druk te maken over George Kincaid en lijkt het erop dat ze de boel wil gaan overnemen.'

'Het feit dat ze haar mening geeft over een architect wil nog niet zeggen –'

'Wat ze heeft gedaan, gaat veel verder dan alleen maar haar mening geven. Dat heb je zelf tijdens het diner gehoord. Ze heeft me min of meer bevolen met hem in zee te gaan. En dat deed ze ook al tijdens die vergadering. En toen ik tegensputterde, walste ze over me heen – *met het complete comité erbij.*'

'Was jij niet degene die me vertelde dat je vader de leiding over de stichting aan haar had overgedragen?'

'Dat was puur voor het publiek. Hij wist dat dat beter over zou komen. Niemand – inclusief mijn vader – verwachtte dat ma ooit zou denken dat ze het bedrijf zou kunnen leiden.'

'Au.' Jeff kromp zichtbaar ineen. 'Dat klinkt hard.' Hij aarzelde voor hij vervolgde: 'Als ik niet beter zou weten, zou ik denken dat het erop lijkt dat je wordt bedreigd door je eigen moeder. En dat je haar niet bepaald mag.'

Liz haalde haar schouders op. 'We zijn gewoon anders, dat is alles. Het is niets persoonlijks. Ik moet toegeven dat we de laatste twee jaar niet al te gemakkelijk samen door één deur kunnen, maar toch redden we het. Ik dacht dat alles wel redelijk liep. Maar plotseling verandert ze, valt ze plompverloren een vergadering binnen en neemt ze de boel over. En of dat nog niet genoeg is, gaat ze opeens het land uit. En waar *dat* nou weer op slaat?'

'Misschien moet je dat gewoon aan haar vragen,' drong Jeff aan.

'Wat verwacht ze nou? Een soort grote opwekking onder de Eiffeltoren?' Ze schudde haar hoofd. 'Ik maak geen geintje, Jeff. Dit is allemaal erg vreemd. Misschien heeft ze gewoon therapie nodig.'

Jeff leunde naar voren. 'Moet je jezelf nu eens horen, Elizabeth. Ze gaat naar *Parijs*. Ik denk niet dat je therapie nodig hebt omdat je naar een van de mooiste steden ter wereld gaat.'

Liz stak een hand uit en klopte op die van Jeff. 'Ik vind dit erg aantrekkelijk, weet je.'

'Wat?'

'Dat je je zo'n zorgen maakt over mijn moeder en mij en onze probleempjes.' Toen Jeff zijn mond opendeed om iets te zeggen, onderbrak ze hem. 'Ik weet het, lieverd, ik weet het. Als jouw moeder nog had geleefd...' Ze zuchtte. 'Je hebt natuurlijk gelijk. Ik zou beter mijn best moeten doen om met haar te kunnen opschieten.'

'Zoals je dat zegt, klinkt het alsof dat zo moeilijk is,' reageerde Jeff. Hij leunde voorover. 'Laat me die blauwe ogen eens zien, Elizabeth.' Toen ze hem aankeek, zei hij: 'Laat het gewoon los. Wat het ook is. Of het nu om één of om honderd dingen gaat. Hou van haar. Wees dankbaar voor haar. Zal ik een lijstje maken van haar goede kwaliteiten?'

Liz gooide haar hoofd achterover. 'Goed, goed, je bent duidelijk genoeg. Ik zal haar wel bellen. Maar eerst moet de rook optrekken voor we elkaar weer in de armen vallen.'

'Is mevrouw Davis nog niet beneden?' Cecil ging op een barkruk zitten en wachtte tot zijn vrouw het ontbijt zou serveren dat ze hem al twintig jaar lang voorschotelde – twee eieren, doorbakken; twee plakken bacon, doorbakken; en één snee donker geroosterd brood, droog. 'Het wordt tijd dat we die heg terugsnoeien, maar dat wil ik niet doen zonder dat zij het ermee eens is.'

Irene griste de toast uit de broodrooster terwijl ze praatte. 'Lieverd, je weet dat ze je volledig vertrouwt wanneer het de tuin betreft. Doe nou maar gewoon wat je denkt dat er moet gebeuren. Mevrouw Davis zal echt niet denken dat je haar een hint probeert te geven dat ze niet... zoals sommige mensen die we kennen zouden doen.'

Cecil grinnikte. 'Het vonkte gisteravond nogal, nietwaar?' Hij klakte met zijn tong, slurpte van zijn koffie en keek op de klok. 'Is het je gelukt haar een beetje te kalmeren?' vroeg hij terwijl hij zijn wenkbrauwen optrok en naar het plafond knikte, in de richting van Mary's vertrekken. 'Zo lang heeft ze nog nooit uitgeslapen.'

Irene liet twee eieren uit de koekenpan op Cecils bord glijden. 'Je hebt ook nog nooit meegemaakt dat ze zichzelf twee avonden achter elkaar in slaap heeft gehuild. Zelfs niet toen meneer Davis is overleden.' Ze schonk twee koppen koffie in, ging naast haar man zitten en besmeerde haar toast met boter en appeljam.

Cecil veegde zijn bord schoon met een paar kruimels toast, stak de resten van zijn ontbijt in zijn mond en liep naar de achterdeur. Hij stond stil met zijn hand op de deurknop. 'Ze heeft jou tenminste om op haar te letten. Die redt het wel.' Hij knipoogde. 'Maak wat chocolademelk voor haar. En ontbijt op bed. Daar zal ze van opkikkeren.'

'Twee zielen, één gedachte,' reageerde Irene. Ze knikte naar de bar, waar ze al een dienblad met een ontbijt had klaarstaan. Ze pakte de chocolademelk op het moment dat Cecil de deur achter zich dichttrok en op weg ging naar de garage.

Het was een perfecte morgen. De herfstlucht was heerlijk fris en de bladeren die van de esdoorns waren gevallen, knisperden onder Cecils voeten toen hij over de verharde oprijlaan liep. Hij stond halverwege stil en genoot van het schitterende uitzicht van de laan die van de achterkant van het huis naar beneden liep, naar de kreek toe. Hij draaide zich om om naar het huis te kijken en toen naar het huisje waarin hij en Irene al tientallen jaren woonden. *Je hebt een goed leven gehad, oude bok.* Hij deed de deur naar de garage open en rommelde aan de schakelaar waarmee de grote garagedeuren open konden worden gedaan. Hij zou de oude Healey gaan poetsen, nadat hij in de golfkar was gestapt om te controleren of… nou ja, nadat hij de heg had gesnoeid, zou hij wel iets verzinnen om te controleren.

Wat krijgen we nou? Hij beet op zijn onderlip. Waar gisteren nog een Austin Healey had gestaan, was nu alleen nog maar een lege parkeerplaats. En een heel klein olievlekje.

'Baxter!'

Bij het geluid van de stem van zijn vrouw dook Cecil de garage uit en keek naar het huis waar ze uit een van de ramen van de vertrekken van mevrouw Davis hing. Hij wachtte niet tot ze iets zou gaan zeggen voor hij naar het huis toe liep. Hij wist toch al wat er aan de hand was. Mevrouw Davis was ervandoor.

'Verdwenen?!' riep Liz uit. 'Waarheen dan?'

'Ik had gehoopt dat jij me dat zou kunnen vertellen,' antwoordde Irene.

'Nou, ik heb niets van haar gehoord.'

'Heb je nog met haar gesproken sinds eergisteren?'

Liz zette haar stekels op. 'Je weet best dat het goed is om de dingen even te laten betijen voor je iets weer goedmaakt. En ik moet een bedrijf draaiende houden, voor het geval je het bent vergeten.'

'Sla niet zo'n toon tegen me aan, jongedame,' beet Irene haar toe. 'Je mag daar dan half Omaha mee kunnen afbekken, maar ik heb nog je luiers verschoond en ik ben niet onder de indruk.'

'Kun je alsjeblieft terzake komen? Ik heb over vijf minuten een bestuursvergadering.'

'Je moeder is verdwenen. De Austin Healey is weg, haar bed is opgemaakt en er is een koffer verdwenen.'

Liz ging achter haar bureau zitten. 'Ze had het over Parijs. Denk je dat ze daar echt naartoe is?'

Irene ging zachter praten. 'Ik heb een van de potten met slaappillen van je vader gevonden. Onder haar bed.'

'Ik denk niet dat je je daar druk over hoeft te maken,' zei Liz. 'Je hebt me zelf verteld dat je niet meer zo nauwkeurig schoonmaakt als je vroeger deed.'

'Dat is waar,' reageerde Irene, 'maar deze pot zat vol met allerlei verschillende soorten pillen. Alsof iemand ze had verzameld. En al een behoorlijke tijd.'

'Wat wil je daarmee zeggen?' Liz sloot haar ogen. Ze wist precies wat Irene daarmee wilde zeggen. Ze leunde met haar hoofd tegen de hoge rugleuning van haar leren bureaustoel. 'Ik kom eraan.'

'Vind je niet dat je haar had moeten vertellen dat mevrouw Davis de pillen niet bij zich heeft?'

Cecil leunde tegen de deurpost. Dat was het grootste commentaar dat Irene ooit van hem had gehoord. 'Ik denk,' zei ze, 'dat miss Elizabeth Davis eens goed op haar nummer gezet moet worden.' Irene liep de keuken door en begon driftig de bar te poetsen.

8

Blij dat Cecil het hek had opengelaten, remde Liz net voldoende om haar Carrera de laan naar haar ouderlijk huis op te kunnen sturen. Ze accelereerde weer en haar banden gilden toen ze het slingerende zwarte asfalt langs de eerste van de twee vijvers volgde. Pas toen ze zag dat Jeff al was gearriveerd, vertraagde ze net genoeg om ervoor te zorgen dat ze niet met piepende remmen stilstond toen ze stopte op de ringvormige oprit van het huis. Jeff kwam de trap af en stak zijn armen uit. Liz liep naar hem toe en sloot haar ogen toen ze zich liet omarmen. 'Dank je,' mompelde ze.

'Waarvoor?' wilde Jeff weten.

'Dat je bent gekomen.'

'Dank je dat je het vroeg. Ik ben graag nodig.' Hij hield haar nog iets langer vast, waarna hij haar losliet en haar de trap op leidde.

'Ik dacht dat Irene wel op de uitkijk zou staan,' zei Liz toen ze door de hal liepen, onder de wenteltrappen door en naar de achterkant van het huis. 'Irene?! Cecil?! We zijn er!' riep ze.

'In de keuken!' Irenes stem, die normaal gesproken zacht en vriendelijk klonk, had een scherpe klank waar Liz niet blij mee was. Ze glimlachte zwakjes toen Jeff haar een kneepje in haar hand gaf.

In de keuken werden ze verwelkomd door Cecil. Hij stond wat vaatwerk af te drogen dat in een ouderwets afdruiprek naast de gootsteen stond.

Irene haalde haar handen uit het sop, droogde ze af aan

een handdoek die naast haar lag en stak een hand in de zak van haar schort.

Liz herkende het eenvoudige grijze briefpapier dat haar moeder altijd gebruikte. Ze pakte het briefje van Irene aan en liep over de glimmende keukenvloer naar Jeff toe, die aan de keukentafel was gaan zitten. Ze liet zich naast hem neerzakken en legde het briefje zo neer dat hij het ook kon lezen.

Lieve Irene,

Ik heb te veel jaar in angst geleefd. Angst om Sam teleur te stellen werd angst om Liz teleur te stellen. Beide angsten zijn zo uit de hand gelopen dat ik een tijdje bang ben geweest om te leven. Ik begon de pillen te verzamelen die je hebt gevonden. Maak je geen zorgen. Dat is voorbij. Hoewel ik er niet zeker van ben wat het betekent om echt te leven, weet ik wel zeker dat ik daar achter wil komen. Het voelt aan als een nieuw begin. Ik wil die spreuk op mijn bureau echt geloven – dat het nooit te laat is.
Een deel van me wilde Liz de waaroms vertellen van Parijs en kerstavond. Een deel van me wilde haar smeken om met me mee te gaan, maar de angst won het. Na die scène tijdens het diner realiseerde ik me dat het maar beter is dat ik alleen naar Parijs ga. Maak je alsjeblieft geen zorgen. Ik vermoed dat ik, na wat in mijn verleden te hebben gewroet, weer naar huis kom – veranderd ten goede, hoop ik. Zeg maar tegen Liz dat als ik er eenmaal achter ben hoe een internetcafé werkt, ik contact met haar opneem. Ik geef George Kincaid niet op en dat moet zij ook niet doen.
Ik hoop dat jullie een heerlijke vakantie zullen hebben. Weet je nog hoe je voor twee personen moet koken?

Liefs, Mary

Liz voelde de tranen in haar ogen opwellen. Toen ze die weg probeerde te knipperen, legde Jeff een arm om haar heen.

'Ik denk dat je haar achterna moet,' zei Irene. 'Ze is zichzelf niet en ondanks wat ze in die brief zegt, maak ik me behoorlijk ongerust.'

Liz haalde diep adem. Ze veegde de tranen weg die over haar wangen dreigden te rollen.

Jeff klopte op haar schouder. 'Rustig maar, lieverd. Ze zei dat ze zou e-mailen en ook dat je je geen zorgen hoeft te maken.'

'Ik *maak* me ook geen zorgen,' reageerde Liz, waarna ze zich losmaakte uit zijn omhelzing en opsprong. Ze beende naar de kast, pakte een glas en vulde dat met koud water voor ze weer iets zei. 'Ik ben kwaad.'

'Kwaad?'

'Waar moet *jij* je nou kwaad over maken?' vroeg Irene.

Liz gebaarde met een halfleeg glas naar de brief en zei: 'Al dat... dramatische gedoe. Ze krijgt haar zin niet bij de stichting en daarom krijgt ze het op haar heupen en gaat ze ervandoor. Dat is nou echt van een mug een olifant maken!' Ze draafde door: 'Maar ik denk dat ze duidelijk is geweest. Ze zadelt me op met de belangrijkste inzamelactie van het jaar. Ze had geen slechtere tijd kunnen kiezen om te vertrekken. Of geen betere – als ze iets duidelijk wilde maken of aandacht wilde trekken.'

Door de blikken op het gezicht van Irene en Jeff schoot Liz in de verdediging. 'Nou, zo liggen de zaken gewoon. Ze is hier al weken mee bezig. En dan gaat ze er opeens vandoor terwijl er belangrijk werk op haar ligt te wachten. Het zou me niets verbazen als de pillen die je hebt gevonden, alleen maar waren bedoeld om te shockeren,' zei ze. Ze gooide de rest van het water achterover en knalde het glas op de bar.

'En wat als dat niet zo is?' vroeg Jeff.

'Ik *weet* dat het niet zo is,' beet Irene haar toe. Ze staarde Liz woest aan. 'En ik kan bijna niet geloven dat jij zo'n opmerking maakt. Als je eens naar iemand anders keek in plaats van alleen maar naar jezelf, zou jij het ook zien.'

'Lieverd, lieverd,' onderbrak Cecil haar voor het eerst. Hij legde zijn hand op Irenes schouders en wierp Jeff een smekende blik toe.

'Mary is niet het type om dramatisch te gaan doen,' was Jeff het met haar eens. 'Dit is helemaal niets voor haar.'

'Ze is zichzelf niet,' zei Irene. 'Heb je gezien hoeveel ze is afgevallen?'

'Goed dan,' zuchtte Liz. 'Ik loop wel even naar haar kamer om te kijken of ik daar iets te weten kan komen over haar plannen.' Ze gebaarde naar Jeff om haar te volgen en liep de trap op.

In Mary's kamer keek het stel even uit over de tuin voor Liz zich omdraaide en ze haar moeders bureau begon te doorzoeken. 'Ik zie niets aparts,' zei ze ten slotte.

'Zou je het dan weten als dat wel zo was?' vroeg Jeff.

Zonder hem antwoord te geven deed Liz de laatste lade dicht en liep ze naar de kleedkamer. Ze keek verwonderd naar de kleren die aan de weinige hangers hingen.

'Of ze reist graag zonder veel spullen,' zei Jeff, 'of ze is niet van plan om lang weg te blijven.'

'Misschien doet ze daar wel wat inkopen – waar *daar* dan ook mag zijn,' zei Liz.

'Houdt ze van winkelen?' vroeg Jeff. 'Ik vond haar daar eerlijk gezegd nooit zo'n type voor.'

'Wat voor type? Zoals ik?' vroeg Liz uitdagend.

'Wat bedoel je?'

'Je zei dat mijn moeder er het type niet naar is om te gaan winkelen. En wat voor type is dat dan precies?'

'Je weet best wat ik bedoel,' zei Jeff. 'Ze geeft niet veel om kleren. De laatste paar keer dat ik haar zag, had ze volgens mij altijd dezelfde spijkerbroek en hetzelfde oversized mannenoverhemd aan. Ik dacht dat dat een deel van het rouwproces was en dat ze de overhemden van je vader droeg. Maar toen herinnerde ik me dat ze ook op die manier gekleed ging toen ik voor het eerst bij jullie thuis kwam. Dus zijn het waarschijnlijk helemaal geen overhemden van je vader.'

'O, nee,' zei Liz bits. 'De dag dat mijn vader stierf, heeft ze alles ingepakt en naar de een of andere instantie gestuurd. Het Leger des Heils, geloof ik.'

'Wat maakt jou dat uit?'

Liz draaide zich met een ruk om. 'Op de dag dat hij stierf? Echt dezelfde dag?'

'Ze had tijd genoeg gehad om erover na te denken.'

'Maar waarom naar zoiets? Het idee dat mensen door de kleding van mijn vader zouden graaien...'

'Heb je tegen haar gezegd hoe je je voelde?'

Liz schudde haar hoofd. 'Ik nam aan dat zij zich hetzelfde voelde.'

'Misschien,' zei Jeff, 'misschien kon ze het niet aan om ze daar in die kast te zien hangen. Misschien deed dat te veel pijn.'

Liz snoof en wendde haar blik af. 'Dat zal het dan wel zijn.' Ze liep naar haar moeders dressoir. Met een kreetje stak ze haar hand uit en pakte ze iets op.

'Wat is dat?' vroeg Jeff.

Liz draaide zich met een ruk om en hield de gladde gouden ring omhoog. 'Haar trouwring,' zei ze. Ze knikte naar de porseleinen schaal waar ze de ring had gevonden. 'En die diamanten oorbellen... Die heeft ze van mijn vader gekregen toen ze twintig jaar getrouwd waren. Hij maakte er nog een grapje over. Hij zei iets over dat ze die eindelijk had verdiend.' Liz schoof de trouwring om haar wijsvinger en liet hem tussen de eerste en tweede knokkel hangen.

'Ze had ze *verdiend*?'

Liz haalde haar schouders op. 'Ik heb me ook afgevraagd wat hij daarmee bedoelde, maar ma wilde er niets over kwijt.' Ze keek Jeff met licht gefronst voorhoofd aan. 'Nu ik erover nadenk, klonk dat eigenlijk niet erg positief.'

Jeff knikte. Hij raakte de gouden ring aan. 'Denk je dat dit een slecht teken is?'

Liz haalde nogmaals haar schouders op. 'Geen idee.'

'Ik ben het met Irene eens. Je kunt haar maar beter achternagaan.'

'Haar achternagaan? Waarheen dan? Ze heeft ons niet verteld in welk hotel ze zit.'

'Daar kunnen we gemakkelijk genoeg achter komen. Ik denk dat het niet meer dan een paar telefoontjes naar wat reisagenten hier in de stad kost. Of een beetje hacken op haar computer als ze de boeking zelf heeft gedaan.'

'En wat moet ik dan tegen zo'n reisagent zeggen? Dat ik mijn mammie kwijt ben?' Liz draaide zich om en legde de ring weer bij de oorbellen. Toen Jeff bleef zwijgen, keek ze op en zag ze zijn afkeurende blik in de spiegel. 'Goed dan, ik laat mijn assistente wel even rondbellen. En ik kijk haar computer na. En dan gaan we. *Na* het gala.'

Jeff schudde zijn hoofd. 'Ik ga je uitzwaaien, maar ik ga niet met je mee.'

'Maar je gaat altijd –'

'Ik fungeer altijd als buffer tussen jullie tweeën,' zei Jeff.

'Ik heb je nodig,' protesteerde Liz.

Hij schudde zijn hoofd. 'Nee, je wilt je achter me verschuilen. Dat is iets anders.' Hij ging op weg naar de deur. 'Ik ben beneden.'

'Maar... hoe zit het dan met de lunch?' Liz' stem beefde toen ze licht protesteerde. Ze begon op te staan vanachter haar bureau, maar Jeff stak zijn hand op en gebaarde dat ze moest blijven zitten. Hij liep weg en legde zijn hand op de knop van de deur van haar kantoor.

'Ik heb de afgelopen nacht niet veel slaap gehad,' zei hij. Toen aarzelde hij voor hij zijn hand langs zijn zij liet vallen. Hij draaide zich om om haar aan te kijken en wendde zijn blik af voor hij zei: 'Ik wilde dit niet over de telefoon zeggen. Eigenlijk wil ik dit helemaal niet zeggen.' Hij liet zijn tong over zijn lippen glijden en beet op zijn onderlip. 'Ik denk dat we even een stapje terug moeten doen,' zei hij. Zijn blik hechtte zich aan die van haar. Hij wachtte af.

'Ik begrijp je niet,' zei Liz.

'Ik heb tijd nodig om na te denken. En jij moet wat dingen rechttrekken met je moeder.'

'Maar –'

'Alleen maar een stapje terug, Bitsy. Een klein beetje ademruimte.' Hij greep weer naar de deurknop. 'Ik meen het serieus, Liz. Ga eens na wat er niet klopt tussen jou en je moeder. Daar zou je je nu op moeten concentreren.' Toen hij de deur sloot, zei hij: 'Ik bel je.' Maar voor de deur echt dicht was: 'Ik hou van je.'

Liz had zich nooit gerealiseerd hoe luid het klikken van een dichtgaande deur kon zijn. Ze bleef daar enkele momenten verbijsterd zitten en hield zich aan de rand van haar bureau vast om niet onderuit te gaan. Ze wist dat het geen zin had om achter hem aan te gaan. Jeff hield van haar, maar hij kon niet worden gemanipuleerd. Dat was het aantrekkelijkste, maar tegelijkertijd ook meest gekmakende aan hem. Wanneer hij een besluit had genomen, zette hij zijn hakken in het zand en bleef hij staan waar hij stond. Liz zag die kant van Jeff maar zelden, maar enkele momenten geleden was dat de enige kant die zichtbaar was. En wat 'een stapje terug' ook mocht betekenen, Liz wist één ding zeker – ze zou het niet voor elkaar krijgen om met hem te gaan lunchen of dineren of wat voor afspraak dan ook met hem te maken voor hij had uitgedokterd wat hij dan ook moest uitdokteren.

'Ik heb tijd nodig om na te denken. En jij moet wat dingen rechttrekken met je moeder.' Hij had haar een opdracht gegeven die ze niet kon uitvoeren. Niet zonder de hele agenda op haar bureau om te gooien. Als hij haar maar een kans had gegeven, had ze het hem kunnen laten zien. Eén blik op de agenda van vandaag zou Jeff al hebben duidelijk gemaakt dat het onmogelijk was. Ze kon Omaha niet eens uit, laat staan het land... niet zonder enkele ingrijpende wijzigingen. En verwachtte hij nu echt van haar dat ze het gala miste – het belangrijkste evenement van het jaar voor de stichting?

'Jij moet wat dingen rechtzetten met je moeder.' Daar zou een heel team van psychologen voor nodig zijn, dacht Liz. Ze pakte haar agenda en bekeek met een overweldigend gevoel van machteloosheid de volgende paar dagen. Het maakte niet uit dat ze achter een indrukwekkend kersenhouten bureau zat. Het maakte niet uit dat haar naam in het bronzen bordje op de rand van haar bureau stond gegraveerd, met daaronder de vermelding dat ze president-directeur van Davis Enterprises was. Het maakte niet uit dat haar beeltenis op een schilderij aan de muur van de lobby prijkte, naast die van haar vader.

Ik vraag me af of pa zich ooit zo heeft gevoeld? De tranen prikten al achter haar oogleden. Ze had op school uitstekende cijfers gehaald, ze had zich aan haar vaders zijde een slag in de rondte gewerkt, ze was verloofd met de juiste jongen

– en op dit moment, terwijl ze achter het kersenhouten bureau zat waar ze zo hard voor had gewerkt, kon ze alleen maar aan de man denken die hier zojuist in zijn lichtgrijze kostuum stond. Hij had zo dichtbij gestaan, maar had toch zo ver weg geleken. Hoe kon Jeff dit nou doen, vroeg Liz zich af. Hoe kon hij haar zo'n onmogelijke opdracht geven... terwijl hij daarbij een stapje terug deed... en haar hart brak.

Ze griste een zakdoekje uit de zilveren houder op haar bureau, draaide haar leren stoel om naar het raam en spoelde met haar tranen de duurste make-up uit de stad weg.

De term 'zakenlunch' kreeg een nieuwe betekenis toen Liz enkele minuten later haar planner opendeed en in haar zakelijke leven dook. Ze telefoneerde en dicteerde en schrapte op topsnelheid. Een minuut of vijftien lang. Ze keek op haar horloge en kon maar niet geloven dat de dag zich zo voortsleepte. Ze trok een bureaulade open, haalde een afstandsbediening tevoorschijn en drukte op een knop. In de muur tegenover haar gleden twee panelen opzij, waardoor een grootbeeld plasmascherm zichtbaar werd. De daaropvolgende minuten zapte ze van kanaal naar kanaal. Hoe komt het, dacht ze, dat er op bijna elk kanaal over de tijd wordt gepraat?

'Het is tijd voor het weer,' zei Paula Zahn.

Hij heeft tijd nodig, dacht Liz.

'Hoe laat is het?' vroeg Koekie monster.

Hij heeft tijd nodig.

Op een van de filmkanalen speelde *Het land dat vergeten was door de tijd.*

Hij heeft tijd nodig.

Liz zette de televisie uit, pakte nog een zakdoekje en mopperde toen hardop: 'Nog een geluk dat hij die tijd *nu* genomen heeft, in plaats van na de bruiloft.'

De gedachte aan de bruiloft bracht een nieuwe tranenstroom op gang. Ze stond op en liep naar de deur die toegang gaf tot haar privé-appartement. In de badkamer gooide ze wat koud water over haar gezicht en droogde het af, waarna ze een volgend papieren zakdoekje pakte en weer terugliep naar haar bureau.

Daar stond haar telefoon. Het leek wel of hij groter was geworden. Ze zou het huis moeten bellen. Ondanks de dingen die ze in haar brief aan Irene had geschreven, was Mary Davis wel de laatste persoon op aarde die in haar eentje aan een wereldreis begon. Ze zou ondertussen wel tot bezinning zijn gekomen. Ze zou wel weer op weg naar huis zijn en zich schamen voor al dat dramatische gedoe.

'Jij moet wat dingen rechtzetten met je moeder.'

Het heeft geen zin om te bellen, dacht Liz. Ze zou naar het huis toe rijden. Ze zou toch niet veel meer doen op kantoor. En het was al weken geleden dat ze een dag vrij had genomen. Ze zou de computer opdracht geven een automatische 'out of office'-mail terug te sturen naar degenen die haar mailden. En ze zou haar assistente de rest van de afspraken van vandaag laten verzetten.

Een pop-up op haar e-mail-window beloofde haar 'de beste tarieven naar Europa'. Ze klikte hem weg en keek naar haar nieuwe mails. Haar hart maakte een sprongetje toen ze zag dat *MimiMcK@aol.com* haar iets had gestuurd – zonder onderwerp.

Ik heb een briefje bij Irene achtergelaten. Dat heeft ze je waarschijnlijk laten zien. Als je nog iets om me geeft, huur dan alsjeblieft George Kincaid in. Ik zal nog even checken of je terug hebt gemaild, maar daarna zal ik een tijdje niet online zijn. Ik moet even een stapje terug doen om wat dingen op een rijtje te zetten. Dat begrijp je waarschijnlijk niet. Probeer het alsjeblieft toch. Ik word gek van dat Europese toetsenbord. Ik maak te veel tikfouten om nog meer te zeggen. Ik ben nog steeds je Mimi en ik hou van je, Lizzie-beertje.

Liz las de e-mail nog eens en nog eens. *Ik moet even een stapje terug doen.* Er leek een epidemie in haar omgeving te zijn losgebroken van mensen die nodig een stapje terug moesten doen. Ze vroeg zich af hoe lang het geleden was dat ze haar moeder *Mimi* had genoemd. En wanneer was ze daarmee gestopt?

Ze zakte achterover in haar stoel en dacht terug aan haar dertiende verjaardag en een gast met de naam Henry Coddington III. Henry, met glad achterovergekamd haar en een dikke bril. Ze had hem net een professor gevonden.

Haar moeder had hard gewerkt op haar feestje, dat in de tuin werd gehouden. Je kon er zelfs een verticaal tochtje in een heteluchtballon maken. Liz sloot haar ogen en herinnerde zich hoe ze haar best had gedaan om samen met Henry de lucht in te gaan.

'Geef *Mimi* een kus, Lizzie-beertje,' had haar moeder gezegd toen Liz in het mandje van de ballon klom.

Henry grinnikte en fluisterde haar in het oor: 'Doe maar, Lizzie-beertje. Mimi wil een kusje-wusje van haar kindje.'

Liz voelde zich vuurrood worden. 'Mam,' had ze een beetje te hard gezegd, 'alsjeblieft, zeg. Ik ben niet meer je kindje. En het zou fijn zijn als je me bij de naam zou noemen die mijn vader me heeft gegeven.'

Het verbaasde Liz dat ze na al die jaren nog steeds de uitdrukking voor zich zag die op haar moeders gezicht verscheen. Ze had het toen geïnterpreteerd als boosheid, maar nu wist ze dat het dat niet was. Ze had haar moeder pijn gedaan en dat had ze verborgen achter een frons die een onnadenkende en egocentrische tiener had aangezien voor boosheid.

Er schoot haar nog iets anders te binnen. *De naam die mijn vader me heeft gegeven.* Had haar moeder dat ook gevoeld als een klap in haar gezicht? Sam Davis had zijn dochter Elizabeth genoemd, met een z in plaats van met een s. Liz wist niet of dat iemand was opgevallen, maar nu ze volwassen was, vroeg ze zich af hoeveel pijn dat haar moeder had gedaan, dat haar eigen kind vernoemd was naar haar schoonmoeder, in plaats van naar haarzelf. Voor het eerst in haar leven vroeg Liz zich af waarom haar vader dat had gedaan. Hij moest hebben geweten dat dat haar moeder pijn zou doen. Kon dat hem dan niets schelen?

Er kwamen andere herinneringen voorbijdrijven, dingen die Liz lang geleden ergens in een hoekje van haar geheugen had begraven en die ze had proberen te vergeten. De manier waarop haar moeder soms ineenkromp – bijna fysiek – door een woord of een blik van pa. De ritjes naar huis bij sociale gelegenheden vandaan, terwijl Liz op de achterbank lag en deed of ze sliep. En dan nam haar vader Mimi's gedrag onder de loep en vertelde hij haar hoe ze beter had kunnen reageren op bepaalde vragen. De keren dat ze Mimi de tranen uit haar ogen had zien vegen en ze haar had horen mompelen: 'Ja, Sam. Het spijt me. Ik zal het de volgende keer beter doen.'

Liz keerde zich naar de computer en las de e-mail nog eens. *Ik heb een briefje bij Irene achtergelaten. Dat heeft ze je waarschijnlijk laten zien.* Een zinnetje uit die brief kwam bovendrijven. *Angst om Sam teleur te stellen werd angst om Liz teleur te stellen.* Die angst moest er de reden van zijn geweest dat haar moeder het idee had dat ze deze reis beter alleen kon maken. Maar wat bedoelde ze met *wroeten in haar verleden*?

Ze sloeg haar moeders e-mail op in een nieuwe map en sloot de computer af. Ze bleef zo even stil voor zich uit zitten staren en pakte toen haar agenda. Ze belde eerst Millie Patton, toen Derrick Miller en ten slotte Harvey Fagan. Ze reageerden allemaal verbaasd. Ze zeiden alle drie ja en waren er zeker van dat ze het gala aankonden als Liz er even tussenuit moest. Ze hoorde de verbazing in alle drie de stemmen toen ze het gesprek beëindigde met de woorden: 'Ik heb nog steeds mijn twijfels, maar ik heb me uiteindelijk gerealiseerd dat mijn moeder gelijk had. Pa zou hebben gewild dat George Kincaid op dit project zou worden gezet. Ik zal George zo meteen bellen. We beleggen een vergadering in het nieuwe jaar. Laten we er in de tussentijd een speciaal gala van maken voor hem. Ik verwacht van jullie drieën dat jullie die aankondiging met zo veel ophef doen dat hij echt een duwtje in de rug krijgt.'

'Maar dat is onmogelijk.' Liz praatte veel te hard.

'Het spijt me, miss Davis, maar ik heb elke vlucht nagekeken en tot maandag is er niets beschikbaar.'

'Zet me dan op de wachtlijst,' reageerde Liz.

'Die mogelijkheid heb ik ook al bekeken. Elke vlucht heeft al een lange wachtlijst. De kans dat u zo nog een vlucht te pakken krijgt, is vrijwel nihil. Ik adviseer u om dat ticket van de zevenentwintigste te nemen.'

Na een langdurig gesprek, waarin Liz verscheidene alternatieven aandroeg en de reisagente antwoordde dat ze die al had bekeken, gaf Liz het op. 'Goed,' zei ze bits, 'boek dan maar een ticket voor de zevenentwintigste.'

'En de retourdatum?'

'Weet ik niet. Laat die maar openstaan.'

'Een enkeltje?' vroeg de reisagente. 'Ik adviseer u om dat niet te doen. Dan gaan er meteen allerlei belletjes rinkelen.'

'Wat bedoelt u?'

'Dan gaan ze u gegarandeerd elke keer fouilleren en dergelijke. Herhaaldelijk.'

Liz dacht na. Ze greep de kalender op haar bureau. 'Doe maar op drie januari.'

''s Ochtends of 's avonds?'

'Maakt niet uit,' beet Liz haar toe. 'Grote kans dat ik het ticket toch niet gebruik.'

'Er staat een boete op het wijzigen van de datum. En de beveiliging –'

'Doe het nu alsjeblieft maar gewoon. En laat de koerier de tickets hierheen brengen zodra ze zijn uitgeprint. Ik wil dit niet aan internet overlaten.'

Het halfuur daarna was Liz druk met het surfen van de ene last minute-aanbieder naar de andere. Ze vond niets, zoals de reisagente al had gezegd, en logde net uit toen haar assistente binnenkwam met een rood dossier in haar handen. Die vrouw was het toonbeeld van efficiëntie. Ze gebruikte rode dossiers voor alle in behandeling zijnde zaken.

'Ik heb hier alle papierwerk,' zei ze. 'Maar als je je paspoort niet naar je huisadres hebt laten sturen, is dat er nog niet.'

9

Mary

Thomas Wolfe is degene die heeft gezegd 'je kunt niet meer naar huis'. Ik probeer niet echt naar huis te gaan, maar wel op weg terug naar mijn verleden. En tegen de tijd dat de wielen van het Air France-toestel het asfalt van Charles de Gaulle in Parijs raken, denk ik dat ik de grootste vergissing van mijn leven bega.

In de theologie is er een stroming die calvinisme heet. Maar hoewel ik geen calvinist ben, heb ik wel de neiging om fatalistisch te zijn. Want het grootste deel van mijn volwassen leven heb ik me getroost met het idee dat wat er moet gebeuren, toch wel gebeurt. Daarom ben ik een buitensporig groot deel van de transatlantische vlucht bezig geweest mezelf voor te houden dat de dingen waarvan het de bedoeling is dat ze plaatsvinden, in het algemeen toch wel plaatsvinden. Het was de *bedoeling* dat ik met Sam Davis trouwde. Het was *niet* de bedoeling dat ik mijn leven met een onvoorspelbare Fransman op een zeiljacht zou doorbrengen. En daarom is deze futiele poging om terug in de tijd te gaan niet alleen belachelijk, maar ook gevaarlijk voor de weinige familie die ik nog overheb.

Een flinke onweersbui en als gevolg daarvan mijn opspelende maag, voeden mijn twijfels alleen nog maar meer.

Wanneer het vliegtuig de grond raakt en op weg gaat naar de gate, kijk ik uit het raampje en denk ik aan Elizabeth. Hopelijk heeft ze de e-mail gelezen die ik haar tijdens mijn stopover in Londen heb gestuurd. Zo niet, dan zal Irene het briefje dat ik voor haar heb achtergelaten wel hebben gelezen en haar hebben gebeld. Zodra ik ben bijgekomen van de jetlag, ga ik op zoek naar zo'n internetcafé.

Ondanks mijn belofte aan Sam om onze dochter nooit iets over Parijs te vertellen, had ik Elizabeth bijna meegevraagd. Ik zou kerstavond op de een of andere manier wel hebben overleefd. Het verbaast me dat, hoewel ik heb gerouwd om Sams dood, een deel van me ergens heeft zitten wachten op wat daarna zou komen. Dat had ik me nog niet bewust gerealiseerd tot ik die ingelijste spreuk op de Oude Markt vond. Dat gaf me de durf om te geloven dat mijn leven misschien toch nog niet voorbij is.

Soms vraag ik me weleens af of Sam expres tussen mij en mijn eigen kind is gaan staan. Misschien was het eisen van de belofte om nooit over Parijs te praten wel het begin van zijn plan. Eigenlijk wil ik de gedachte niet toelaten dat hij zo egoïstisch en berekenend was, maar in de twee jaar na zijn dood ben ik me steeds meer gaan realiseren dat hij van alles heeft gezegd en gedaan om Liz kleiner over mij en groter over hem te laten denken. Misschien wilde hij eigenlijk gewoon liever een secretaresse die zijn leven lang bij hem bleef dan een echtgenote. Hij liet me in elk geval nooit een partner zijn. Het duurde enkele jaren, maar uiteindelijk heeft hij me ervan weten te overtuigen dat ik de complexiteit van Davis Enterprises niet zou kunnen bevatten. Als ik had moeten beschrijven hoe het was om met Sam Davis getrouwd te zijn, zou ik twee vakjes tekenen, met op het ene het etiket 'van hem' en op het andere 'van haar'. En tussen die twee vakjes zou ik een deur tekenen die maar aan één kant open kon. Hij kon door de deur om in haar domein te komen, maar de andere kant op ging niet. Zo was het gewoon. Achtentwintig jaar lang.

In eerste instantie was ik zo overweldigd door het enorme huis van de familie Davis en het leven waar ze zo aan gewend waren, dat ik niet aan het familiebedrijf dacht dat die levensstijl in stand hield. Maar ik was een slimme meid en binnen een paar maanden had ik mijn vakje uitstekend georganiseerd. Ik begon interesse te tonen voor de dingen aan de rand van zijn vakje. Dingen zoals zakenlunches. Ik stelde voor dat we die af en toe bij ons thuis zouden houden. En toen ik aanbood het kerstfeest van het bedrijf over te nemen van de assistente van Sam, kwam ik erachter dat de deur tussen Sams privé-leven en zakelijke leven maar naar één kant openzwaaide.

'Doe niet zo belachelijk,' zei Sam. Ik hoor nog steeds dat toontje van hem dat ik zo ben gaan haten, omdat het me het gevoel gaf dat ik iets ongelofelijk stoms had gezegd. 'Margaret regelt dat al jarenlang. En dat doet ze uitstekend.'

'Natuurlijk doet ze dat uitstekend,' zei ik. 'Maar dat is nou niet echt iets wat een assistente moet doen, of wel? Margaret is onbetaalbaar en ze heeft nooit geklaagd, maar ik vermoed dat ze me dat feest graag toe zal schuiven. Ik zou het heerlijk vinden om mensen thuis uit te nodigen. Het een beetje intiemer maken. We zouden een strijkkwartet op de veranda...'

Sams glimlach gaf me het gevoel dat ik een puppy was die door zijn baas op zijn rug werd geklopt, waarna zijn baas hem vertelde dat hij in de tuin moest gaan spelen. Ik was gekwetst. Ik begon me toen natuurlijk te realiseren dat echt partnerschap en persoonlijke intimiteit dingen waren waar Sam Davis maar weinig zin in had. Maar dat is een ander onderwerp. Wat ik wilde zeggen, was dat ik toen begreep dat het idee dat Davis Enterprises een familiebedrijf was met een 'thuisgevoel', een nauwkeurig ontwikkeld publiek imago was. En complete onzin. Ik denk dat in die bijna dertig jaar maar een stuk of tien van Sams zakenrelaties in huis zijn geweest. En zelfs toen waren ze alleen welkom in de formele delen van het huis: de eetkamer, de bibliotheek en de veranda. Geen idee waarom we acht slaapkamers hebben. Geen van allen is ooit aangeboden om er een te gebruiken.

Het vliegtuig stopt met een schokje bij de gate en ik word weer teruggeworpen naar de realiteit en krijg bijna een paniekaanval. Wat heb ik me in mijn hoofd gehaald om na al die jaren alleen naar Parijs terug te keren? Ik heb de taal weer een beetje proberen op te pikken met wat cd's uit de bibliotheek, maar ik denk nog lang niet in het Frans en dat gaat een probleem worden. *Pardon, monsieur, pourriez-vous…* Ach! Ik kan me niet eens het zinnetje herinneren waarop ik zo lang heb geoefend: 'Vergeef me mijn Amerikaanse accent, maar kunt u me helpen?'

Ik pak mijn tas vanonder de stoel voor me, steek mijn hand in het zijvakje en haal er het kleine reiswoordenboekje uit dat ik een keer bij Barnes en Noble in Omaha heb gekocht. *Est-ce qui'il y a un café pres d'ici? Pardonnez, s'il vous plaît. Pour aller au Grand Hotel Saint-Michel? Bonjour. Au revoir.* Ik sta op en volg de andere reizigers in een enkele rij tussen de stoelen door, de slurf in en het vliegveld op.

Waar ben ik aan begonnen?

De Fransen reageerden op de komst van de Eiffeltoren met protestdemonstraties. Ik herinner me een verhaal over een schrijver die in het restaurant in de toren ging dineren, omdat dat de enige manier was om er niet naar te hoeven kijken. Nu ik over het vliegveld loop en een enorme poster van de Eiffeltoren zie hangen, reageer ik op dezelfde manier als toen ik hem als student voor de eerste keer in het echt zag. Ik moet huilen. Ik heb geen zin om na te gaan waarom.

Ik laat de tranen maar gewoon rollen en loop verder naar de plek waar ik mijn bagage kan ophalen.

Ik liep per ongeluk tegen de Franse taal aan. Ik wist dat ik me twee jaar op een vreemde taal moest storten om op een goede school terecht te komen. Mijn high school bood Frans, Latijn en Spaans aan. Spaans zat al vol. Mijn ongeschoolde, door en door Ierse ouders startten een campagne om me aan het Latijn te krijgen, omdat dat de taal van de kerk was en zo – waardoor ik natuurlijk niet voor Latijn koos. En dus bleef Frans over. Verrassend genoeg bleek ik daar nog goed in te zijn ook. En dus hield ik het daarbij. Toen ik naar college ging, koos ik Frans als een van de hoofdvakken, omdat ik dat makkelijk vond. Ik had alleen geen idee wat ik er ooit mee zou doen. Ik wilde niet lesgeven, maar hoe meer ik de Franse cultuur en geschiedenis bestudeerde, hoe meer ik ernaar verlangde om de plaatsen te gaan bezoeken waarover ik las.

Mijn ouders vonden dit een absoluut onmogelijk idee. Het feit dat ik me een studie aan een college kon veroorloven, was daarbij vergeleken kinderspel. De gedachte dat een McKibbin naar Europa zou reizen konden ze niet eens bevatten. Mijn vader begreep ook niet waarom ik niet liever naar het land van onze voorvaderen wilde om wat van de familiehistorie te weten te komen. Ik ben nog steeds niet naar Ierland geweest en als ik nu zou gaan, zou ik er met een enorm schuldgevoel rondlopen, omdat ik er niet ben geweest toen pa en ma nog leefden.

Toen het werkvisum van mijn leraar Frans verliep en hij de Verenigde Staten verliet, regelde hij dat een aantal studenten in de buurt van zijn woonplaats in Frankrijk kon studeren. Ik nam twee baantjes om genoeg geld bij elkaar te kunnen sparen voor de reis. En toch moest ik nog een lening zien te krijgen.

Hoe dan ook, we arriveerden 's nachts en werden met een bus naar een studentenhuis van een school in Versailles gebracht. Tegen de tijd dat de bus Versailles inreed, was ik in slaap gevallen. Ik was net weggedoezeld toen mijn vriendin Leah me een por in mijn ribben gaf en zei: 'Kijk.' Toen ik mijn ogen opendeed, zag ik de 'Lichtstad', compleet met Eiffeltoren. Dit was al die rottige bijbaantjes waard geweest. Ik zou door de straten van Parijs lopen en de tranen begonnen te vloeien. Professor Max zag mijn tranen en glimlachte naar me.

'Het is zo...'

'Français, Marie,' zei hij tegen me terwijl hij een vermanende vinger opstak.

'C'est... magnifique... si belle.'

'Oui. C'est BEAU.'

Ik dacht op eenentwintigjarige leeftijd al dat een jetlag zwaar was, maar als je vijftig bent, is het pas echt een ramp. Het kost me elke gram wilskracht om niet op een stoel op het vliegveld neer te ploffen en te gaan slapen. Maar ik moet mijn bagage nog ophalen en door de douane, maar dat gaat gelukkig soepel. Ik heb er wat zinnen in het Frans uit weten te krijgen tegen een douanebeambte en hij leek me nog te verstaan ook. Hij glimlacht zelfs naar me.

Omdat ik tijdens de vlucht over een aantal kaarten gebogen heb gezeten, heb ik nu een plan. Ik neem metro B3 naar het hart van de stad en dan kom ik een paar blokken bij het hotel vandaan weer boven de grond. Ik heb hier geen herinneringen uit het verleden liggen, omdat ik toen op Orly ben geland en ik gewoon onze professor Frans ben gevolgd.

Helaas hebben enkele vandalen de B3 gesloopt en is hij buiten bedrijf. Een groot bord verwijst de passagiers naar boven, waar je de bus kunt nemen. Ik neem de trap en ben blij met elke gram aan kleding die ik in Omaha heb achtergelaten. Er komt geen bus. Ook geen andere passagiers. Ik begin net te denken dat ik verkeerd zit, maar er komt een jonge vrouw aan die vragen stelt over dezelfde bus. Op het moment dat ik antwoord geef, schakelt ze meteen over naar Engels. Brits, om precies te zijn.

'Is dit de eerste keer dat u in Parijs bent?' wil ze weten.

Ik schud mijn hoofd. 'Nee, maar wel de eerste keer in dertig jaar. Het spijt me dat mijn Frans zo beroerd is.'

'Maar dat is helemaal niet zo,' reageert ze. 'Eigenlijk is uw uitspraak erg goed. Maar ik herkende toch uw accent. Mijn Frans is verschrikkelijk, dus ik ben blij dat u Amerikaanse bent.' Ze draagt een studentikoze bril met rechthoekige glazen. Haar donkerbruine haar zit in een gemakkelijke paardenstaart. Door het gewicht van de overvolle tas aan haar schouder staat ze een beetje scheef. Ik ben oud genoeg om haar moeder te kunnen zijn en terwijl ze de tas met een grom op het trottoir laat zakken, bied ik aan om hem op mijn koffer met wieltjes te zetten.

'Dat is heel aardig van u,' zegt ze. Ze kijkt naar het aanstormende verkeer en vraagt zich net als ik af wanneer de beloofde bus zal arriveren. Ze kijkt naar het bord. 'Weet u zeker dat we op de juiste plek staan?'

Ik haal mijn schouders op. 'Vrij zeker. Maar dat hangt natuurlijk af van het feit of ik het bord beneden wel goed heb begrepen.'

'Nou,' zucht ze, 'dan vermoed ik dat er geen bussen meer rijden. Waar moet u heen? Zou u een taxi willen delen?'

'Ik heb gereserveerd in Grand Hotel Saint-Michel,' antwoord ik. 'En als je wilt, kunnen we inderdaad wel een taxi delen.'

'Is dat niet in de buurt van de Sorbonne? Volgens mij ben

ik daar al eens langsgekomen op weg naar mijn favoriete theehuis.'

Ik knik.

'Mooi.' Ze steekt haar hand uit. 'Annie Templeton. Studente aan de Sorbonne, waar mijn ouders het niet echt mee eens zijn. Ik heb een flat niet ver van uw hotel.'

Ik stel mezelf voor en probeer haar een hart onder de riem te steken. 'Mijn ouders begrepen me ook niet toen ik zo oud was als jij en naar Frankrijk vertrok. Maar ze draaiden wel bij. Ik vermoed dat die van jou dat ook wel zullen doen.' Ik zwijg even voor ik eraan toevoeg: 'Ik heb een dochter die ongeveer even oud is als jij. En zelfs die denkt dat ik gek ben omdat ik in mijn eentje naar Parijs ga.'

Annie kijkt me aan en volgens mij zag ik haar ogen een beetje beginnen te schitteren. 'Ze is hier zeker nog nooit geweest.'

Het is een verklaring, geen vraag. Ik schud mijn hoofd.

Annie grijpt het handvat van mijn koffer op wieltjes en kwakt haar tas erop. 'Nou, dan moet u haar maar hierheen zien te krijgen. Het is hier geweldig, maar tot ze de feeën op de Champs de Mars hebben zien dansen, met op de achtergrond de Eiffeltoren, begrijpen sommige mensen het gewoon niet.' Ze zwijgt even en kijkt me aan, en op haar gezicht verschijnt de uitdrukking van een vrouw die veel ouder is. 'Maar u hebt ze toch wel gezien... of in elk geval hun stemmen gehoord in de kerkklokken?'

Ik haal mijn schouders op, een beetje beschaamd, omdat ik Jean-Marcs stem hoor die iets fluistert over stemmen in de kerkklokken... en omdat ik me die avond herinner dat hij zijn arm om me heen sloeg en over de toekomst praatte terwijl we naast elkaar op een bankje in een bepaald park in Parijs zaten.

'Precies wat ik dacht,' onderbrak Annies stem haar

gedachten. Plotseling verandert ze van onderwerp. ‘Nou ja, laten we een taxi gaan zoeken.’

Tegen de tijd dat we uit de taxi stappen, ben ik ervan overtuigd dat Annie Templeton een engel is.

10

Jean-Marc

'Het spijt me, Celine,' herhaalde Jean-Marc in een poging de oorverdovende stilte over de lijn te verbreken.

'Natuurlijk spijt het je,' antwoordde de jonge vrouw ten slotte. 'Het spijt je altijd, pap.'

'Wees alsjeblieft niet boos, *chérie*.' Hij liet een geforceerd plagerige toon in zijn stem doorklinken: 'Ik stuur mademoiselle Chevalier naar *jou* toe in de vakantie als je niet aardig bent tegen je oude arme vader.'

'*Arm?! Oud?!* Doe niet zo belachelijk.' Celines stem werd bijna schril. 'Je hoeft niet net te doen alsof je Dominique meeneemt om haar ouders te bezoeken. Ik heb je voor haar gewaarschuwd. Als je niet wilt luisteren, zal het me verder een zorg zijn. Maar lieg niet tegen me.'

'Ik lieg niet!' protesteerde Jean-Marc. 'Ze is niet veel ouder dan jij, Celine. Alsjeblieft. Geef me een beetje krediet. Ik ben niet volslagen imbeciel. Het is niet ver omrijden op weg naar Parijs en ik heb het haar *beloofd*.'

'Hou op, pap. Hier heb ik geen tijd voor. Ik zal een reden moeten bedenken om mijn jongens te vertellen waarom hun grootvader hen teleur gaat stellen, zelfs al heeft hij hun *beloofd* met Kerst te komen.'

Jean-Marc kromp ineen toen ze dat woord benadrukte. Celine had natuurlijk gelijk. Hij hield zijn belofte aan Dominique Chevalier en verbrak die aan zijn eigen kleinzoons. Dat was niet in orde.

'Vertel hun gewoon de waarheid.'

'En wat is volgens jou dan de waarheid, pap?'

'Zoals altijd is de waarheid datgene wat waar is. Wat ik je heb verteld. Ik zet Dominique Chevalier af bij de villa van haar ouders en ga dan naar Parijs voor iets zeer belangrijks.'

'Ik vind het erg interessant om te zien dat de echte waarheid jou altijd in staat stelt om precies te doen wat jij wilt zonder er rekening mee te houden hoe dat anderen beïnvloedt.'

'Alsjeblieft.' Jean-Marc friemelde aan de gouden oorring in zijn linkeroor. 'Probeer het te begrijpen. Dit is speciaal. Erg belangrijk.'

'Natuurlijk is het dat.'

'Ik zal het goedmaken.'

'Ja, natuurlijk probeer je dat, pap.'

'Ik meen het.'

'Dat doe je altijd.' Ze zweeg even. 'Je vergeeft me vast wel als je mijn groeten niet over hoeft te brengen aan mademoiselle Chevalier.'

Toen Jean-Marc de klik hoorde, zuchtte hij en legde hij de telefoon neer. Hij trok de brief uit zijn zak en begon de woorden te lezen die hij ondertussen bijna uit zijn hoofd kende.

Celine

Voor ik iemand kan vertellen wie Celine Dumas is, moet ik eerst iets over mijn vader vertellen. Zo is het altijd gegaan. Doordat ik enig kind ben van een enig kind liggen sommige dingen toch iets anders. En de helft realiseer ik me nog niet eens. Hoewel ik vijfentwintig jaar ben en zelf twee zoons heb, ben ik nog steeds mijn vaders kleine meid. Het maakt me woest dat dat zo is. Soms wilde ik echt dat er nog steeds zeemonsters bestonden en dat er een uit de diepte omhoog zou komen om een zekere schipper van het dek van zijn schip te plukken. Maar op andere momenten vrees ik zo voor zijn leven, dat ik wilde dat de *Sea Cloud* in de baai zou zinken, zodat mijn vader een tijdje aan land zou blijven. Het is niet gemakkelijk om met zulke tegenstrijdige emoties om te gaan, maar dat is nu eenmaal een deel van het dochter van Jean-Marc David zijn.

Heel wat jaren geleden was er in een haven een zangeres waar mijn vader een week lang helemaal geobsedeerd door was en ik ben daar het resultaat van. Maar mijn vader verzekerde me dat ik totaal niet op haar lijk. Deze vrouw, wier naam ik niet eens ken, had geen zin om in haar eentje een kind op te voeden en mijn vader had geen zin om met haar te trouwen. Mijn vader heeft me verteld dat hij weg van me was zodra hij me zag en hij heeft nooit overwogen me niet in zijn leven toe te laten. Buiten het lange donkere haar en mijn verlangen om mijn wortels diep in de grond te steken, ben ik een vrouwelijke versie van mijn vader. Van 'boeg tot spiegel', zoals hij graag zegt. Ik heb zelfs zijn opvallend blauwe ogen, hoewel sommigen zullen zeggen dat dat niet zo positief is. De combinatie van mijn vaders blauwe ogen en mijn moeders zeer zwarte haar maakt een opvallende verschijning van me. Mannen lijken het nogal aantrekkelijk te vinden. En zo ben ik dan ook moeder van een tweeling geworden.

Mijn jongens, Olivier en Xavier, zijn zes jaar geleden geboren. Op zee. Mijn vader zegt dat ze zout water in hun aderen hebben, net als hij. Ik hoop dat hij geen gelijk krijgt. Zijn passie voor de zee mag hem dan ongelofelijke avonturen en mooie verhalen hebben opgeleverd, maar heeft er ook voor gezorgd dat hij zich nooit echt heeft kunnen hechten aan mensen of plaatsen. Hij is wat de Amerikanen die hem kennen een 'vrije geest' noemen.

Nu mijn vader ouder wordt, heb ik het gevoel dat die geest steeds ongelukkiger wordt. Ik denk echt dat mijn vader naar een anker verlangt in de vorm van een thuis. Maar hij beweert dat de jongens en ik het enige anker zijn dat hij nodig heeft. Ik maak mezelf graag wijs dat dat waar is, zelfs al herinner ik hem er vaak aan dat hij zijn ouderlijk huis al die tijd heeft aangehouden, sinds mijn grootouders zijn overleden. Op de paar bomen na die hij heeft gekapt voor het uitzicht, heeft hij niets aan het huis veranderd.

Mijn jongens zijn gek op hun grootvader en vooral op zijn verhalen. Hij zal ongetwijfeld weer met een ongelofelijk verhaal komen om zijn afwezigheid te verklaren. Ik vermoed echter dat hij bepaalde verhalen verzint. Xavier en Olivier zijn nu nog jong en flexibel, dus vinden ze het nog grappig dat hun grootvader zijn plannen vaak op het laatste moment omgooit. Maar op zekere dag zullen ze het niet grappig meer vinden. Ik zie die dag met angst en beven tegemoet, omdat dat een omslag in ons leven zal betekenen. De jongens zullen met dezelfde waarheid worden geconfronteerd als ik ooit en dan zullen ze een beslissing nemen. De waarheid waarmee ze zullen worden geconfronteerd, is dat hoewel Jean-Marc David een hele hoop liefde weg te geven heeft, hij maar één geliefde heeft. Ze heet *Sea Cloud* en wanneer ze roept, gaat hij, wat de plannen dan ook waren en wat hij dan ook heeft beloofd. En wanneer de jongens zich dat zullen realiseren, zullen ze die grote liefde op de voorwaarden van hun grootvader accepteren, of een muur optrekken. Jarenlang heb ik dat laatste gedaan.

Ik was net achttien geworden toen ik besefte dat ik het gevecht tegen de zee om mijn vader verloor. Ik zou door de burgemeester worden gelauwerd voor mijn vrijwilligerswerk in het plaatselijke ziekenhuis. Mijn vader zou bij het diner aanwezig zijn, maar toen er een storm opstak, verontschuldigde hij zich en ging hij op weg naar de haven, om er zeker van te zijn dat Paul alles goed geregeld had. En dat terwijl Paul zelf een zeiler van wereldklasse is. Mijn vader moest daar gewoon zelf gaan kijken. Ik heb heel dramatisch gedaan over dat moment, met de gedachte dat ik mijn vader mijn wil kon opleggen. Toen dat niet werkte, heb ik me teruggetrokken en ben ik verdwenen uit mijn hut aan boord van zijn schip – hij was toen nog geen eigenaar van de *Sea Cloud* – en ben in een flat getrokken die niet groter was dan een pijpenla.

Het heeft maanden geduurd voor ik besefte dat ik mezelf meer pijn deed dan mijn vader. Toen ik dat begreep, heb ik de breuk weer hersteld. Hij verwelkomde me weer met open armen in zijn leven en is gewoon zichzelf gebleven.

Ik baal ervan dat ik waarschijnlijk in de nabije toekomst weer voor de keuze kom te staan om mijn vader op zijn voorwaarden te accepteren, of helemaal niet. Maar het is anders om voor mijn kinderen te beslissen dan voor mezelf. De jongens zijn echter nog steeds klein. Op dit punt zou de afwezigheid van hun grootvader hen meer kwetsen dan de teleurstelling over het feit dat hij er met Kerst niet bij zal zijn.

Mijn vader zegt dat hij met Kerst in Parijs moet zijn. Ik wil hem graag geloven. Ik wil niet aan hem denken met Dominique Chevalier aan zijn zijde. Van dat idee krijg ik de bibbers, meer door haar reputatie dan door haar leeftijd. Maar Parijs? Dat is nog moeilijker te geloven dan Jean-Marc David en Dominique Chevalier. Hij is mijn vader, maar ik ben niet blind. Hij is nogal aantrekkelijk. Hij heeft blauwe ogen die een vrouwenhart kunnen laten smelten en een glimlach om haar hart te veroveren. Mijn vaders eerste vrouw – die niet mijn echte moeder was, maar wel de enige moeder die ik heb gekend – zei dat ooit tegen me. Ze legde me uit waarom ze van hem hield, zelfs al was ze bezig haar biezen te pakken.

In mijn herinneringen heeft mijn vader het maar één keer over Parijs gehad. Volgens mij is een oude vriend van hem daar Ducati-dealer, maar ik geloof niet dat hij die vriend ooit heeft opgezocht. Ik herinner me zelfs niet eens zijn naam. Mijn vader heeft Parijs altijd gemeden, dat is duidelijk. Toen hij me door de telefoon vertelde dat hij daarnaartoe ging, hoorde ik iets in zijn stem. Ik dacht eerst dat hij probeerde me iets op de mouw te spelden, maar nu ben ik daar niet zo zeker meer van.

Hoe dan ook, het lijkt erop dat we onze plannen zullen moeten bijstellen en moeten uitkijken naar de dag dat hij verkiest om weer te komen opdagen.

Ik denk dat ik, terwijl hij in Parijs zit, maar met de jongens naar zijn huis in Arcachon ga. Ze vinden het daar heerlijk. Dan kunnen ze op de *Sea Cloud* spelen nu ze daar in de winterstalling ligt. Misschien kunnen we dan op kerstavond wel op de boot gaan slapen. Dat vindt mijn vader niet erg. En we kunnen hem dan verrassen wanneer hij weer thuiskomt.

11

Mary

Het raam van mijn hotelkamer kan open. Het geeft geen uitzicht op een lawaaierige straat, maar op een van buiten onzichtbaar en zeer rustig binnenhofje van een huizenblok. Ik heb me gisteren zelfs niet eens buiten gewaagd. Waarschijnlijk heeft een combinatie van jetlag, heimwee en een virus me binnengehouden. Ik weet het niet zeker, maar dat maakt ook niet uit. Deze morgen voelt in elk geval anders aan. Ik heb het gedaan. Ik ben er, Jean-Marc. Kom je nog?

Ik sta op en loop de kamer door om de gordijnen open te trekken en het raam open te doen. Ik leun op de vensterbank en kijk omhoog naar een kleine driehoek helderblauwe lucht. Ik sluit mijn ogen en concentreer me op de warmte als mijn gezicht wordt beschenen door de zon. Ik hoor kinderen lachen en als ik mijn ogen weer open, zie ik door de ramen in de muur tegenover me een ruimte waarin lange tafels staan opgesteld, waar een heel aantal kinderen omheen zit. Een van de meisjes lijkt te zitten dagdromen en staart uit het raam. Ze ziet me en glimlacht. Ik zwaai. Ze doet een boek open om haar hand aan het oog van de rest te onttrekken en zwaait terug.

Het is een alleraardigst hotel, hoewel ik een beetje moet lachen bij het gebruik van dit woord. Ergens is het een beetje een groot woord voor de kleine hotelletjes die de smalle straten van het centrum van Parijs bevolken. En toch is het de juiste term voor Au Grand Hotel Saint-Michel, waar een smalle entree naar een kleine foyer aan de rechterkant leidt, met overdadig met goudverf afgewerkt filigreinwerk en panoramische schilderijen à la Versailles. Er bevindt zich een kleine lounge aan de linkerkant, waar *Le Figaro* van vandaag is achtergelaten op de bank bij het raam. En dan de incheckbalie in een nis onder de wenteltrap met blauw tapijt die zich omhoogslingert naar vier verdiepingen met in totaal zesenveertig kamers en suites. Links van de trap bevindt zich een lift ter grootte van een bezemkast. Ik gebruik maar liever de trap.

Vanmorgen is een gedistingeerde Nigeriaanse heer met een wit jasje – ik weet dat hij uit Nigeria komt omdat ik mijn moed bij elkaar heb geraapt om het hem te vragen – bezig de koperen trapleuning te poetsen en terwijl ik naar beneden loop, groet hij me in het Frans. En wanneer ik in het Frans antwoord, wenst hij me een prettige dag toe. Ik ben opgewonden omdat hij me verstaat en niet zoals Annie Templeton meteen overschakelt op het Engels.

Ik stap naar buiten en word meteen weer begroet met gelach. Verderop in de straat, waar studenten zich aanmelden voor een studie aan de Sorbonne, staat een groep jonge mensen te wachten om via een deur in een stenen muur de bekende oude universiteit te betreden. Ik glimlach bij de gedachte aan *oud*, wat in Parijs iets heel anders betekent dan in Omaha. Ik herinner me dat professor Max [illegible] vertelde dat de Fransen in de vijftiende eeuw al bezig waren met de bouw van de Notre Dame, terwijl de Amerikanen... 'Tja,' zei hij, terwijl zijn grijze ogen minzaam glimlachten, *'l'Amérique, ça n'existait pas au quinzième siècle.'* Amerika bestond in de vijftiende eeuw niet eens. Dat was een les in culturele bescheidenheid die de meesten van ons goed konden gebruiken. Het was ook het moment dat mijn beeld van het universum begon te veranderen.

Ik loop de andere kant op en daal de heuvel af. Wanneer ik linksaf sla, zie ik een geldautomaat en iets verderop een cafeetje. De lucht is fris, maar niet koud, en het is iets bewolkt, maar ik ben vastbesloten om te genieten van *le petit dejeuner* in de buitenlucht. Het is een opluchting voor me wanneer ik mijn pas in de sleuf stop en er euro's uit de automaat glijden.

Ik loop verder en ga voor het café op een stoel bij het trottoir zitten. Mijn hart bonkt wanneer de ober eraan komt. De komende dagen zal waarschijnlijk elke nieuwe situatie zo'n reactie bij me teweegbrengen. Mijn Frans is zo stoffig. Maar ik *wil* het gewoon gebruiken. Blijkbaar klinkt het niet zo beroerd als ik dacht, want als ik om *café au lait* en een croissant met boter vraag, reageert de ober met een *'Tout de suite, madame'* en verdwijnt hij weer naar binnen, hopelijk om te gaan halen wat ik heb besteld.

Aan de andere kant van de straat staat een oudere vrouw even stil om naar een mededeling te kijken die aan de kiosk op de hoek is opgehangen. Door een versleten rug is het voor haar onmogelijk om rechtop te blijven staan en ze leunt dan ook zwaar op een wandelstok terwijl ze leest. Haar haar blijft verborgen onder een zwart sjaaltje dat onder haar kin is vastgeknoopt. Ik denk eraan hoe de wereld is veranderd sinds zij een kind was. Ze is waarschijnlijk oud genoeg om zowel de Duitsers als de Amerikanen over de Champs-Elysées te hebben zien marcheren. Ik vraag me af wat ze heeft gevoeld toen vreemde overheersers haar stad hadden bezet. En die gedachte relativeert meteen mijn eigen angst over kerstavond.

De ober brengt mijn koffie en aarzelt lang genoeg om naar de blondine te kijken die ook ik heb opgemerkt. Haar doelbewuste pas doet me aan Elizabeth denken – hoewel Elizabeth gemakkelijk zittende pumps draagt en niet de design-stiletto's die de voeten van deze jonge vrouw sieren. Ze houdt even stil om de straat over te steken en ik glimlach in mezelf. Ik herinner me dat ik ook ooit zo'n slank middeltje had en net als deze *jeune fille*, droeg ik jasjes met een ceintuur om dat te laten zien. Ik heb alleen nooit mijn lippen zo overdadig roze gestift.

De oude vrouw laat iets vallen en wanneer de jongedame zich omdraait om het op te rapen, zie ik de linkerkant van haar gezicht. Op de plaats waar haar geëpileerde wenkbrauw eindigt, zit een blauwe plek en er zit ook een kleine snee in haar jukbeen. Ze glimlacht kort naar de oudere vrouw, die iets zegt en haar een klopje op haar arm geeft.

Mijn café au lait is heet en ruikt heerlijk, en als ik het kopje ophef om een slok te nemen, inhaleer ik de geur diep en geniet ik van het aroma, waarna ik mijn ogen sluit om naar de geluiden van Parijs te luisteren. Ik leun achterover, met mijn ogen nog steeds gesloten, en heel even ben ik weer die roodharige jonge vrouw die zit te wachten op de man die haar hart heeft gestolen en haar heeft gevraagd in het café op hem te wachten. Ze drinken hun koffie op en steken dan de straat over en wandelen de gietijzeren poort door in het hoge hek dat de Jardin du Luxembourg omgeeft. Ze blijven daar dan hangen tot het begint te schemeren… waarna het donker wordt… en dan zullen hun levens voor altijd veranderd zijn. Een bus staat piepend stil. Ik hoor twee motorfietsen passeren en claxons blèren. Ik hoor gegil van banden en mijn ogen springen open terwijl mijn hartslag verdubbelt door de gedachte aan wat er met de motorrijders zou kunnen gebeuren. Maar het is net mis. De motorfietsen zijn niet meer te zien, de deur van de bus sluit zich sissend en de ober brengt me een warme croissant.

'Merci.' Ik beleg de croissant eerst met genoeg boter om de pondjes te compenseren die ik met veel moeite van mijn

dijen af heb gekregen. Ik was vergeten dat je in Parijs niet echt veel mensen met overgewicht ziet. Ik ben hoe dan ook heel wat dingen vergeten. En toch, nu ik hier mijn café au lait zit te drinken, begin ik te denken dat het verleden toch teruggehaald kan worden.

Niemand hier heeft ook maar een flauw idee van wie ik ben en het kan ook niemand iets schelen. Ik ben gewoon een van de vele mensen die 's morgens koffie zitten te drinken voor ze aan hun werkdag beginnen. En zelfs al heb ik een exemplaar van *Le Figaro* op mijn tafeltje liggen, ik houd niemand voor de gek. Ze hebben allemaal door dat ik een Amerikaanse ben. Mijn kleding schreeuwt dat over straat en er zijn dingen die het op subtielere manieren communiceren. Ik weet niet wat, maar voor de Fransman zijn ze niet over het hoofd te zien. Toen ik een jonge vrouw was, deed ik mijn best om af te wijken. Ik weet dat ik hier niet thuishoor. Ik moet glimlachen om die gedachte. Ik ben de halve wereld over gereisd om te ontsnappen aan een leven waarin ik niet thuishoorde om naar een andere plek te gaan waar ik niet thuishoor. Zoals de Fransen het zeggen: *c'est la misère, ça.*

En het *is* ook een misère. Maar volgens mijn nederige mening kun je, als je je toch al miserabel voelt, dat beter in Parijs doen.

Ik ben nu drie dagen in Parijs. De eerste dag heb ik geslapen. De tweede ben ik langs de Sorbonne en naar het Pantheon gewandeld. Daarna weer heuvelafwaarts en ten slotte naar het Musé de Cluny. Ik heb drie keer koffie gedronken in drie verschillende cafeetjes. Maar ik denk dat ik pas echt werd stilgezet bij wat ik heb gedaan toen ik een paar blokken de Boulevard St. Michel ben uitgelopen en ik aan mijn rechterkant de Notre Dame zag. Het was een ongebruikelijk warme avond en een aantal jonge mannen had een paar oranje pylonen neergezet op de straat die parallel loopt aan de ingang van de kathedraal. Ze waren aan het inlineskaten en vlogen om de pylonen heen terwijl een aantal wandelaars vanaf het trottoir stond toe te kijken. De jonge mannen maakten wat grappen met de toeschouwers en eentje flirtte er zelfs een beetje met me. En heel even was ik weer jong.

Ik ging de kathedraal binnen en toen gebeurde er iets met me. Ik vroeg me af hoeveel duizenden – of misschien zelfs miljoenen – mensen zich hier hebben staan vergapen aan het schitterende interieur van dit machtige bouwwerk. De enorme stenen pilaren, de gigantische bogen en de gebrandschilderde ramen. Voor die ramen ga ik nog een keer terug wanneer de zon erdoorheen schijnt. Maar die avond liet ik me in een harde houten bank neerploffen en keek ik vol verbazing om me heen. Ik heb ooit gelezen hoe de kathedraal is gebouwd, maar dat maakte mijn verwondering er niet minder om.

Maar er was voor mij die avond nog iets anders. Gedempte stemmen en schuifelende voeten konden dat niet verbergen – een aanwezigheid die ik bijna kon voelen, zo echt. Voor het eerst in vele jaren had ik letterlijk het gevoel dat ik in de aanwezigheid van God verkeerde. Ik neem aan dat ik dat eerder had moeten voelen. Sam en ik gingen vrijwel elke zondag naar de kerk. Ik heb altijd geloofd dat er een God is. Maar ik had nooit echt veel met Hem. Ik weet dat heel wat mensen zich bezinnen over God wanneer ze met de dood worden geconfronteerd. Als dat zo was bij Sam, heeft hij dat in elk geval nooit gezegd. Wat mijzelf betreft, ik had het in eerste instantie te druk om aan Hem te denken en later was ik er te verdoofd voor. Maar toen ik daar alleen in de Notre

Dame zat, vulden mijn ogen zich met een verlangen dat ik niet echt kan beschrijven. Ik denk niet dat het iets te maken had met mijn vervreemding van Elizabeth of mijn eenzaamheid. Ik ben nerveus over kerstavond en ik vraag me af of Jean-Marc zal komen opdagen, maar ik ben ervan overtuigd dat mijn ervaring in de Notre Dame ook daar niets mee te maken had. Het was iets anders. Tastbaar, heftig, nieuw.

Vlak voor me kwam een vrouw zitten om te bidden. Ze huilde. Het was maar een kort gebed, maar toen ze vertrok, huilde ze niet langer en lag er een vredige uitdrukking op haar gezicht. Ik kreeg zo de neiging haar naar buiten te volgen om haar te vragen wat er met haar gebeurd was, dat ik opstond en naar de uitgang liep. Maar terwijl ik mijn weg vond door de menigte, zei ik tegen mezelf dat ik veel te impulsief was.

Het orgel begon te spelen. Ik ging weer zitten, sloot mijn ogen en liet de tranen vrijelijk stromen. Ik dacht aan Elizabeth en hoe ze me altijd Mimi noemde. Ik herbeleefde de eerste keer dat ik Samuel Davis ontmoette, zo knap en levenslustig. Ik huilde over mijn gestorven echtgenoot en de liefde die we hadden kunnen delen. Ik huilde over mijn dochter en de vriendschap waarvan ik zo graag wilde dat we die hadden. En toen ik naar mijn handen keek, huilde ik om het vooruitzicht alleen oud te worden.

Toen ik de kerk weer had verlaten, liep ik langs de rivier naar het Louvre toe. Het was bijna donker, maar de lampen van de Samaritaine waren aan en ik ging naar binnen, de schitterende art deco trap op en naar de boekenafdeling. Ik kocht een zwart leren notitieboekje en gelinieerd papier. Ik was naar Parijs gekomen om er iets te vinden. Als ik een dagboek van mijn gedachten en indrukken bijhoud, dacht ik, zal ik misschien in staat zijn mijn zoektocht op een rijtje te krijgen. En als het niet zou helpen, kon ik het dagboek altijd nog in de Seine gooien en snel weer terug naar huis vluchten, naar Omaha.

Thuis. Toen ik over dat woord nadacht moest ik de harde werkelijkheid accepteren. Omaha, in Nebraska, was net zomin thuis voor me als Parijs.

Ik greep de hengsels van mijn boodschappentas stevig beet en slenterde naar de Sorbonne toe, deze keer aan de andere kant van de straat. Het begon te miezeren, niet al te koud, en het was eigenlijk helemaal niet zo irritant. Ik kocht een zwarte paraplu en een sjaal van een straatventer en nam me voor de volgende dag terug te keren naar de Samaritaine voor een jas en betere wandelschoenen. Ik zou het feit kunnen verdoezelen dat ik geen Frans bloed door mijn aderen heb stromen, door een *made in France* buitenkantje aan te schaffen.

Terug in mijn hotelkamer verkleedde ik me en wilde ik dat ik een oversized mannenoverhemd had meegenomen in plaats van de nachtjapon die ik had ingepakt. Ik opende de kleine fles Perrier uit mijn koelkast en maakte het me gemakkelijk met mijn notitieboekje open op schoot. Ten slotte schreef ik op wat ik die dag over mezelf had geleerd.

Het maakt niet uit of ik in Omaha of Parijs ben. Ik ben niet thuis in mijn leven.

12

'Dit is belachelijk,' zei Liz. 'Er *moet* iets zijn wat u kunt doen!' Ze had een kopietje van de paspoortaanvraag in haar hand.

'Hebt u om een versnelde afhandeling gevraagd?' vroeg de medewerker.

'U hebt de aanvraag opgesteld en dus weet u heel goed dat dat niet het geval is,' beet Liz hem toe. 'Maar dat was toen ik hem pas nodig had in het voorjaar, voor mijn huwelijksreis.'

'Het enige wat ik u kan aanraden,' zei de man, 'is dat u uw vertegenwoordiger bij het Congres belt. Misschien dat hij iets kan doen. Wij in elk geval niet. Wij doen alleen –'

Liz hoorde het einde van zijn zin niet eens. Ze was al met driftige stappen op weg naar de lift. Op straat griste ze een parkeerboete onder haar ruitenwissers vandaan en mopperde zachtjes. Haar hart maakte een sprongetje toen ze een grijs zijden kostuum zag dat het gebouw aan de overkant van de straat binnenging. Ze deed een stap in die richting, maar hield zich toen in. *Er is meer dan één grijs zijden kostuum in Omaha. En zelfs al was het Jeff, je moet hem de ruimte geven. Hij zal je snel genoeg missen en je bellen.*

Liz vocht tegen de tranen van teleurstelling, rukte het portier van haar auto open en ging achter het stuur zitten. Ze startte de motor, reed het verkeer in en ging op weg naar kantoor, waar ze Peggy enkele instructies gaf. 'Bel het kantoor van congreslid Terry en verbind me door als je iemand hebt gevonden die iets aan deze puinhoop kan doen.'

Ze zette haar laptop aan en zocht tevergeefs naar een e-mail van *Mimi*. Het was nu al een week geleden. En Irene had ook al niets van haar gehoord. En Jeffrey Scott leek het uitstekend zonder haar te redden.

Jeff

De bewering dat dit de langste week van mijn leven was, is zwak uitgedrukt. Ik ben vandaag zelfs bij de parfumafdeling van Von Maur langs geweest en heb de verkoopster gevraagd me een vleugje van *Obsession* te laten ruiken – Liz' favoriete geur. Ik heb gewoon liefdesverdriet!

Dat was vlak nadat ik in het centrum Liz had gezien. Ik zag eerst haar auto – zoals gewoonlijk geparkeerd op een plek waar het verboden is om te parkeren. Liz vindt haar tijd meer waard dan de boetes die het kost. En toen kwam ze uit het postkantoor tevoorschijn, gekleed in haar felgele mantelpakje. Dat draagt ze altijd wanneer ze zich super zelfverzekerd wil voelen.

Het kostte me al mijn wilskracht om haar naam niet over straat te roepen en haar te vragen of ze mee ging lunchen. Maar dat zou niet handig zijn geweest. En daarmee bedoel ik dat ik haar zou hebben omhelsd en haar zonder vragen zou hebben teruggenomen. En het zou ook niet handig zijn geweest omdat het niet in Elizabeths belang zou zijn om haar zomaar te laten wegkomen met wat ze bijna George Kincaid heeft aangedaan… en wat ze haar eigen moeder heeft aangedaan. Ik ben gaan beseffen dat liefde niets te maken heeft met 'nooit sorry te hoeven zeggen'. Liefde doet wat het beste is voor de ander.

De logische kant van Jeffrey James Scott is eindelijk lang

genoeg boven de razende onderstroom van passie uitgerezen om eens goed naar Elizabeth Samantha Davis te kijken en ik weet niet zeker of ik wel blij ben met wat ik heb gezien. Ik zie kanten aan haar waarom ik me zo kwaad maak dat ik denk dat ik er spijt van ga krijgen als ik met haar trouw.

Liz is er altijd trots op geweest te worden gezien als de dochter van haar vader. Daar is natuurlijk niets mis mee. Maar ergens hoop ik dat daar binnenin ook nog iets van haar moeder huist. Ik vermoed dat Liz dat als een zwakheid ziet, maar die avond dat Liz op haar in zat te hakken, vocht Mary niet terug. Dat verbaasde me. Ze had zichzelf zo goed onder controle. Ik kende de details niet eens van waar Liz over zat te schreeuwen, maar Mary liet haar maar begaan. En toen verontschuldigde *zij* zich voor het feit dat Liz zich zo rot voelde. Ik moet zeggen dat Mary Davis nog nooit zo aantrekkelijk en liefhebbend was als op dat moment. Ik weet dat een deel daarvan het resultaat is van ouder zijn, maar ik zou die goedheid heel graag ook in Lizzie zien. Ik denk dat het ergens diep in haar verborgen zit, maar het zal er niet snel uitkomen, omdat ze zo graag op haar vader wil lijken.

Mary

15 december 2003
Mamalina – de lekkerste pizza die ik ooit heb gegeten. En een charmante, hoewel tandeloze ober.
La Lutèce – geweldige biefstuk met friet. Heerlijk mensen kijken.
Montmartre – ik heb een nieuwe passie voor linnen. De winkelhouder schoot zelfs in de lach toen ik rol na rol aanwees. 'Un mètre, deux mètres, un mètre...' *Hij knipte gewillig de*

gewenste lengtes af en gaf me zelfs wat extra omdat ik zo'n goede klant was. Montmartre is voor de meeste mensen de kerk op de top van de heuvel, maar voor mij is het het linnen.

Le Rouvray – ik struikelde vandaag tegenover de Notre Dame over een quiltwinkel. Er hingen nagemaakte Amerikaanse quilts in de etalage. Ik heb een stuk goudkleurige Provençaalse stof gekocht en heb dat uiteindelijk gebruikt als picknickdeken aan de voet van de Eiffeltoren. Ik ben Jean Giono aan het lezen en begrijp hem een beetje beter dan toen ik hem verplicht op mijn boekenlijst had staan. Ik heb op de Champ de Mars zitten lezen tot de zon onderging. Toen de verlichting van de toren aanging, wilde ik dat ik dat met iemand kon delen. Vreemd genoeg dacht ik aan Jeffrey van Lizzie. Ik moet ze ooit een keer hierheen sturen.

Ik ben weggebleven van Klein Athene en de tuin. Ik heb geen idee wat me op die plekken te wachten staat. Na de vierentwintigste ga ik er misschien alleen heen. Alstublieft, God... niet alleen.

Ik ben verscheidene keren teruggegaan naar de Notre Dame en ben begonnen tot God te bidden vanaf mijn stoel in de vijfde rij van achteren, aan de linkerkant.

'*Voilà, madame.*' De ober die ik ondertussen heb leren kennen als Charles, brengt me nog een espresso.

Ik kijk op van mijn dagboek en glimlach. '*Merci bien, Charles. Vous êtes très gentil.*'

Charles antwoordt met een hoofdknikje en knipoogt naar me. Ik ben sinds mijn aankomst elke morgen weer naar dit cafeetje tegenover de poort van de Jardin du Luxembourg gegaan. Op de vijfde ochtend kwam de ober direct met mijn gebruikelijke bestelling naar buiten. Dit is natuurlijk geen vriendschap, maar het is prettig om als 'vaste klant' te worden beschouwd.

Ik ben blij dat de taal na zoveel jaar weer begint terug te komen. Meer dan eens heb ik een compliment gehad voor mijn accent, dat de Parijzenaren niet zo beroerd lijken te vinden. Iedereen met wie ik heb gesproken, was vriendelijk en behulpzaam. Nog negen dagen. Ik ben niet meer terug geweest naar het internet-café. Misschien is het laf van me, maar ik wil niet meer worden gekwetst. Ik voel me er emotioneel nog niet klaar voor, vooral als de vierentwintigste slecht afloopt. Maar wat zou een slechte uitkomst kunnen veroorzaken? Is het slecht als hij komt… of nog slechter als hij dat niet doet? Ik weet het niet.
Ik geloof dat ik elke dag dat ik hier ben ten minste tien kilometer heb gelopen. Morgen ga ik naar het Louvre. Ik heb een gratis gidsje meegenomen toen ik gisteren een toegangskaartje kocht, maar ik heb besloten zomaar wat rond te gaan dolen, in plaats van dat ik de typische toeristenroute neem van de Gevleugelde Overwinning via de Venus van Milo naar de Mona Lisa. Hoeveel meesterwerken zouden al die toeristen missen die zich gedachteloos door dit grandioze oude gebouw laten leiden – dat op zich al een meesterwerk is. Toen ik hier al die jaren geleden was, bestond de Piramide nog niet. Ik had er wel al foto's van gezien en hij leek daar totaal misplaatst. Ik vraag me af of ik van mening verander wanneer ik er eenmaal ben geweest.

Er zoefde een klassieke Citroën vanaf het zuiden de A10 af, de Boulevard Périphérique op en het centrum van de stad in. Het was middernacht, maar Jean-Marc was op weg naar een bepaald hotel in het vijfde arrondissement en hij was van plan daar om middernacht te arriveren. Hoewel hij zich ooit als een coureur in het Parijse verkeer had gestort, was die tijd lang vervlogen. Maar op deze manier, als kerstavond niet goed afliep, zou hij op eigen gelegenheid de stad weer kunnen ontvluchten. Hij wilde hier nooit meer vastzitten zonder eigen vervoer. Toen hij langs de Seine reed, kwamen de herinneringen weer bovendrijven...

'Dames en heren,' zei een Amerikaanse stem door de microfoon, 'ik heb een mededeling.'

De muziek zweeg. Iedereen keek naar de gedistingeerde Amerikaanse zakenman die de microfoon vasthield. 'Dames en heren, ik wil graag het fantastische nieuws met jullie delen dat ik ben verloofd!' Er werd geglimlacht... hoofden knikten... overal bijval.

Jean-Marc hoorde de aankondiging aan vanaf de deuropening achter in de zaal. Hij was laat gearriveerd en had geen zin op te vallen terwijl hij haar zocht. Maar ze moest hoe dan ook niet moeilijk te vinden zijn. Het rode haar –

Dit kon niet waar zijn. Ze stond op. Liep naar het podium. Ging naast de Amerikaan staan. Ze keek naar hem op, glimlachte en nam het applaus in ontvangst.

Hij voelde zich misselijk. Boos. Hij zou zo de microfoon uit de hand van die malloot grissen. Maar het meisje keek naar de Amerikaan en kuste hem. Goed, alleen maar op de wang, maar ze was het dus wel met hem eens. Ze *glimlachte*.

Zelfs nu nog, tientallen jaren later, kon hij zich zijn eerste gedachte herinneren. *Dus zo voelt het wanneer je hart breekt.*

Later zou hij zich afvragen waarom hij het niet had geweten. Later zou hij brieven schrijven en die weer verscheuren. Hij belde en hing weer op als hij haar stem hoorde. Hij zou vol bitterheid zitten en kwaad zijn. Maar die avond bewoog hij zich alleen maar om haar aandacht te trekken. Hun blikken kruisten elkaar. Hij zag de spijt. Hij dacht dat hij liefde zag. Maar hij zag ook angst. Ze was bang geweest om 'ja' tegen hem te zeggen, dus had ze in plaats daarvan 'ja' tegen de Amerikaan gezegd. Ze zou teruggaan naar Amerika en het enige wat hij nog kon doen, was de nacht in struikelen en weglopen.

Een claxon bracht Jean-Marc terug naar het heden. Hij trapte op de rem en kwam met gillende banden tot stilstand, nauwelijks drie centimeter van de bumper van zijn voorganger. Het zweet brak hem uit. Het licht sprong op groen. Verderop zag hij een bord. Hij stuurde met een ruk de afslag op en vertraagde onmiddellijk, waarbij hij langs een winkel met de naam Le Rouvray reed en toen een smalle zijstraat in. Daar was het dan, zoals de routebeschrijving had aangegeven – de ingang van een particuliere ondergrondse parkeergarage. Met een zucht van opluchting parkeerde hij de Citroën.

Negen dagen, dacht hij. *Wat ga je negen dagen lang doen? Je walgt van Parijs, maar daar ben je dan. Je bent net een ongeduldig schooljoch. Oude dwaas.*

13

Mary

16 december 2003
Gisterochtend, na mijn ontbijt in het café, ben ik naar Le Printemps geweest. Het lijkt erop dat de Fransen iets van de Amerikaanse obsessie voor kerstartikelen hebben overgenomen. Ik herinner me nog dat professor Max een keer de verschillen opsomde tussen de Franse en Amerikaanse manier van feestvieren. Hij zou verrast zijn als hij nu de etalages van Le Printemps kon zien. Maar goed, misschien kopen de mensen al die rommel niet eens. Ik ben nog niet bij Parijzenaars binnen geweest, dus ik weet het niet.
Sam behandelde feestdagen altijd als een ongemak – een onderbreking van zijn verder zo voorspelbare leven. Ik probeerde iets speciaals van de feestdagen te maken, maar Sam werkte alleen onder dwang mee. Tegen de tijd dat ze een tiener was, zag Lizzie kans de meeste feestdagen buiten de deur door te brengen. Met Kerst was ze dan nog wel thuis te houden, maar zodra ze ging studeren, was ook dat over.
De grootste onenigheid die Sam en ik hadden, was over Kerst. Toen Lizzie drie was, wilde ik haar meenemen om een foto van haar met de kerstman te maken.
'Doe niet zo belachelijk,' zei Sam. 'Het is gigantisch druk. Je staat dagenlang in de rij en tegen de tijd dat je aan de beurt bent, wordt dat kind doodsbang voor die vieze oude man met die baard. Waarom al die toestanden voor zo'n stomme gewoonte?'
Op de een of andere manier wist ik mezelf ervan te overtuigen

dat het wel in orde zou zijn zolang Sam zelf niet de drukte in hoefde. En dus nam ik Lizzie mee. Ze zag eruit om op te vreten en ze was helemaal niet bang. Ze keek de kerstman aan met een schittering in haar ogen, trok aan zijn baard en toen die een beetje loskwam van zijn kin, schoot ze in de lach. Toen Sam de foto zag, beende hij onze slaapkamer in, waar ik kerstkaarten zat te schrijven, en eiste een verklaring.

'En waarom,' zei hij, 'heb je besloten te negeren wat ik heb gezegd en ben je toch naar die onzin gegaan?'

'Ze... we... we hadden het prima naar ons zin,' zei ik, maar mijn hart bonkte en ik klonk niet erg overtuigend.

Hij verscheurde de foto en gooide de snippers in de prullenbak. 'Ik wil niet dat mijn dochter in sprookjes gelooft en er jaren later achter komt dat we haar hebben voorgelogen.

Nu ik terugdenk aan dat moment, lijkt het belachelijk. De man die niet wilde dat er tegen zijn dochter werd gelogen, verwachtte van zijn vrouw dat haar leven *een leugen zou zijn.*

Hoe dan ook, daarna zag ik vreselijk op tegen de Kerst. Het ironische was dat Davis Enterprises altijd een van de beste kerstfeesten van Omaha organiseerde. De kinderen van de werknemers werden uitgenodigd en dan kwam de kerstman opdagen, die hun allemaal cadeautjes gaf. Sam gaf rond de Kerst duizenden dollars uit voor zijn werknemers. Maar Lizzie mocht niet meedoen en de sfeer thuis was nogal doods, vergeleken met de situatie bij haar vriendinnen. We gingen altijd naar de kerk op kerstavond. Ik denk dat Lizzie als kind het kindje Jezus ook als een sprookje zag. En nu ik in Parijs rondloop en al die schitterende kerststalletjes zie, vraag ik me af hoe Lizzie nu over Jezus denkt.

Ik heb in deze dagen voor Kerst enkele kerken bezocht. Ik begon met St. Eustache, die 's avonds verlicht is en te zien is vanaf de Samaritaine, waar zich een uitkijkpunt bevindt dat je een schitterend zicht op Parijs biedt. Na St. Eustache ben ik naar Saint-

Germain-des-Près gegaan en toen naar St. Sulpice. Afgelopen zondag was ik van plan naar een Russisch-orthodoxe kathedraal aan de Champs-Elysées te gaan, maar ik nam de verkeerde afslag toen ik uit de metro kwam en belandde in een kleine protestantse dienst.

De voorganger daar leek de Bijbel serieuzer te nemen dan alle anderen die ik daarvoor had ontmoet. Zijn gebeden leken totaal niet op de gebeden die ik in mijn jeugd heb gehoord. In onze kerk in Omaha lazen we vaak met zijn allen mooie en veelbetekenende woorden voor die iemand anders had opgeschreven en dat heette dan gebed. Ik genoot er altijd van, maar waardeerde ze meer als literatuur dan dat ik de betekenis van de woorden tot me door liet dringen. Maar in deze gemeente deden ze de dingen niet en masse. De voorganger nam vijfenveertig minuten de tijd om de maagdelijke geboorte uit te leggen, waardoor ik een hoop stof tot nadenken had. En toen hij bad, was het net alsof hij het tegen iemand had die achter in de zaal stond. Iemand die hij goed kende.

De kerkzaal zelf was vrij sober ingericht en ik moet toegeven dat ik de aanwezigheid van God niet zo voelde als in de kathedralen. Natuurlijk waren al die gebrandschilderde ramen bedoeld om de ongeletterde kerkgangers te onderwijzen over de waarheden van het geloof. In die kleine protestantse kerk nemen de mensen allemaal hun eigen Bijbel mee, dus is het niet noodzakelijk om de Bijbelverhalen in kleur uit te beelden. Toch hou ik meer van de kathedralen, vanwege hun emotionele impact. Als ik omhoogkijk naar de enorme stenen bogen en de enorme ruimte, krijg ik het gevoel dat er een God is… en weet ik zeker dat Hij veel groter is dan ik.

Ik herinner me dat ik Jean-Marc er in mijn brief aan heb herinnerd dat hij het bestaan van God ontkende. Vreemd genoeg was Jean-Marc degene die mij in mijn verleden liet nadenken over geestelijke zaken. Hij had voor zichzelf een diepgravend en vol-

wassen geloof. En hoewel dat geen ruimte liet voor een persoonlijke God, was dat zijn waarheid. En nu ben ik vijftig en heb ik daar nooit eens verder over nagedacht. En dat geeft een heel incompleet gevoel – alsof ik een deel van mijn leven gewoon links heb laten liggen.

Het feit dat ik hier in mijn eentje ben, blijkt positief te zijn. Het lijkt vandaag te gaan regenen en ik zit in de bus op weg naar het Louvre. Ik ben blij dat ik alleen ben terwijl ik zo over de dag nadenk. Ik heb mijn dagboek en de kaart van het museum bij me. Ik las gisteravond nog dat als iemand elke dag maar dertig seconden in het Louvre zou doorbrengen voor hij naar zijn werk ging, hij aan het eind van zijn leven vijf jaar in dat ene museum zou zijn geweest. Het is goed om eens te genieten van de dag zonder je druk te hoeven maken over de verlangens en behoeften van een ander. Dat is een nieuwe ervaring voor me en het kostte me maar een paar dagen in Parijs om te beseffen dat ik een beetje leer accepteren dat ik ben wie ik ben. Het lijkt erop dat ik alleen kan zijn zonder eenzaam te zijn en ik denk dat dat een behoorlijke prestatie is.

Ik stap uit de bus en loop naar de Piramide toe. Het is doordeweeks en de rij is niet lang, maar toch staan er mensen buiten in de regen. Ik steek mijn paraplu op en ga achter hen staan. Eenmaal onder het glas van de piramide schuifelen we langzaam in de richting van de wenteltrap en de lobby van het grootse museum, dat ooit een paleis was. Ik vind dat deze ingang niet kan tippen aan die ik me van lang geleden herinner. In de oude situatie zag je de Gevleugelde Overwinning vrijwel meteen. Ik weet nog dat ik omhoogkeek terwijl ik de trap opliep en mijn blik nooit afwendde van de vleugels, onderwijl wensend dat ze armen had. Ik vroeg me dan af welke vorm de beeldhouwer die armen in dat geval zou hebben gegeven. Ik vroeg me af hoe zijn leven was geweest en wilde dat ik terug in de tijd kon reizen om hem dat meesterwerk te zien maken.

Het duurt vandaag de dag even om haar te vinden in het nieuwe en verbeterde Louvre. Ze is nog steeds magnifiek. Net als de Venus van Milo. Ik glimlach als ik me realiseer dat deze beroemde schoonheid ronduit dik zou worden genoemd in vergelijking met het bijna anorexia-achtige schoonheidsideaal van deze tijd. Ik kijk naar de vloer en zie dat er een schitterend patchwork patroon in het marmer is verwerkt. Ik kijk omhoog naar het plafond en bewonder de kunst daar, waar maar weinig mensen naar kijken, omdat ze alleen maar oog hebben voor de Venus, een vinkje zetten op hun lijst en verder lopen. Ik vraag me af wat de bewakers zouden doen als ik hier plat op mijn rug zou gaan liggen om van het plafond te genieten. Ik besluit het maar niet te proberen.

Halverwege de ochtend realiseer ik me dat er heel wat dingen uit de Bijbel op het canvas en in het beeldhouwwerk zijn uitgebeeld. Geloof is een inspiratie voor grootse kunst, voor christenen en joden, Romeinen en Grieken. En weer word ik van mijn stuk gebracht door het besef dat ik zelf niet echt een geloof heb. In *weer* een facet van het leven ben ik een toeschouwer in plaats van een deelnemer.

Laat in de middag kijk ik nog steeds naar kunst, maar ik neem niets meer in me op. Ik loop door de zalen, werp een korte blik op de inhoud van een vitrine, merk een meubelstuk of een schilderij op, maar ervaar de kunst niet langer. Wanneer ik langs een grote glaswand loop, zie ik dat de zon de binnenhof in een goudgeel licht laat baden. Ze zijn deze tuin aan het herinrichten. De gebogen trappen zijn afgesloten, maar als ik naar beneden kijk, stel ik me een koets uit de achttiende eeuw voor die halt houdt voor deze trappen.

Ik denk aan de elegant geklede dame die afdaalt. In mijn verbeelding is haar jurk van hemelsblauw satijn, afgezet met kant. Haar hals en vingers worden opgesierd door juwelen. En weer wilde ik dat ik de tijd kon omzeilen en die andere tijd binnentreden. Maar als dat zou kunnen, zou ik een dienstmeid zijn die een po uit een van de kamers zou legen. Geen glamour dus.

Het is tijd om te gaan. Mijn maag rammelt en protesteert tegen de overgeslagen lunch. Terug naar de foyer, met de lift naar de uitgang en naar buiten, de tuin in. Vlak voor me de boog die Napoleon heeft gebouwd. Ik realiseer me dat ik niet naar de appartementen ben geweest waar Napoleon III ooit heeft gewoond. Morgen. Ik kom morgen wel terug. Nu naar de bushalte, met lijn 24 mee en terug naar het hotel.

Ik stap uit de bus en aan de andere kant van de straat bevindt zich de open tuin die bekendstaat als La Place de la Sorbonne. Er zijn daar theehuizen en cafeetjes en boekwinkeltjes. Er zijn ook twee fonteinen en een monument voor Auguste Comte. Op deze ongewoon warme avond speelt er een strijkkwartet. Ik vermoed dat het studenten zijn, maar de muziek is… adembenemend. De leider van de groep is een lange jongeman met een huid die de kleur heeft van café au lait en schouderlange dreadlocks. Hij houdt zijn viool bijna voorzichtig vast. De muziek is oorstrelend. Een paar droevige noten trekken omstanders zijn wereld in en hij begint. De artisticiteit en energie die hier tentoongespreid wordt, heb ik nog niet eerder meegemaakt. Ik vraag me af waarom deze jongeman en zijn vrienden niet bij een orkest spelen. Misschien doen ze dat wel en is dit iets wat ze gewoon voor de lol doen en voor de muntjes die ik af en toe in een open cellokist zie belanden.

Ik bestudeer de gezichten van de muzikanten. Ze sluiten hun ogen en luisteren naar hun eigen muziek, geabsorbeerd door de gemeenschap die wordt veroorzaakt door de droom die de componist op papier heeft gezet. Ze werpen af en toe een blik op elkaar, waarmee ze onuitgesproken boodschappen naar elkaar sturen. Dit kan geen toevallig samenraapsel van een paar willekeurige studenten zijn. De jongeman met de viool doet een stap naar voren en begint aan een solo. Zijn strijkstok verandert noten in ademende dingen en ik word totaal in beslag genomen door dit moment, bijna verbijsterd als voorbijgangers gewoon voorbijlopen. Ik vraag me af hoe iemand niet kan worden geraakt door deze muziek.

Mijn ogen zwerven van muzikant naar muzikant en zien dezelfde betrokkenheid op elk gezicht... en dan zie ik Annie Templeton. Haar haar is naar achteren gekamd, naar een lage knot in haar nek. Ze bespeelt haar cello met gesloten ogen, haar hoofd iets gekanteld, op een manier die haar kaaklijn accentueert. Ze draagt lange oorhangers die bijna haar schouders raken en heen en weer zwaaien in het ritme van de muziek, terwijl ze haar strijkstok over de snaren van haar instrument beweegt. Ze heeft me niet gezien. En zo wel, heeft ze me niet herkend. Ik ben er tevreden mee gewoon op de rand van een bloembak toe te kijken en te zien hoe haar elegante armen en talentvolle vingers schoonheid tevoorschijn toveren uit wat ooit gewoon een stuk hout was.

Ik neem het besluit dat ik in mijn volgende leven cello wil spelen.

14

'Deze kant op!' roept Annie me toe wanneer ze haar cellokist pakt, hem dichtklikt en zich over het plein haast tot ze zich onder een verschoten groen zonnescherm bevindt dat zich uitstrekt over het terrasje van een theehuis. Ze herkende me tijdens een van de pauzes in de muziek. Ze knikte en glimlachte met een warmte die me weer deed beseffen hoe alleen ik ben in deze enorme stad. Het is goed om in een menigte te worden herkend. Het dreigde te gaan regenen, maar de musici speelden door tot er grote regendruppels naar beneden begonnen te komen. En toen de bui losbrak, werd de eenheid van de muziek opeens een 'ieder voor zich' run op een schuilplaats.

Ik volg Annie naar het theehuis. We duiken naar binnen, waar ze haar cello in een hoek zet, het meisje achter de balie bij name groet en voor ons beiden een kop thee bestelt.

'Wacht,' zeg ik, 'laat mij –' en ik probeer mijn portemonnee tevoorschijn te halen uit de tas die sinds mijn aankomst in Parijs bijna deel is gaan uitmaken van mijn anatomie.

'Maar ik heb u uitgenodigd,' zegt Annie. Ze vraagt om twee plakken citroencake, pakt het dienblad en komt weer terug. Ze haalt enkele haarspelden uit haar haar en schudt het los. Die beweging trekt de aandacht van een jongeman die net het theehuis binnenkomt. Ik kijk langs Annie heen om te zien hoe hij naar haar kijkt en ik herken hem als de jongeman die de leider van de groep muzikanten leek te zijn.

'Adolpho!' roept Annie naar hem. 'We zitten hier...'

Annie Templeton is duidelijk verliefd. Dat blijkt uit de

manier waarop ze zijn naam uitspreekt en de schittering in haar ogen wanneer ze vooroverleunt om twee kussen op elke wang in ontvangst te nemen, uit de manier waarop ze haar arm door de zijne steekt en de trots waarmee ze Adolpho aan me voorstelt.

Ik kan zo niet zeggen of Adolpho ook verliefd is. Hij kijkt afwezig, van slag dat zijn concert werd onderbroken door de elementen. Hij spreekt in zo rap Frans dat ik hem maar met moeite kan volgen, maar ik vang iets op over een jongen die Enzo heet – Adolpho is niet blij met hem – in verband met de naam Ducati. Ik bedenk eerst wat een vreemde naam ik dat vind voor een persoon, maar realiseer me ten slotte dat het over Adolpho's motorfiets gaat, die Enzo blijkbaar heeft geleend. Of misschien wel heeft gestolen. Ik weet het niet.

Het feit dat Adolpho *wel* verliefd is, wordt duidelijk wanneer Annie zijn zorgen over zijn Ducati wegpoetst, opspringt en een kop thee voor hem gaat halen, en hem ervan weet te overtuigen dat hij bij ons moet komen zitten. Na de eerste slok thee zie ik Adolpho's gemoedsgesteldheid veranderen wanneer hij over de tafel heen naar Annie kijkt. Hij haalt zijn schouders een keer op, produceert een geluid dat zou kunnen worden opgevat alsof hij zich bij de situatie neerlegt en zegt tegen me: 'Sorry voor dat drukke gedoe van mij. Ik heb lang gespaard voor een motorfiets en ik ben nogal geneigd om te fel te reageren wanneer die Ducati in gevaar komt.' Hij glimlacht warm en steekt een hand uit over de tafel om die van Annie te pakken. 'U zou me eens moeten zien wanneer iets Annie in gevaar brengt.' Hij lacht en laat zijn hand naar haar achterhoofd glijden, waarna hij plagend aan een donkere krul trekt. En dan leunt hij achterover en neemt hij een slok thee, waarbij hij ervan geniet alsof het vloeibaar goud is.

Ik ervaar een kant van Parijs waarvan ik nooit had durven

dromen dat het zover zou komen. Terwijl het buiten blijft regenen, komen er meer muzikanten uit de groep binnendruppelen. Ze praten en lachen en betrekken mij verbazingwekkend genoeg ook in hun gesprekken. Er zijn twee Jamaicanen bij, twee Afrikanen, een Aziaat en, verrassend genoeg, een Amerikaan. Het lijkt erop dat ze elkaar al een tijdje kennen en ze maken grappen over hun nationaliteit en over andere dingen, zoals familieleden op een reünie. Ik volg het niet allemaal, maar het verbaast me hoe goed ik het bij kan houden.

We zijn bijna een uur in het theehuis voor de regen minder wordt. De deur gaat open en er komt een nieuwe klant binnen, samen met de geur van schoongespoeld asfalt en sigarenrook.

'Enzo!' roept Adolpho uit.

Als hij Adolpho ziet, blijft Enzo bij de deur staan. Er verschijnt een frons tussen zijn dikke zwarte wenkbrauwen. Hij tuit zijn lippen iets en steekt zijn handen in zijn broekzakken. Ik zie dat een van zijn broekspijpen vuil is. En gescheurd bij de knie.

Adolpho ziet het ongeveer tegelijk met mij en hij produceert een woordenstroom waarvan ik blij ben dat ik die niet versta.

Enzo doet een stap naar achteren. Het is meteen doodstil in het theehuis.

'O, nee,' mompelt Annie en buigt haar hoofd.

Adolpho duwt Enzo tegen zijn borst, door de deuropening en naar buiten, waar het plaveisel nog steeds glimt, ook al is het opgehouden met regenen. De eigenaar van het theehuis gaat erachteraan.

'Ik kan maar beter meegaan,' zegt Annie. Ze kijkt verontschuldigend.

'Ik zal een oogje op je cello houden,' bied ik aan.

'O, dat hoeft niet, hoor. Die woont hier bijna,' zegt Annie. 'Je kunt meegaan – hoewel ik niet weet of je dat wel wilt.'

Ik volg haar naar buiten. De muzikanten staan bij de stoeprand. Over hun hoofden heen zie ik Adolpho's dreadlocks en door de bewegingen die ze maken, zie ik dat de jongen kwaad is. Hij staat woest te gebaren. Annie baant zich een weg door de omstanders heen en ik volg haar. We zijn net op tijd om Adolpho te zien neerhurken naast wat ooit een schitterende motorfiets was. Hij laat zijn hand langs de zijkant glijden en streelt het beschadigde rode kunststof van de kuip.

Wanneer Adolpho weer opstaat, is aan alles te zien dat hij woest is. Annie gaat naast hem staan. Ze legt haar hand op zijn arm. 'Gelukkig is Enzo niet gewond geraakt,' zegt ze tegen de boze jongeman die boven haar uittorent. 'Hij had wel dood kunnen zijn,' zegt ze. 'En waar hadden we dan een nieuwe bassist vandaan moeten halen?!'

Iemand in de groep grinnikt.

Een andere muzikant roept: 'Misschien zou dat juist een meevaller zijn geweest! Heb je gisteren die valse B in de derde partij gehoord?!'

Enzo kijkt verontwaardigd. 'Wat?' zegt hij. 'Maakt het je dan niets uit dat ik bijna dood was? Je had die oude vent moeten zien... Het ene moment rijd ik naast hem en dan... *paf!* Hij sloeg zomaar af!' Enzo begint op dreef te komen. Hij beschrijft de bijna-aanrijding met verve en tegen de tijd dat hij zijn verhaal beëindigt, glimlacht Adolpho nog steeds niet, maar lijkt hij niet meer van plan te zijn Enzo de Ducati-liefhebber te vermoorden.

'Mijn oom repareert hem wel,' biedt Enzo aan. 'Echt. Je zult niet eens meer kunnen zien dat het gebeurd is.' En ten slotte verontschuldigt hij zich. 'Het spijt me, Adolpho. Echt waar.'

De reus met de dreadlocks en met Annie aan zijn arm haalt diep adem. Annie gaat op haar tenen staan en fluistert hem iets in zijn oor. Hij kijkt naar mij. 'Annie zegt dat ik u een ritje moet aanbieden, mevrouw Davis.'

'Ik?' Ik kijk naar de rode motorfiets. 'Echt niet.'

'Natuurlijk wel,' zegt Annie. Ze loopt naar de motorfiets toe en trekt een kunststoffen kap van de achterkant, waardoor een klein zwart kussen tevoorschijn komt dat een passagier in staat stelt achter de motorrijder plaats te nemen. Ze klikt aan beide kanten een metaalkleurige steun naar beneden. 'Voor uw voeten,' zegt ze.

'Ik ben niet zo gek als Enzo,' beweert Adolpho. 'We doen het rustig aan. Het is echt veilig.' Hij legt uit: 'Het was nogal glad in de regen, maar de straten beginnen al droog te worden.'

'Ik... eh... ik denk het niet.'

'Waarom niet?' dringt Adolpho aan. De rest van de studenten gaat zich er ook mee bemoeien. Ze houden vol dat hij een goede motorrijder is.

'Hoeveel van uw Amerikaanse vrienden hebben Parijs gezien vanaf een Ducati?' zegt er een. 'Kom op. Ze hebben allemaal de Mona Lisa gezien, maar ik wed dat ze dit geen van allen hebben gedaan!'

'Ik zal uw tas bij me houden,' biedt Annie aan. 'En u kunt mijn helm dragen.' Ze glimlacht naar haar reus. 'Hij is echt een heel erg goede motorrijder.'

Het lijkt erop dat het verkeer wat is afgenomen. En de straten drogen inderdaad snel. Ik kijk de Boulevard Saint-Michel uit. Ik denk aan Elizabeth. Ik herinner me dat Jeffrey zijn glas naar me ophief. *'Fijn plan!'*

'Niet de Périphérique,' zeg ik.

Adolpho kijkt me verrast aan.

'Ik lees weleens wat,' zeg ik grijnzend, 'en ik heb verhalen over die weg gehoord. Je verdient zo ongeveer een medaille als je die overleeft.'

'Om deze tijd is het niet zo'n ramp,' zegt Adolpho. Hij knipoogt. 'Maar goed dan, geen Périphérique.'

Annie geeft me haar helm. Ze helpt me hem op te zetten. Het kost me maar twee pogingen om op te stappen en ik neem plaats achter Adolpho.

'Hebt u al eens eerder op een motor gezeten?' vraagt hij.

'Nog nooit,' antwoord ik.

'Eerste regel,' zegt hij en hij pakt mijn handen. Hij trekt me naar voren tot mijn armen om hem heen liggen en ik ze in elkaar kan grijpen. 'Hou vast.'

'Tweede regel,' zegt hij. 'Zit stil. Beweeg met me mee. Ga nooit tegen de bocht in hangen. Blijf dicht tegen me aan.'

'Ik begrijp het,' zeg ik, me duidelijk bewust van mijn borst die tegen zijn rug drukt.

'Derde regel,' onderbreekt Annie hem. Ik kijk haar aan en ze glimlacht. 'Geniet ervan!'

Terwijl we wegrijden van het trottoir, juichen de muzikanten. Het geluid wordt overstemd door het roffelende gebrul van de Ducati. Ik hoop dat ik lang genoeg zal blijven leven om de blik op Elizabeths gezicht te zien wanneer ik haar vertel dat ik op een Ducati om de Arc de Triomphe ben gereden.

Adolpho brengt me naar het Quartier Latin – dat in het centrum van de stad ligt – langzaam, behoedzaam. Na de eerste paar bochten heb ik het gevoel dat ik dat 'hangen' wel onder de knie heb. Wanneer de lucht donkerder wordt en de Lichtstad zijn bijnaam eer aandoet, zoeven we onder de bruggen door die de Seine overspannen. Adolpho heeft me een aantal tekens gegeven om met hem te communiceren. Eén keer knijpen betekent langzamer, twee keer knijpen betekent dat ik in orde ben. Op zijn schouder tikken betekent *nu*. Als hij op mijn knie tikt, vraagt hij om een mening. Ik tik geen enkele keer op zijn schouder. Hij tikt verscheidene keren op mijn knie, maar ik knijp altijd twee keer. En dan bevinden we ons op de Boulevard Périphérique en bewegen we ons vloeiend door het verkeer. En ik heb me nog nooit zo levenslustig gevoeld.

'Madame,' zegt Adolpho terwijl hij een buiging voor me maakt en mijn hand kust, 'u bent prima gezelschap.'

Ik lach en schud mijn hoofd.

'Heeft hij u bang gemaakt?' vraagt Annie met een frons. Ze heeft onder het zonnescherm van het theehuis zitten wachten en had duidelijk besloten haar tijd goed te besteden, omdat ze haar cello tevoorschijn had gehaald en was gaan spelen. Ik zie diverse euro's in de kist liggen.

'Ik kan bijna niet geloven dat ik dit zeg, maar ik heb er met volle teugen van genoten.'

'En,' onderbreekt Adolpho me, terwijl hij doet alsof hij een stempel op mijn hand zet, 'u bent nu Périphérique gecertificeerd.'

'Dat heb je toch niet echt gedaan?!' vliegt Annie op.

'Toch wel,' knikt Adolpho. Hij wijst naar me. 'Maar alleen maar omdat madame dat wilde.' Hij glimlacht. 'U zou morgen eens met ons moeten meegaan naar de showroom. Volgens mij hebt u uw eigen Ducati nodig.'

Ik schud mijn hoofd. 'Ik zou niet eens weten hoe ik erop moet rijden.'

'Ik zou het u kunnen leren,' zegt de jongen.

Annie leunt voorover. 'Hij mag u blijkbaar graag. Hij heeft het *mij* nog nooit aangeboden.'

'Dat zou geen zin hebben,' zegt Adolpho. 'Een cello past niet op een Ducati.'

Annie haalt haar schouders op. 'Eén-één.' Ze raapt het

geld in haar cellokist bij elkaar en legt het instrument in de kist. 'Ik moet naar huis,' zegt ze en draait zich naar mij om, 'en als u ons het adres van uw hotel zou durven toevertrouwen, halen we u morgen op om naar die showroom te gaan. Of u moet andere plannen hebben?'

Ik aarzel, alleen maar omdat ik niet zou weten hoe we met zijn drieën op een Ducati zouden moeten passen.

Adolpho beantwoordt mijn onuitgesproken vraag. 'Enzo heeft zijn eigen motor. En hij betaalt hiervoor.' Hij wijst naar de krassen op zijn motorfiets. 'Dus u zou bij hem achterop kunnen. Hoewel,' zegt hij terwijl hij zijn één dag oude baard krabt, 'ik vermoed niet dat u hem zult vertrouwen.'

'We zouden bij de dealer kunnen afspreken,' zeg ik impulsief. 'Dan neem ik gewoon een taxi of de bus. Waar is het?'

Adolpho geeft me wat aanwijzingen.

'En wij trakteren op de lunch,' zegt Annie.

'O, nee,' protesteer ik. 'Ik betaal de lunch. Dat is wel het minste wat ik kan doen in ruil voor het feit dat jullie met een oude dame willen optrekken.'

Adolpho schudt zijn hoofd. Hij wijst op zijn slaap. 'Oud of niet oud wordt bepaald door wat hier binnen zit, madame. En een vrouw die achter op een Ducati klimt bij een man met deze dingen' – hij plukt aan zijn dreadlocks – 'is niet oud. Die is... Hoe zeggen jullie Amerikanen dat ook alweer? Die is cool.'

Adolpho pakt Annies cellokist en met zijn tweeën verdwijnen ze richting de Sorbonne. Ik kijk ze na.

Ik ben een vrouw. Ik ben cool.

15

Waarom heeft hij me niet gebeld? *Hoe kan hij nu genoeg van me houden om met me te willen trouwen en dan toch gewoon een stap terug doen en niet bellen?* Liz veegde een traan van haar wang en legde een hand op de gsm die op haar nachtkastje lag. De kamer was donker, net als de lucht buiten. De twee dagen die voorbij waren gegaan sinds ze Jeff in het centrum dacht te hebben gezien, was ze druk bezig geweest, en toch was dat paspoort geen meter opgeschoten. En ze voelde zich nog net zo eenzaam…

Hij denkt dat ik onafhankelijk ben. Sterk. Misschien weet hij niet hoezeer ik hem mis. Ze greep de gsm en tikte het eerste nummer van haar autodial in.

'Hallo. Dit is het antwoordapparaat van Jeff. Je weet wat je moet doen.'

Als ik wist wat ik moest doen, zou ik niet tegen je antwoord-apparaat praten. Met een zucht legde Liz de telefoon neer. Ze ging geen zinloze boodschap achterlaten. Ze liet zich weer achterovervallen en staarde naar het plafond. En slaap zou ze ook al niet veel krijgen. Ze stapte uit bed, liep naar haar thuiskantoor en ging achter haar computer zitten. De weer-site beweerde dat het onnatuurlijk warm zou zijn tijdens de Kerst. Geen sneeuw. Zonnig. Liz bekeek het weer in Parijs. Mist. Motregen. *Net goed.*

Een hotel in de buurt van de Sorbonne. Ze vroeg zich af hoe moeilijk dat te vinden zou zijn. Ze had vandaag de reisagent gebeld die haar vader en moeder altijd inschakelden. Ze hadden niets van haar moeder gehoord en wisten niets van haar reis naar Parijs. En toen ze Irene had gebeld over hetzelfde onderwerp, had ze dezelfde boodschap te horen gekregen. Irene klonk zeer koel.

'Heeft mijn moeder je verteld *waar* in Parijs ze zou verblijven?'

'Nee, dat heb ik je al gezegd.'

'Zou je nog eens in haar kamer willen kijken of je toch niet nog iets kunt vinden?'

'Heb ik al gedaan. Ik had gehoopt dat je contact met haar had proberen te zoeken. Er is niets.'

'Heb je nog iets van haar gehoord?'

'Nee.'

'Nou, zo gauw mijn paspoort komt, ga ik er ook heen.'

'Mooi.'

'Laat je het me weten als ze contact met jou opneemt? Kun je dan proberen de naam van het hotel te pakken te krijgen?'

'Natuurlijk.'

'Gaat... gaat het wel goed met jou en Cecil?'

'Wij maken het best. Breek jij daar je mooie hoofdje nu maar niet over.'

'Irene, ik...' Liz zweeg. Ze perste haar lippen op elkaar. Ze zou niet op haar knieën naar de bedienden toe kruipen om een beetje medeleven te krijgen.

Irene zweeg.

'Ik laat het je weten als ik iets hoor.'

'Prima.'

Klik.

Dat was dan alle hulp die ik van Irene krijg.

Ze bleef zo in het donker zitten en alleen de blauwe gloed van haar scherm verlichtte de kamer. Als ze naar het huis zou rijden en zelf even rond zou kijken, zou ze met Irene kunnen praten en de boel een beetje gladstrijken. Irene en Cecil waren goede mensen. Ze waren er al een hele tijd en het zou jammer zijn als dit gebeuren kwaad bloed tussen hen zette. Ze zou erheen rijden. Morgen.

Ze zocht verder op internet en kwam erachter dat de Sorbonne zich in het Quartier Latin bevond, het vijfde arrondissement. Er bleken zich tientallen hotels in dat deel van Parijs te bevinden. Hoe zou ze ooit het hotel van haar moeder moeten vinden? Ze streepte alle etablissementen van twee of minder sterren af. Maar ook daar schoot ze niet veel mee op.

Ze zette haar computer uit en stapte weer in bed. Ze lag in het donker te staren en wilde dat de telefoon zou overgaan. Ze wilde dat ze Jeffs stem zou horen. Ze wilde dat ze zou begrijpen wat er met haar moeder aan de hand was. Ze wilde dat haar paspoort kwam.

Voor het eerst sinds Samuel F. Davis was overleden, deed Elizabeth Davis niet wat er van haar werd verwacht. Ze stond de volgende morgen vroeg op, belde haar assistente en zei dat ze niet naar de zaak zou komen. Ze verkleedde zich drie keer voor ze uiteindelijk besloot dat ze gemakkelijk gekleed zou gaan. Ze trok haar asblonde haar in een paardenstaart en maakte zich minimaal op voor ze naar haar ouderlijk huis ging.

Irene en Cecil bevonden zich allebei in de keuken toen Liz arriveerde. Wanneer, vroeg ze zich af, waren ze een *ouder* echtpaar geworden? Dat kon niet zomaar plotseling zijn gebeurd, maar Liz had het niet opgemerkt. Cecil en Irene waren er gewoon altijd – de kokkin, de tuinman, de huishoudster. Buiten de keren dat ze tegen haar moeder had geklaagd over hun trage manier van werken of het onkruid in de tuin, was het erg lang geleden dat het haar was opgevallen of dat het haar iets had kunnen schelen hoe het met de familie Baxter ging, realiseerde ze zich met een lichtelijk opspelend geweten.

Wat had Irene haar toen ook alweer toegebeten? Iets over dat Liz eens wat meer aandacht moest schenken aan iemand anders dan aan zichzelf?

Cecil zat aan dezelfde tafel en at hetzelfde ontbijt als al die jaren daarvoor.

'Twee eieren, doorbakken,' zei Liz hardop. Ze glimlachte. 'Probeer je ooit weleens iets anders?'

Cecil schudde zijn hoofd. 'Niet nodig. In mijn hart ben ik gewoon een oude boer en wil ik alleen maar eieren. Wat brengt jou hier?'

Die goeie Cecil, dacht Liz. Hij deed zijn best om de temperatuur in de keuken wat te verhogen. En dat was iets wat ze best kon gebruiken. Irene had nog geen drie woorden tegen haar gezegd.

'Komt Jeffrey hier ook heen?' vroeg Cecil.

'Nee,' zei Liz. 'Ik… ik ben… alleen gekomen.'

En toen keek Cecil haar met zijn vriendelijke bleekblauwe ogen aan. 'Hebben jij en Jeffrey problemen?'

'Hij… eh...' Liz slikte.

'Kom eens hier en vertel Cecil eens wat er aan de hand is,' zei de oude man terwijl hij naar het bankje tegenover hem in de eethoek gebaarde. 'Ik weet dat je een invloedrijke zakenvrouw bent, maar aan de wallen onder je ogen zie ik dat je misschien toch een ietsiepietsie problemen hebt. Ik ben niet erg slim, maar ik heb wel een sterke schouder.'

Net toen Liz haar mond opendeed om te protesteren en om te zeggen dat er niets aan de hand was wat ze niet aankon, deed Irene de oven open. De geur van kaneel en boter voerde Liz terug in de tijd en heel even was het net of de tijd werd opgevouwen. Lizzie Davis zat in haar eentje te ontbijten – wat meestal het geval was, omdat haar vader elke dag vroeg naar zijn werk vertrok en haar moeder niet zo'n ochtendmens was. En dus ontbeet ze altijd samen met Cecil en Irene en deelde ze met hen haar angsten over de komende dag en haar twijfels over de voorbije.

Elizabeth Davis was geen vrouw die toegaf aan sentimentele buien, maar toen de geur van Irenes kaneelbroodjes door de keuken zweefde, werd ze plotseling overweldigd door het tekort aan slaap, de afwezigheid van Jeff en die van haar moeder, en de dood van haar vader. De tranen sprongen haar in de ogen. Haar schouders zakten in elkaar. Ze legde een hand tegen haar voorhoofd, leunde met een elleboog op tafel en begon te huilen.

'Jeff is...' Ze kon zich er niet toe brengen om *weg* te zeggen. En trouwens, hij was ook niet echt *weg*. Toch? 'Jeff zei dat hij wat tijd nodig had. Hij heeft nog niet gebeld. Of... wat dan ook.'

De bakgeluiden werden minder. De deur van de oven ging dicht en Irene kwam naast Cecil zitten. Ze zei nog steeds niets, maar haar aanwezigheid was al een troost op zich. En ze gaf Liz een papieren zakdoekje. Liz bedankte haar, keek van Irene naar Cecil en zei abrupt: 'Ik wilde niet zo... rot tegen haar doen. Ik weet niet precies waarom ik zo deed. Waarom ik die dingen zei.' Ze haalde haar hand voor haar gezicht weg en ging zitten, waarbij haar handen het zakdoekje oprolden en weer afrolden. 'Ik kon het zelf niet eens geloven. Ik wist niet dat ik dat allemaal had opgekropt... Maar toen ik eenmaal begon en mijn moeder zich niet verdedigde, zei ik gewoon...' Ze sloot haar ogen en schudde haar hoofd. 'Ik moet haar zien te vinden. Ik moet zeggen dat het me spijt.'

'Waarom?' zei Irene nu abrupt. 'Omdat Jeffrey dat tegen je heeft gezegd?'

Liz keek naar haar handen. 'Nee, omdat dat gewoon het juiste is. Omdat ik me zorgen om haar maak.'

'Je moeder redt zich wel,' zei Irene. 'Ze is niet gek. Zoals sommige mensen hier lijken te denken.'

'Ik heb nooit gezegd dat ze gek was.' Liz zweeg even en deed toen haar best om een verzoenende klank in haar stem te leggen. 'Ma is nog nooit naar het buitenland geweest en ik –'

'Dat maakt weer duidelijk hoe weinig je van haar weet,' reageerde Irene. 'Ik zei al dat ze zich best redt.'

Liz fronste haar voorhoofd. Ze keek naar Cecil, die zijn eieren bestudeerde, een hap nam en naar buiten keek.

'Zeggen dat het je spijt heeft geen enkele zin als je nog steeds hetzelfde over haar denkt. Als je nog steeds niet naar haar kijkt en ziet wie ze is. En ik bedoel wie ze echt is, niet de persoon die ze je laat zien.'

Cecil legde zijn hand op de arm van zijn vrouw. Het was een lichte waarschuwing, maar hij trok de aandacht van Liz.

'Ik weet het, lieverd,' zei Irene terwijl ze op zijn hand klopte. 'Maar meneer Davis is weg en ik zie er gewoon het nut niet van in om nog steeds bepaalde dingen geheim te houden. Niet met deze gevolgen.'

Cecil dacht na, knikte en zei: 'Het wordt tijd voor deze oude man om naar de tuin te verdwijnen. Er zit een storm aan te komen en ik hou niet van donder en bliksem.'

Irene ging iets opzij om Cecil eruit te laten. Hij gaf haar een lichte kus op haar wang en legde toen een knokige hand op Liz' schouder. 'Je hebt het niet gemakkelijk, Lizzie, maar laat je hoofd niet hangen. Vecht voor je liefde. Dat is het enige wat blijvend is.' Hij gaf haar een klopje op haar hoofd en was verdwenen.

Er bleef een ongemakkelijke stilte in de keuken hangen nadat Cecil was vertrokken. Toen Irene opstond om voor hen beiden een kaneelbroodje te halen, schonk Liz koffie in. Ten slotte verbrak ze de stilte, omdat Irene zich in stilzwijgen bleef hullen. 'Wat bedoelde je met dat het geen zin had om spijt te hebben als ik nog steeds hetzelfde over mijn moeder dacht?'

Irene kauwde een paar maal en slikte de eerste hap weg voor ze iets zei. Ze keek naar beneden en friemelde wat aan haar trouwring. Liz had haar nog nooit zo bedachtzaam gezien en daar werd ze zenuwachtig van. Ze schoof heen en weer in haar stoel en besloot te wachten tot Irene antwoord zou geven, hoe lang het ook zou duren.

'Eerst moet je me iets vertellen,' zei Irene, die Liz in de ogen keek.

Liz knikte.

'Vertel me eerst eens precies wat het probleem tussen jou en Jeffrey is.'

'De manier waarop ik mijn moeder behandelde,' antwoordde Liz zonder na te denken.

Irene knikte. 'Ik heb die jongen altijd al gemogen. Goed van hem.'

'Dat heeft hij me niet precies zo verteld. Hij zei gewoon dat hij even een stapje terug wilde doen. Hij zei dat ik eerst eens wat dingen tussen mijn moeder en mij recht moest zetten en dat hij tijd nodig had om over bepaalde dingen na te denken. Maar ik weet wat hij in werkelijkheid bedoelde.' Liz liet haar blik naar de tafel zakken en draaide met een vinger een krul in haar paardenstaart toen ze zei: 'Hij heeft de relatie tussen mij en mijn moeder nooit begrepen. Hij mist zijn eigen moeder zo erg en hij begrijpt gewoon niet dat niet iedereen de perfecte relatie met zijn moeder kan hebben die hij had.'

'Begrijp *jij* het?' vroeg Irene.

Liz schudde haar hoofd.

'Nou, Lizzie, meid, ik ook niet. Het lijkt mij dat je moeder altijd haar best heeft gedaan om precies te doen wat je vader en jij van haar verwachtten. Ze heeft haar eigen interesses opgegeven en heeft zich laten vormen naar het beeld van de mevrouw Davis die iedereen kent. En ik zal je vertellen dat dat niet gemakkelijk was.'

Nu ze Irene zo over haar moeder hoorde praten, kreeg Liz het idee dat ze het over iemand anders had.

'Je hebt er geen flauw idee van waarover ik het heb, nietwaar?' vroeg Irene.

Liz schudde haar hoofd.

Irene stond op. 'Pak nog een kaneelbroodje. Ik ben zo terug.'

'Je moeder is namelijk niet zomaar op aarde geland toen je vader met haar trouwde,' zei Irene toen ze de keuken weer in kwam. Ze had een bruine envelop in haar hand, die ze aan Liz gaf. 'Je vader had deze weggegooid, maar ik heb ze weer uit de vuilnisbak gevist. Ik dacht dat je moeder ze misschien ooit nog terug zou willen hebben.'

Liz opende de envelop. Er zaten maar een paar foto's in, maar ook diverse krantenartikelen, die waren vergeeld door de tijd.

'Speelde mijn moeder viool?' zei ze nadat ze het eerste artikel had gelezen.

Irene knikte. 'En volgens mij behoorlijk goed ook. Er staat daar dat ze eerste violiste was. Maar je vader wilde niet dat ze rondreisde om op te treden.'

'Heeft ze in Frankrijk gewoond?'

'Daar hebben je ouders elkaar ontmoet.'

'Mijn vader vond het verschrikkelijk om te reizen.'

'Alsof ik dat niet weet. Hij heeft *haar* ook nooit terug laten gaan.'

De ochtend ging over in de middag toen Mary Elisabeth McKibbin Davis in Liz' ogen een andere vrouw werd. En ten slotte had Liz meer vragen dan antwoorden. 'Hoe kon hij... hoe kon mijn vader... haar dit aandoen? Hoe kon hij zomaar haar verleden uitwissen?'

'Omdat zij dat toestond,' antwoordde Irene. 'Dus geef hem niet overal de schuld van. Ze waren hier beiden schuldig aan.'

'Zijn ze ooit *gelukkig* geweest?' gooide Liz eruit. 'Of was dat een maskerade? Voor mij?'

'Ach...' zei Irene terwijl ze Liz enkele klopjes op haar hand gaf. 'Zo eenvoudig zit het leven niet in elkaar. Ze waren partners. Ze hadden jou. En ja, ze waren wel gelukkig. In zekere zin.' Ze voegde er met een ernstige stem aan toe: 'Je vader was een dominante man, Lizzie, maar hij was niet wreed. En hij dacht dat met jou de zon opging.'

'Dus al die jaren dat mijn moeder plaatsnam op de tweede rij... was dat omdat mijn vader dat zo wilde?'

Irene knikte. 'Precies.'

'En ik dacht juist dat ze saai en oninteressant was.' Liz schudde haar hoofd. 'Ik geloofde dat verhaal over die Rolls Royce.' Ze bladerde wat door het stapeltje papier en trok een klein krantenknipsel tevoorschijn. 'Hoe was ze trouwens in Frankrijk terechtgekomen?'

'Een beurs, lieve schat. Ze haalde vrijwel alleen maar tienen op college.'

'Wat was haar hoofdvak?'

'Ze had er twee. Economie en Frans,' zei Irene, waarbij ze een ander papier uit de stapel trok. Het collegediploma was bruin geworden en miste een hoek. De naam van Liz' moeder was nauwelijks nog leesbaar.

'Geen wonder dat ze terug naar Europa wilde,' mompelde Liz.

Irene knikte. 'Ik denk dat ze er een tijdje heen is om haar oude zelf terug te vinden. En die wilde ze je laten zien. Ze wist alleen niet hoe.'

'Ik nam nooit de tijd om te luisteren,' vervolgde Liz met moeite. 'Ik *zag* het nooit. En toen ze het me probeerde te laten zien... toen ze een actievere rol in de stichting op zich wilde nemen... heb ik haar uitgelachen.' Met een zucht boog ze haar hoofd. 'Ik ken mijn eigen moeder niet eens.' Ze keek op. 'Ik moet haar zien te vinden. Ik moet naar haar toe.'

'Nog steeds geen paspoort?'

'AARGHH! Nee! Ik heb iedereen gebeld die ik ken en heb alles geprobeerd.'

'Welkom in de werkelijkheid, Elizabeth,' zei Irene. 'De werkelijkheid waarin je niet alles kunt krijgen wat je hebben wilt.' Ze glimlachte. 'Ze blijft daar tot na de Kerst. Ze zal daar dus nog steeds zijn wanneer je ernaartoe gaat. Ik stel voor dat je in de tussentijd meneer Jeffrey Scott belt en een flink stuk "nederigheidstaart" eet.'

'Hij praat niet met me,' zei Liz. 'Hij heeft gisteravond in elk geval mijn telefoontje niet beantwoord.'

'Heb je een boodschap achtergelaten?'

'Nee, maar hij heeft een nummermelder.' Liz keek Irene aan. 'Wat moet ik doen?'

De oudere vrouw stond op en liep naar de telefoon. Ze nam de draadloze hoorn op en gaf hem aan Liz. 'Er loopt geen enkele man op aarde rond die de kaneelbroodjes van Irene Baxter kan weerstaan.'

'Hij zal denken dat –'

'Dat je hem zo graag wilt zien dat je hem er desnoods voor wilt omkopen?' zei Irene. 'En wat geeft dat?'

Liz toetste het nummer in.

16

Mary

Ik help met het klaarmaken van het diner in de kleine studentenflat van Annie, waar het verleden op een nieuwe manier terugkomt. Ik moet van Annie de tomaten pellen en van zaden ontdoen. Ik heb geen idee waarom de Fransen de zaadjes uit de tomaten halen, maar ze doen het nu eenmaal en ik dus ook. En zij is even naar de boulangerie op de hoek om brood te halen. Ik ben klaar voor ze terug is. Op de vleugel die in de hoek van de woonkamer annex eetkamer gepropt staat, ligt een vioolkist. De nieuwsgierigheid wint het en ik doe de kist open. Aangetrokken door de glans van het hout steek ik een hand uit om hem aan te raken.

Dit is de eerste keer in bijna dertig jaar dat ik een viool in mijn handen heb. Ik grijp de hals en beweeg de strijkstok zo aarzelend over de snaren dat ze klagen. Met een grimas strek ik mijn nek naar beide kanten, leg ik mijn kin op de steun en plaats mijn vingers op de snaren. En deze keer komt er een niet bepaald onplezierige toon uit. Het lijkt erop dat enkele decennia niet zomaar de muziek kunnen uitwissen. Ik sluit mijn ogen en zoek mijn weg door een eenvoudige melodie.

'U hebt me niet verteld dat u ook speelt,' roept Annie vanuit de deuropening.

'Dat is ook zo. Was. Al jaren niet gedaan.' Ik leg de viool terug in zijn kist en verontschuldig me. 'Het spijt me. Dat had ik eerst moeten vragen.' Ik raak de hals van de viool aan. 'Dit is een prachtig instrument.'

Annie haalt haar schouders op. 'Hij is oké.' Ze grinnikt. 'En het is ook prima dat je erop hebt gespeeld.'

Ik moet lachen. 'Dank je. En het is een beter instrument dan jij denkt. Je had het exemplaar moeten horen waarop ik het heb geleerd.' Ik huiver.

'Vertel eens,' zegt Annie terwijl ze met een baguette in de hand naar de keuken verdwijnt.

Ik vertel Annie over mijn eerste viool en dat leidt weer tot het ophalen van mijn dromen als meisje en mijn leven voor Sam. Het volgende halfuur werken we naast elkaar in de keuken terwijl ik het verleden ophaal, me richt op mijn jeugdige verlangen om viool te spelen, de realisatie van die droom en mijn debuut op het podium.

'U neemt me in de maling!' roept Annie op zeker ogenblik uit. 'Hebt u met dirigent Slatkin gespeeld? *De* Slatkin?'

'Dat was maar één keer,' zeg ik. 'Wees niet al te erg onder de indruk. Ik had een wedstrijd gewonnen. Dat was alles. En het was nog plaatselijk ook. Een inzamelingsconcert voor het symfonie-orkest van St. Louis.'

'Maar waarom speelt u niet meer?'

'Toen ik met mijn man trouwde, wilde hij niet dat ik zou reizen. En dat had wel gemoeten als ik verder had gewild op de viool.'

'Dus hebt u het gewoon zomaar opgegeven?'

Ik schud mijn hoofd. 'Zo gemakkelijk was het niet. Maar de muziek maakte deel uit van...' Ik aarzel voor ik zeg: 'Sam dacht dat de muziek me met iemand anders verbond. Uiteindelijk was het beter voor me om de viool aan de wilgen te hangen. Ik denk dat als ik dat had geweigerd, ik me een hoop moeilijkheden op de hals had gehaald.'

Annies ogen werden groot. 'Mevrouw Davis had een

geheime liefde,' zegt ze, waarna ze haar hoofd een beetje scheef houdt en haar ogen sluit. 'Dat is het meest romantische wat ik in tijden heb gehoord.'

'Niet te geloven dat ik het aan je heb verteld,' zeg ik. Ik produceer een zenuwachtig lachje en knik langzaam. 'Jij, jongedame, bent iemand waartegen je veel te gemakkelijk praat.'

Annie draait zich om en leunt tegen het aanrecht. 'Kom op, vertel. U weet alles over Adolpho en mij. Hoe heette hij?'

'Jean-Marc.'

'En waar bevindt hij zich nu?'

'Geen idee.'

'Hebt u hem al gegoogled?' wil Annie weten.

'Ge-*wat*?'

'Gegoogled. U weet wel,' legt Annie uit. 'Je gaat gewoon naar www.google.com. Dat is een zoekmachine op internet. Type gewoon zijn naam in en… voilà. Informatie.'

'Kun jij dat?'

Annie toont haar verbijstering over mijn digibetisme. Ze knikt en zegt enigszins overdreven: 'Yesss.'

'Ik ben namelijk nogal beperkt op de computer.'

'Nou, dan bent u hier in de juiste *salon*, madame.' Ze loopt naar de volgende kamer en met een dramatisch gebaar trekt ze een gekrast kabinet open, waarin een computer huist. Ze zet hem aan en terwijl hij staat op te starten, haalt ze de brede pianokruk, zet die voor de computer en trekt mij naast zich neer. Binnen een minuut worden we aangestaard door het Google-scherm. 'Zo,' zegt Annie, 'type zijn naam maar in.'

'Meer niet?' Ik kan me niet voorstellen dat het zo eenvoudig is.

Annie knikt. 'Meer niet. U weet toch hoe u moet typen?'

'Hé,' protesteer ik, 'ik heb mijn vliegtuigticket online gekocht, ja! Ik kende alleen dat Google-ding niet.' Terwijl ik praat, tik ik *J-e-a-n-M-a-r-c-D-a-v-i-d* in.

'Drie voornamen,' zegt Annie.

'Dat zei ik ook altijd.' Ik druk op Enter en wacht af. Enkele seconden later heb ik een scherm vol mogelijkheden. De tweede noemt de *Sea Cloud*. Ik houd mijn adem in en klik de site aan. De *Sea Cloud* verschijnt, met gehesen zeilen. De romp veroorzaakt een boeggolf met een schuimkop die naar beneden lijkt te tuimelen. Dat doet me denken aan de voorkant van dat tijdschrift, hoewel het niet dezelfde foto is.

'Daar,' wijst Annie. 'Er staat een link op naar de kapitein.'

Ik klik. Haal diep adem. Ik laat mijn hoofd ietsje zakken, zodat ik het scherm beter kan zien. Mijn hand komt omhoog naar mijn keel. Ouder. Grijs haar. Hij bevindt zich aan boord van het schip en staart met die ongelofelijk blauwe ogen in de verte. Ik ben sprakeloos.

'Wauw,' zegt Annie.

Met een schok ben ik weer terug in het heden. 'Wat wauw?' vraag ik.

'U bloost,' reageert Annie. Ze leunt naar me toe en duwt even met haar schouder tegen de mijne. 'U hebt van hem gehouden.'

Ik kan mijn blik niet losmaken van dat beeld op het computerscherm.

'Misschien,' zegt Annie terwijl ze zachter gaat praten, 'doet u dat nog steeds.'

Ik dwing mezelf mijn blik af te wenden. 'Doe niet zo belachelijk,' protesteer ik. 'Het is bijna dertig jaar geleden.' Ik sta op. 'Laten we verder gaan met het eten. Je moet ondertussen uitgehongerd zijn.'

'Maar wilt u dan niet verder lezen? Meer te weten komen?'

Ik schud mijn hoofd en klik de website weg. 'Nee. Niet nu. Niet op deze manier.'

'Maar waarom dan niet?'

Ik haal diep adem en zeg het eerste wat me voor de geest komt. 'Omdat ik bang ben.'

'Waarvoor?'

Ik zucht. 'Dat is een lang verhaal.'

Annie staat op, raakt mijn onderarm aan en gebaart dat ik op de bank moet gaan zitten. Ze haalt twee glazen tevoorschijn en schenkt wat wijn in. Dan krult ze zich op in de andere hoek van de bank, grijpt een enorm kussen en terwijl ze het tegen zich aandrukt, zegt ze: 'Het eten kan wel wachten. Ik heb even geen trek meer.'

Het is verbazingwekkend dat iets wat je zo lang binnen hebt gehouden, er plotseling zo graag uit wil komen. Met de onzinnige angst dat als ik deze dingen over Jean-Marc vertel, hij niet zal terugkeren in mijn leven, begin ik te praten. 'Mijn ouders waren arm, maar ze hielden veel van me. Ik studeerde hard, behaalde goede resultaten, kreeg een beurs te pakken en studeerde af met twee hoofdvakken – economie en Frans. Maar op de middelbare school leerde ik ook al Frans. En ik vond het heerlijk. Het was niet moeilijk voor mij en de cultuur en de geschiedenis van het land trokken me geweldig aan. Ik droomde ervan om hier te studeren!'

Ik trek ook mijn benen op de bank. 'Tijdens het laatste semester van mijn laatste jaar college, liet mijn leraar Frans weten dat zijn werkvisum bijna verlopen was. Hij ging terug naar Arcachon en als iemand bij hem in de buurt wilde studeren, zou hij enkele onafhankelijke afstudeeropdrachten aan de universiteit van Bordeaux regelen. Mijn ouders begrepen het niet, maar ze zagen dat het erg belangrijk voor me was en daarom stonden ze achter me. En dus kwam ik hierheen...'

Ik aarzel en glimlach naar Annie terwijl ik het toegeef. 'Ik kwam hierheen en werd verliefd. Niet op een man – dat kwam later. Ik viel eerst voor het land. Ik wilde niet meer terug naar huis. Die herfst nodigde mijn professor de zoon van een goede vriend uit om bij hem te komen eten. Hij heette Jean-Marc David. Hij was net zo oud als ik en had een kleine tweemaster. Hij nodigde me uit om eens mee te gaan zeilen en dat deed ik. Op zekere dag nam hij me mee de baai uit. We zijn daar voor de nacht voor anker gegaan. Ik hoorde de zee verdwijnen en weer terugkeren, waarbij de golven tegen de zijkant van de boot sloegen toen het tij opkwam. We wandelden over stranden waar geen andere voetstappen op stonden. We zagen de zon ondergaan... en weer opgaan. En er was verder niemand die dat vanaf die plek bekeek. Wie zou er zo niet verliefd worden?'

Annie lacht niet. In plaats daarvan zegt ze: 'Maar het was meer dan een vluchtige romance. Ik keek net naar uw gezicht toen hij op het computerscherm verscheen.'

'Ja,' geef ik toe, 'ik denk dat je gelijk hebt. Na de eerste dag leek er... bijna een bovennatuurlijk randje aan te zitten. Bijna alsof de ene ziel over de aarde had gezworven en hij plotseling tot het besef kwam dat hij niet compleet was zonder de andere.' Nu ik die woorden hardop uitspreek, word ik weer het verleden ingezogen en word ik overvallen door een emotie waarvan ik dacht dat die al lang geleden was afgestorven. Annie zwijgt. Ze wacht af. Ik sluit mijn ogen. 'En toen vroeg een andere professor, die ook burgemeester was, of ik ooit weleens modellenwerk had gedaan. Dat was niet zo. Maar hij smeekte me het eens te proberen en ten slotte zei ik ja. Op een gegeven moment kreeg ik de opdracht om een Rolls Royce Silver Cloud te showen tijdens het jaarlijkse Concours d'Elégance in Arcachon. De eigenaar van het voertuig had een Amerikaanse vriend. Samuel Frederick Davis.'

'Uw man,' zegt Annie.

Ik knik.

'Maar... waarom? U was toch al verliefd op Jean-Marc?'

Ik haal mijn schouders op. 'Ik heb mezelf mijn halve leven lang elke keer diezelfde vraag gesteld. En het enige antwoord op die vraag is niet echt geweldig. Ik was bang.'

'Maar u bent naar Frankrijk gekomen om te studeren. Dat lijkt me niet echt iets voor een bang uitgevallen iemand.'

'Professor Max heeft echt voor alles gezorgd. Hij en zijn vrouw waren een soort vangnet als ik problemen zou krijgen. Zij spraken allebei vloeiend Engels. Net of ik een tweede stel ouders had.' Ik zwijg even. 'Jean-Marc was een compleet onbekende. Hij was jong en onstuimig. Hij droomde onmogelijke dromen.' Ik herinner me meer details en schud mijn hoofd. 'Hij was van plan zich op te werken om op een gegeven moment zijn eigen jacht te kopen en de wereld rond te zeilen. Hem aanmoedigen zijn droom na te streven was niet zo moeilijk. Maar om mijn comfortabele leventje op te geven om met hem op avontuur te gaan, was iets heel anders. Sam Davis was alles wat Jean-Marc niet was. Rijk. Machtig. Gesetteld.'

'Veilig,' vult Annie aan.

'Ja,' knik ik. 'Veilig. Zo leek het toen tenminste.'

'En dus hebt u voor het veilige alternatief gekozen.'

Ik knik en ben me opnieuw bewust van de computer die rechts achter me staat. 'En,' mompel ik, 'Jean-Marc heeft zijn jacht.' Mijn hand beeft als ik mijn glas pak en een slokje wijn neem. Ik probeer de tranen terug te dringen wanneer ik mijn hart uitstort. 'Ik heb een van de vriendelijkste, aardigste en liefste jongemannen ter wereld verraden.' Ik vertel Annie hoe Jean-Marc erachter kwam dat ik ervoor had gekozen om met Sam te trouwen. Ik beschrijf het feestje en de aankondiging, maar woorden schieten tekort wanneer ik de blik in Jean-Marcs ogen beschrijf.

'Ik heb geprobeerd hem te vinden. Om met hem te praten. Maar dat is nooit gelukt.'

'Misschien kunt u Google gebruiken om contact met hem te zoeken,' stelde Annie voor.

'Daar heb ik Google niet voor nodig,' zeg ik en weet eindelijk een glimlach te produceren wanneer ik kans zie Annie te vertellen over mijn brief en kerstavond.

Liz

Het leek Liz alsof de telefoon wel honderd keer was overgegaan. In werkelijkheid nam Jeff bij de derde keer al op. 'Het spijt me dat ik je telefoontje van gisteravond niet heb beantwoord,' zei hij. 'Ik heb vanmorgen hardgelopen en ben nu pas weer een beetje op adem. Eigenlijk stond ik op het punt je te bellen toen de telefoon overging. En dat is geen smoes.'

'Kun je… kun je misschien hiernaartoe komen? Ik ben thuis. *Thuis* thuis.'

'Wat is er aan de hand?'

'Ik… ik heb hier met Irene zitten praten en… Jeff, alsjeblieft, ik moet je zien.'

'Is er iets aan de hand? Iets met Mary?'

Ze kon zichzelf wel iets aandoen voor het feit dat ze haar stem niet in bedwang kon houden. 'Ik heb nog niets van haar gehoord. Ik weet het niet. Jeff, wil je alsjeblieft hierheen komen?' Ze wierp een blik op Irene. 'Irene heeft kaneelbroodjes gemaakt.'

Jeff aarzelde, maar stemde ten slotte toe.

'Dank je,' zei Liz. Ze hoopte dat ze niet meer uit de klank van zijn stem haalde dan erin zat. Hij had geaarzeld, maar had wel blij geklonken dat hij haar stem hoorde.

Toen Jeff arriveerde, zat ze achter het bureau van haar moeder en keek naar buiten, naar de tuin. De maan was helder genoeg om een spookachtige gloed over het landschap te werpen, die het bijna deed lijken alsof er sneeuw lag. Toen de deur achter haar openging, zei Liz: 'Ik ben hier, bij het bureau.'

Toen Jeff naar haar toe leunde om haar een kus op haar wang te geven, sloot ze haar ogen en snoof ze zijn vertrouwde geur op. De gedachte dat ze die geur in de toekomst zou moeten missen, deed de tranen in haar ogen opwellen. Ze schraapte haar keel. Ze wees naar de ingelijste spreuk op het bureau en zei: 'Ik stak de draak met haar toen ze dit kocht.' Ze zweeg even. 'Maar ik wil het geloven.' Ze fluisterde de woorden, beschaamd door de vibratie in haar stem. 'Het is nooit te laat om te worden wat je had kunnen zijn.' Ze wachtte enkele momenten voor ze hem aankeek. 'Wil – wil je me nog een kans geven? Alsjeblieft?'

Jeff keek zonder te glimlachen in haar ogen. Maar hij liet haar hand niet los toen hij vroeg: 'Wat wil jij zijn, Bitsy?'

Liz snikte. 'Aardiger. Geduldiger. Meer begrijpend. En misschien... voor de verandering eens een goede dochter.' Ze liet de tranen stromen. 'Denk je dat het mogelijk is dat ze me zal vergeven voor de manier waarop ik haar heb behandeld?'

'Ik denk,' zei Jeff terwijl hij haar beide handen in die van hem nam, 'dat Mary Davis de oceaan over zou zwemmen om je dat met haar eigen oren te horen zeggen. En ja, natuurlijk zal ze je vergeven.'

Liz kuste zijn handen. 'En jij, Jeff? Kun jij me vergeven?'

'Je hebt geen vergeving van mij nodig, Bitsy.'

'Ik blafte je af, de laatste keer dat je me zo noemde. Het spijt me.'

'Jij dacht dat ik je betuttelde,' zei Jeff. 'Maar dat was niet zo, weet je. Ik probeerde je alleen maar zover te krijgen dat –'

'Dat ik mezelf eens wat minder serieus nam?'

'Precies.' Hij liet haar handen los en begon haar haar te strelen. Met een zucht liet ze haar hoofd tegen de rugleuning van haar stoel zakken. Zijn handen kwamen bij haar voorhoofd bij elkaar en met zijn vingertoppen volgde hij de contouren van haar gezicht, haar wenkbrauwen, haar kin, met een vederlichte aanraking. Liz sloot haar ogen en fluisterde: 'Ik hou van je.'

'Weet ik.' Toen leunde hij naar haar toe en kuste haar op het puntje van haar neus. Zijn lippen vonden die van haar en hij liep om de stoel heen, waarna hij haar in zijn armen nam en haar nogmaals kuste.

Ze nestelde zich tegen hem aan. 'Ik moet Mimi zien te vinden.'

'Mimi?' Jeff deed een stapje achteruit om haar aan te kunnen kijken.

'Mijn naam voor mijn moeder toen ik nog een klein meisje was.'

'Ik zal je helpen je Mimi te vinden,' fluisterde hij.

'En... en ga je dan ook met me mee?' Ze praatte snel verder voor hij kon antwoorden. 'Niet omdat ik me achter je wil verbergen, maar omdat ik dit gewoon niet alleen durf. Ik heb gewoon... je steun nodig. Om dit recht te zetten.' Haar kin trilde en ze beet op haar onderlip. 'Als dat nog mogelijk is.'

'Elizabeth Davis kan alles waar ze haar zinnen op heeft gezet,' zei Jeff terwijl hij haar tegen zich aangedrukt hield. 'Jij hebt mij hier niet voor nodig.'

'Maar ik wil het graag,' zei Liz. Ze keek op naar Jeff en haar hart bonkte toen ze de glinstering in zijn ogen zag.

'Goed,' zei Jeff terwijl hij haar lippen met de zijne bedekte. 'Dat is echt goed om te horen,' mompelde hij toen ze elkaar kusten.

Mary

Het is een eenzame dag. Annie is naar huis voor de feestdagen en heeft Adolpho meegenomen. Ze is er niet helemaal gerust op hoe haar ouders zullen reageren op haar vriend met cappuccino huid en zwarte dreadlocks. Ze verontschuldigden zich beiden voor het feit dat we nooit naar de Ducati-dealer waren gegaan – ik voelde me niet al te best op de dag dat ze Adolpho's motorfiets erheen brachten om hem te laten repareren en toen werd het tijd voor hen om naar Engeland te gaan.

'Zo gauw we terug zijn,' beloofde Adolpho, terwijl hij die heerlijke glimlach produceerde.

'Dat staat,' reageerde ik. Op aandringen van Annie beloofde ik dat ik zou komen dineren zo gauw ze terug zouden keren.

Ik mis hen meer dan ik verwachtte. Ik ben naar het Musée d'Orsay gewandeld en ben net zo onder de indruk van het gebouw zelf – een voormalig treinstation dat is omgebouwd tot museum – als door de schilderijen die er hangen. Ik slenter doelloos rond en ben verbaasd dat ik niets aan mijn dagboek heb toe te voegen over de dingen die ik zie. Het lijkt erop dat ik even verzadigd ben, wat kunst betreft.

Ik loop de Boule Miche af en stap op lijn 24. Ik denk eraan om over de Champs-Elysées verder te lopen en in een nieuw café te gaan dineren. Er lijkt weinig verkeer te zijn. Ik beweeg me om de Arc de Triomphe heen en de Avenue de la Grand Armée op, waarbij ik me inbeeld dat de geallieerden hier hebben gelopen en werden toegejuicht als bevrijders. Omdat ik van plan ben naar het cafeetje te gaan dat ik aan de andere kant van de Place de la Concorde heb gezien, steek ik de straat over, waar een ongebruikelijke hoeveelheid motorfietsen langs de stoeprand staat geparkeerd. Als ik om me heen kijk, begrijp ik ook waarom. Er zit hier een heel aantal motorfietsdealers – Moto-Guzzi, BMW, Honda en zelfs Harley Davidson. Ik moet glimlachen om de getatoeëerde mannen met hun aluminium pothelmen op de Champs-Elysées.

'Mevrouw Davis?'

Enzo, de roekeloze vriend van Adolpho, staat tegen een lantaarnpaal geleund een sigaret te roken, die hij wegschiet met zijn vinger voor hij naar me toe loopt. 'U bent hierheen gekomen om de Ducati's te zien, hè?'

'Ik dacht dat jij tijdens de feestdagen naar huis zou gaan.'

Enzo gebaart naar de rij ramen boven het Ducati-uithangbord. 'Dit is de zaak van mijn oom. Ik werk om de reparatie aan Adolpho's motor te kunnen betalen.'

Ik doe een beetje verontschuldigend. 'Ik vermoed dat het een beetje raar was. Een vrouw van mijn leeftijd.'

'Vrouwen zijn als wijn, mevrouw Davis. Ze worden beter naarmate ze ouder worden.' Hij flirt niet, maar hij glimlacht wel. Hij haalt zijn schouders op. 'Dat hoor ik mijn oom altijd zeggen.'

Enzo is veel charmanter dan ik me herinner. Hij is lang en slank, met een nauwkeurig bijgehouden baard van een dag oud, die daardoor elke dag een dag oud blijft, en hij heeft een warme glimlach, waarvan ik denk dat hij oprecht is. Maar ik weet niet beter dan dat hij zich van binnen een deuk lacht. Het maakt me niet uit. Ik wilde graag de motorfietsen zien en was teleurgesteld toen dat met Annie en Adolpho niet doorging. Dus ik laat me naar binnen leiden, waar op een glimmend gepoetste vloer een indrukwekkende hoeveelheid motorfietsen staat uitgestald tussen wanden die zijn behangen met raceposters. Ik begrijp niet dat iemand een motor in bedwang kan houden die zover overhelt dat de knie van de motorrijder over het asfalt schaaft.

'Kun jij dat?' vraag ik aan Enzo.

'Nee,' zegt Enzo. Op dat moment gaat er een deur open en verschijnt er een man met grijs haar in de showroom. 'Maar hij wel. In elk geval vroeger. Dat is mijn oom Luca. En in zijn tijd was hij beroemd.'

Luca Santo moet ongeveer net zo oud zijn als ik en nadat we aan elkaar zijn voorgesteld, zegt hij: 'Zo, de vrouw waarover Enzo en Adolpho het hadden komt nu dus zelf eens een kijkje nemen.' Hij glimlacht. 'U hebt een behoorlijke indruk op mijn neef achtergelaten.' Hij trekt zijn wenkbrauwen op. 'Périphérique gecertificeerd, hoorde ik.'

'Ik heb mezelf behoorlijk voor schut gezet,' zeg ik. 'Maar het was wel erg leuk.' Ik zwijg even. 'Ik kan maar niet geloven dat ik zeg dat ik het leuk vond.'

'En het is nog leuker om zelf te rijden,' verzekert meneer Santo me. 'Natuurlijk niet hier in Parijs, maar lekker door het landschap toeren. De Provence, bijvoorbeeld. Schitterend.' Hij gebaart terwijl hij praat en beschrijft de geneugten van toeren over het platteland. Hij spreekt vloeiend Engels, maar met een Italiaans accent. Het is een charmante mix, bijna muzikaal.

'Zoals u het vertelt, klinkt het schitterend,' zeg ik. 'Maar ik weet geen snars van motorrijden.' Ik doe eigenlijk niet meer dan beleefd een gesprek op gang houden, maar helaas denkt meneer Santo dat ik het graag zou leren.

‘In het voorjaar moet u eens naar Bologna komen. Ducati-week. Ze geven lessen, speciaal voor vrouwen –’

‘Maar waarschijnlijk niet voor beginners,’ reageer ik.

‘U begint gewoon hier,’ zegt meneer Santo, ‘en leert daar dan meer.’ Hij loopt naar een van de motorfietsen toe en legt zijn hand op het zadel. ‘Deze is voor u gemaakt.’ De motorfiets is kleiner dan de meeste andere. Hij nodigt me uit om er eens op te gaan zitten. Ik kijk naar mijn rok en dan naar hem. We moeten allebei lachen.

‘De volgende keer dan,’ zegt hij.

Ik knik. ‘De volgende keer.’ Ik bedank Enzo voor de rondleiding, meneer Santo voor zijn tijd, en verdwijn de showroom uit. Ik weet zeker dat ik hier nooit terug zal keren, maar sla de ervaring op tussen mijn andere herinneringen. Een mooi verhaal voor wanneer ik weer in Omaha ben. Ik grinnik als ik de straat uit loop en stel me het gezicht van mijn dochter voor als ik op een Ducati op een bestuursvergadering zou verschijnen.

17

Jean-Marc werd teruggeworpen in de tijd op het moment dat hij over de drempel stapte van Ducati-dealer Luca Santo. Hij bleef net voorbij de deuropening staan en was opeens weer een jonge motorracer die de voorraad bekeek. Tussen de gele en rode *machinas* die in de kleine showroom waren gepropt, stond er één die hem meer aantrok dan de rest. Laten de jonge mannen de Supersport met de rode kuip maar nemen. En hij kon begrijpen waarom mensen voor de felgele ST4 kozen. Maar voor hem was er maar één motorfiets. Hij zwaaide zijn been over het Monster en op het moment dat hij naar de gashendel greep, werd hij opgeslokt door het verleden.

Hij bevond zich weer op Imola en knielde neer om een kabel te controleren, toen twee monteurs van de concurrentie naar hem toe kwamen. En terwijl ze toekeken, merkte een van de twee op hoe Ducati op productiekosten zou kunnen besparen. 'Ducati beknibbelt niet op onderdelen. We gebruiken het beste en we maken het beste,' was Jean-Marcs commentaar geweest.

Jean-Marc moest glimlachen toen hij zich dat gesprek van zoveel jaren terug herinnerde. *Als Luca niet snel komt opdagen, bestaat het gevaar dat ik een nieuwe motorfiets aanschaf.*

'*Mama mia*, het einde van de wereld is nabij – Jean-Marc David is weer terug in Parijs!'

Zonder van de motorfiets af te stappen, draaide Jean-Marc zich om om zijn oude vriend te begroeten. 'Hoeveel moet je voor deze hebben?' vroeg hij.

'Als je al denkt dat dat een leuk speeltje is,' zei Luca terwijl hij naar de deur wees die naar de werkplaats achterin leidde, 'moet je eens komen kijken wat ik net uit het krat aan het halen ben. De 999R. Die komt daar te staan,' zei hij terwijl hij naar de etalage gebaarde, waar de pronkstukken stonden.

Nu het over motorfietsen ging, ontspande Jean-Marc zich. De mannen praatten terwijl ze werkten. Ze sloopten het krat rond de 999R weg en bewonderden de lijnen van de bloedsnelle tweewieler, waarbij ze mijmerden over 'vroeger'. En ten slotte verschoof het gesprek naar het echte leven.

'En hoe gaat het met Magda?' vroeg Luca.

Jean-Marc schudde zijn hoofd. 'Ik dacht dat Magda de perfecte vrouw zou zijn om Celine op te voeden. We hebben het zo lang mogelijk geprobeerd – voor Celine.' Hij haalde zijn schouders op. 'Maar Magda heeft nooit over haar angst voor de zee heen kunnen stappen. Zodra we op zee waren, kon ze niet wachten tot we de volgende haven binnenliepen, altijd in de hoop dat ik zou besluiten aan wal te blijven. Ze wilde een huis en een man die elke morgen naar zijn werk vertrok en elke middag weer thuiskwam voor het eten.'

Luca klopte hem op zijn rug. 'Rot voor je.'

Jean-Marc knikte. 'Het was haar fout niet.' Hij glimlachte. 'Gelukkig is Celine anders. Die is op zee opgegroeid en gedijde daar prima, hoewel ze nu wat meer gesetteld is.'

Hij praatte Luca snel bij over de afgelopen jaren, waarin hij nog een keer was getrouwd en ook snel weer gescheiden. 'Die was niet half zo redelijk als Magda. Ze probeerde een deel van de *Sea Cloud* te krijgen.'

'Zo gaat het nou altijd,' zei Luca meelevend. 'De ene liefde is jaloers op de andere.' Hij veranderde van onderwerp.

'Vertel eens wat meer over Celine. Die kleine meid moet nu al groot zijn. Ik wed dat het een schoonheid is geworden.'

'Ze heeft twee zoons,' zei Jean-Marc. 'Een tweeling. Xavier en Olivier. En volgens mij mogen ze hun grootvader wel.' Hij schudde zijn hoofd. 'Niet te geloven dat ik het over *kleinkinderen* heb. Hoe heeft dat kunnen gebeuren? *Twee* vrouwen... en *klein*kinderen!'

'De tijd gaat veel te snel,' was Luca het met hem eens.

'En Sophia? Hoe gaat het daarmee?'

Luca keek hem recht aan. 'Ze is bij God,' zei hij. 'Dat is nu drie jaar geleden.'

'Het spijt me. Dat wist ik niet.' Jean-Marc keek naar de motorfiets en wist niet zo goed wat hij moest zeggen. *Waarom wist ik dat niet?* Er borrelde een schuldgevoel in hem op. Hij was nooit zo goed geweest in brieven schrijven. Maar hij had het in elk geval kunnen proberen. In elk geval voor Luca.

'Het is snel gegaan en ze heeft weinig pijn geleden,' legde Luca uit. 'God was goed voor ons. Hij heeft ons bijna vijfentwintig jaar samen gegeven.' Er bleef een ongemakkelijke stilte tussen de twee mannen hangen. Uiteindelijk sloeg Luca Jean-Marc op zijn rug. 'Kom, laten we het weer over de nieuwe *machinas* hebben. Er hebben nogal wat veranderingen plaatsgevonden sinds jij en ik in het team zaten, hè?'

Een uur later verliet Jean-Marc de showroom. Hij had ervan genoten om over het verleden te praten, toen hij en Luca hun leven riskeerden met het testrijden van de snelste motorfietsen ter wereld. En hij had beloofd om de volgende avond terug te komen om samen met Luca te dineren, in zijn appartement boven de showroom. Dat, dacht hij, was wel het minste wat hij kon doen na al die jaren zo weinig interesse te hebben getoond voor het leven van zijn vriend. Het positieve eraan, dacht Jean-Marc terwijl hij in de richting van de Arc de Triomphe liep, was dat hij morgenavond iets te doen zou hebben en dat dat één avond minder was dat hij in zijn eentje zat af te wachten. Het beroerde eraan was echter dat hij niet wist of Luca's godsdienstig enthousiasme door de jaren heen al minder was geworden. Als er *iets* was waar hij op het ogenblik geen zin in had, was het wel godsdienst. Hopelijk herinnerde Luca zich dat nog. En zo niet... Jean-Marc slaakte een zucht. Hij ging met zijn rug naar de rest van de etende gasten in het café zitten en bestelde een maaltijd. Terwijl hij at, dacht hij terug...

In 1974 legde de eenentwintig jaar oude Jean-Marc David zijn boot aan aan de kade van Marina di Pisa. Hij had bijna een maand alleen op zee rondgezworven. Hij had honger en was nat en moe. Hij had niet veel eten aan boord gehad, zijn zakken waren bijna leeg en hij wist niet zeker in welke Italiaanse haven hij zich bevond. Hij was al een aantal weken niet zo zeker meer van wat dan ook. De dagen waren geruisloos in elkaar overgegaan terwijl hij met zijn boot van de ene haven naar de andere was gevaren. Eerst om Spanje heen, toen via de kust naar Monte Carlo en verder langs de laars van Italië. Hij zou al spoedig om de teen heen zeilen en dan – nou ja, dan zou hij op zoek moeten naar werk, omdat hij dan geen cent meer te makken zou hebben.

De laatste paar weken op zee waren een warboel van emoties geweest en hij was heen en weer geslingerd tussen woede en depressie, gevoed door het gevoel verraden te zijn. Hij had elk moment herbeleefd van wat hij als de liefde van zijn leven had gezien. Het was duidelijk dat alleen hij daar zeker van was geweest. Het meisje bleek uiteindelijk toch het type te zijn dat zijn moeder had voorspeld.

'Het is niet niks, zoon, om van een meisje te verwachten dat ze haar land en haar familie verlaat, een nieuwe cultuur binnentreedt en alles opgeeft wat ze kent voor een leven vol onzekerheid.'

Hij had naar zijn moeder moeten luisteren, die niet had gesproken vanuit negatieve gevoelens ten opzichte van Mary McKibbin, maar uit ervaring, omdat ze haar eigen vaderland had verlaten om met de man te trouwen die Jean-Marcs vader zou worden. 'Ik zeg niet dat ik spijt heb van mijn eigen beslissing,' had zijn moeder gezegd. 'Ik zeg alleen dat, uitgaand van de dingen die ik weet, dit meisje het niet zal aandurven.'

Zijn moeder had gelijk gekregen. Het meisje had de stap niet genomen. Ze was getrouwd met een rijke landgenoot en was verdwenen zonder nog een woord tegen hem te zeggen.

Omdat Jean-Marc jong en impulsief was, en dramatisch en creatief, dacht hij dat zijn leven voorbij was. En, zoals zijn gewoonte was, hij vluchtte naar zee om troost te zoeken.

Nadat hij de Marina di Pisa was uitgevaren, bleek de volgende haven die van Livorno te zijn, maar daar kwam hij pas achter toen hij wakker werd met een kater en ziek door een combinatie van dagenlang slecht eten en depressieve buien. Hij bevond zich op dat moment in een klein kamertje achter in een motorfietshandel die eigendom was van een man met de naam Donatello Santo. Santo had een zoon, Luca, en binnen enkele dagen reed Jean-Marc, die niet bang was om te sterven en daar zelfs bijna naar verlangde, met gevaarlijk hoge snelheden op de motor door de Toscaanse heuvels. De oudere Santo had hem ingehuurd om in de zaak te werken en al gauw deden Jean-Marc en Luca mee aan plaatselijke motorraces. En ze maakten al snel naam.

De boot van Jean-Marc bleef lange tijd aangemeerd liggen in Livorno. De jonge en onbevreesde David en Santo werden bekend in de racewereld. Op een gegeven moment stonden ze in leren racekleding op de poster van Ducati, naast de slanke Desmo. Er kwamen sponsors en daarmee geld en de middelen voor wat ze ook maar wilden. De vrouwen zwermden in groten getale om hen heen. Luca lachte en flirtte. Jean-Marc genoot ervan.

En op zekere dag schatte Luca een bocht verkeerd in. Zijn motor gleed onder hem vandaan en belandde op zijn kant langs de weg. De wielen tolden rond en de motor raasde. Maar Luca belandde tegen het muurtje dat zijn vaart had gebroken, met een klap die meer beenderen in zijn lichaam brak dan normaal gesproken mogelijk was. Die dag bevond zich onder de toeschouwers een beroemde orthopeed. Het was een racefan uit de Verenigde Staten en de chirurg bood aan om de gewonde racer weer op te knappen. Jean-Marc was blij met de vakkundige invloed die de chirurg had op Luca's lichaam, maar hij zou zijn leven lang de invloed van de man op een ander gebied betreuren.

Luca vertelde hem later dat de man alle eer aan God gaf toen hij hem wilde bedanken voor wat hij had gedaan. Zowel Luca als Jean-Marc hadden nog nooit zoiets gehoord. God, zei de chirurg, was op die dag zijn medechirurg geweest. 'Als de Schepper van je benen je helpt wanneer je er weer een probeert te repareren,' had de chirurg gezegd, 'passen de stukjes beter.' Jean-Marc had de opmerking wel grappig gevonden. Maar Luca was geïntrigeerd. De chirurg bleef lang genoeg om er zeker van te zijn dat Luca's been gespaard zou blijven. Lang genoeg voor heel wat gesprekken over het leven.

De dag dat de chirurg naar huis ging, was ook de dag dat hij Luca vertelde dat zijn racecarrière bij Ducati voorbij was. Jean-Marc bevond zich in het ziekenhuis toen zijn vriend dat te horen kreeg. Verbazingwekkend genoeg leek het zijn vriend niet te deren. 'Ik heb een been,' zei hij terwijl hij de hand van de chirurg greep. 'Ik ben dankbaar.' Zijn ogen vulden zich met tranen toen hij de arts uitzwaaide. 'En dankzij u heb ik nog veel meer.'

Maar Jean-Marc David wilde niets over God horen. Luca kon geeneens de meest eenvoudige vragen beantwoorden. *Als God dan zo veel van me houdt,* zei Jean-Marc dan, *waarom...* en hij had heel wat *waaroms* waar Luca geen antwoord op had. En terwijl Luca revalideerde, duurden de discussies voort.

'Het is een godsdienst van niks die jij hebt,' zei Jean-Marc ten slotte toen ze een keer op een avond achter de zaak van Donatello koffie zaten te drinken en weer aan het discussiëren waren. 'Allemaal vragen en geen antwoorden.'

'Ik heb het antwoord op de belangrijkste,' reageerde Luca.

'En wat,' zei Jean-Marc terwijl hij van zijn koffie slurpte, 'is dan de belangrijkste vraag?'

'Wat gebeurt er als we doodgaan?' Luca's grijsblauwe ogen keken hem met een intense blik aan. 'Ik hoorde het gefluister op de eerste hulp. Ik zag de bezorgde gezichten. De enige vraag die ik echt beantwoord wilde hebben was: *wat als ik sterf?* De andere vragen... tja.' Hij lachte zacht. 'De andere vragen gaan alleen maar over dingen die van voorbijgaande aard zijn.' Hij keek naar zijn vriend. 'We zullen voor altijd dood zijn.'

Luca praatte verder en het leek hem niet uit te maken of Jean-Marc het nu wilde horen of niet. Hij had het over God en heiligheid, over volmaaktheid en zonde. Jean-Marc was opgegroeid met al die ideeën, omdat hij net als al zijn vrienden trouw naar de mis was gegaan en van alles in zijn hoofd had moeten stampen. Toen de dagen vervlogen en Luca zijn mond maar niet wilde houden, werd het steeds duidelijker dat diens universum er nu heel anders uitzag en dat hij graag wilde dat Jean-Marc dezelfde ervaring zou hebben. Hoe meer Luca praatte, hoe minder Jean-Marc luisterde. En uiteindelijk, op een heldere voorjaarsochtend, niet lang nadat Luca zijn kruk had weggegooid en een eind was gaan wandelen, terwijl hij God prees voor zijn genezing, riep de zee en antwoordde Jean-Marc.

Lang nadat hij met racen was gestopt, was hij nog steeds bitter over het verraad van Mary McKibbin en de godsdienstige ommekeer van Luca Santo. Hij ging weer zeilen en begon toeristen mee de zee op te nemen om in zijn onderhoud te voorzien. Hij kreeg een dochter met een zangeres die hij ontmoette tijdens een week rust in een haven en nam de taak op zich om haar op te voeden toen haar moeder alle interesse in haar kwijtraakte. Na een gestreste poging om Celine zelf op te voeden, trouwde hij snel – meer om voor een moeder voor zijn dochter te zorgen dan vanwege zijn grote liefde voor de vrouw.

Magda Romani was de dochter van een klant die allerlei romantische ideeën had over het leven op zee en geen interesse in de werkelijkheid, die ook harde stormen, eindeloos onderhoud en weinig tijd aan wal inhield. Toen het haar niet lukte om Jean-Marc ervan te overtuigen dat hij zijn leven meer op het land moest richten, was het huwelijk voorbij. Met behulp van het geld dat hij met het motorracen opzij had kunnen leggen, kocht hij een groter jacht en begon hij voor rijke toeristen cruises door het Middellandse-Zeegebied te organiseren. En na een paar jaar had hij genoeg bij elkaar gespaard om weer een iets groter jacht te kopen. Hij bleef genieten van de aanwezigheid van vrouwen en ten slotte, ondanks de protesten van Celine en de opmerking dat ze de vrouw niet mocht, trouwde hij weer. Hun relatie was nogal stormachtig en er gebeurde nogal eens wat, maar toen Celine op zekere avond thuiskwam met de mededeling dat ze zwanger was en niet van plan om te trouwen, verliet ook zijn tweede vrouw hem. 'Ik ga niet het buitenechtelijke kind van die slet opvoeden!' had ze gekrijst.

Tijdens de eerste paar jaar dat Jean-Marc op zee zat, hadden hij en Luca contact gehouden, maar Santo's bijna oplichtende brieven over zijn huwelijk en zijn God gingen hem steeds meer irriteren. Uiteindelijk beantwoordde Jean-Marc ze niet meer en hij merkte het amper toen Luca stopte met schrijven.

Nu hij in dit café terug zat te denken aan al die voorbije jaren, ergerde hij zich opnieuw aan de godsdienstige vurigheid van zijn vriend. Blijkbaar had Luca Sophia's dood als de wil van God geaccepteerd. Hoe had hij het ook alweer gezegd? *'Ze is bij God.'* Hij leek daar nogal zeker van te zijn. Hij had zelfs iets gevonden om dankbaar voor te zijn. *'Het is snel gegaan en ze heeft weinig pijn geleden. God was goed voor ons. Hij heeft ons bijna vijfentwintig jaar samen gegeven.'*

Dat was zo gekmakend aan godsdienstige mensen, dacht Jean-Marc. Ze accepteren de meest verschrikkelijke dingen en beweren dan *dankbaar* te zijn, terwijl God – als Hij al bestond – de tragedie had kunnen tegenhouden. Dat zou hij zijn leven lang niet accepteren. Het was gewoon irrationeel. Kruiperig. Waar was Luca's zelfrespect gebleven? Om zo laf te accepteren wat God doet... dat zou hij nooit doen. Een deel van hem keek met angst en beven uit naar het diner met Luca, morgen. Zijn heden werd op het moment al genoeg overvallen door het verleden. Daar hoefde hij niet ook nog het onderwerp God bij te hebben. Hij had dat onderwerp lange tijd met succes gemeden. *Als je de keus had gehad,* bedacht hij zich. *Maar het onderwerp God kwam vanzelf aanwaaien. Zelfs een paar keer aan boord.*

Onder het genot van een dessert herinnerde hij zich een van zijn wat directere aanvaringen met God, aan boord van zijn schip. *Wanneer was dat ook alweer?* dacht hij. Misschien een jaar na de laatste brief van Luca? Ja, toen ongeveer. Hij herinnerde zich de vrouw nog goed. Meer omdat ze hem aan Mary McKibbin deed denken dan om haar interesse in God. Hoe dan ook, de gelijkenis stopte bij de buitenkant, omdat deze vrouw haar gesprekken constant lardeerde met verwijzingen naar God. Het was niet irritant. Eerder wat ongewoon. Ze boog haar hoofd voor elke maaltijd. Op zekere avond, toen hij dacht dat al zijn passagiers allang sliepen, begaf Jean-Marc zich aan dek om een sigaretje te roken en struikelde hij praktisch over haar. Ze had plat op haar rug naar de lucht liggen kijken.

'Oef! O, het spijt me.' Ze sprong op en schaamde zich duidelijk, of dat nu kwam door het feit dat ze in een nachtjapon gekleed ging of dat hij haar had gesnapt, was niet duidelijk.

'Nee, *ik* zou me moeten verontschuldigen,' zei Jean-Marc. 'Ik schopte je bijna tegen je hoofd. Gaat het wel?'

'Best,' zei ze, terwijl ze een krul achter haar oor streek, op een manier die hij charmant vond. Het riep herinneringen op aan Mary. Ja, heel erg charmant. Ze keek omhoog. 'Ik woon in Chicago. Ik heb nog nooit zo'n heldere sterrenlucht gezien. Nog nooit.' Haar hand gebaarde naar de sterrenhemel. 'Eigenlijk zei ik net min of meer: "Dat hebt U mooi gemaakt, God."' Ze leunde tegen de reling. 'Ik hoopte – bad, eigenlijk – dat u het mis zou hebben toen u zei dat het zou gaan stormen.'

'Ik ben blij dat ik ongelijk had,' reageerde Jean-Marc. Hij gebaarde naar de stuurhut. 'Je mag ook daarop gaan zitten. Daar heb je veel minder kans dat ze op je stappen.'

'Maar ik bevind me niet graag op plekken waar ik niet zou moeten zijn,' zei ze. Weer leek ze zo veel op Mary. Die angst om te ver te gaan. Was dat misschien een Amerikaanse eigenschap? Of een vrouwelijke eigenschap?

Hij dacht even terug aan zijn twee vrouwen en verwierp die laatste gedachte. Geen van tweeën had ooit hun persoonlijke comfort opgegeven voor de een of andere 'regel'.

'Het is prima als je daar zit,' had hij haar nog eens verzekerd.

De paar dagen daarna had het erop geleken alsof hun paden elkaar wel erg vaak kruisten. Betty heette ze. In eerste instantie was hij een beetje achterdochtig en dacht hij dat ze misschien een alleenstaande vrouw was die op zoek was naar een man. Hij wilde niet verwaand overkomen, maar als hij in de spiegel keek, kon hij zichzelf niet bepaald onaantrekkelijk vinden.

Zelfs nu, na al die jaren, moest hij oppassen voor alle Dominique Chevaliers van deze wereld. De jaren hadden zijn donkere haar wat grijze strepen bezorgd, maar Dominique had gezegd dat dat juist 'gedistingeerd' stond. De zee had zijn huid ruw gemaakt, maar wanneer hij in de spiegel keek, zag hij blauwe ogen schitteren in een gezicht dat misschien niet knap was, maar in elk geval interessant. Hij was zelfs aan zijn neus gaan wennen, toen hij ergens in de dertig was.

Toen het hem opviel dat Betty hem zelfs een enkele keer ontweek, besefte hij dat ze niet achter een man aanzat. Blijkbaar wilde ze alleen maar een leuke cruise van Jean-Marc David. En telkens kwam hij haar ergens op het schip tegen terwijl ze zat te lezen. Het bleek dat ze de Bijbel las. En toen hij haar ernaar vroeg, zei ze met een glimlach: 'Ik probeer de zin van het leven te ontdekken.' Dat was alles. Geen preek. Alleen maar een beschaamd lachje. Maar hij merkte dat ze nog steeds haar hoofd boog voor elke maaltijd en meer dan eens zag hij haar 's nachts op de stuurhut liggen terwijl ze de met sterren bezaaide lucht bekeek. Of ze leunde tegen de mast en zuchtte zachtjes in zichzelf.

Na Betty kruisten andere godsdienstige mensen zijn pad. Sommigen op het land, maar de meesten maakten deel uit van de een of andere zeilgroep. Niet veel, maar genoeg om Jean-Marc een keer grappend tegen zichzelf te laten zeggen dat als er een God bestond, Hij Jean-Marcs vorderingen in de gaten hield door afgezanten die Hij in groepen zeilers had geplaatst.

De regen, die was gaan vallen toen hij zat te eten, hield langzaam op. Er klonk gekletter van borden en bestek om hem heen en de meeste klanten verlieten het etablissement, waaronder ook Jean-Marc. Toen hij eenmaal buiten was en de geur van schoongespoeld plaveisel opsnoof, besloot hij het hele eind naar zijn hotel op de linkeroever te gaan lopen. Het was nogal ver, maar hij had geen haast. En hij dacht dat als hij zichzelf zou uitputten, hij misschien gemakkelijker in slaap zou vallen. Hij stak de Seine over via de Pont de l'Archevêché en stond even stil om de Notre Dame te bekijken. Hij werd niet zo boos meer over vroom gedoe. Maar toch maakte hij zich er zorgen om dat Luca zou kunnen denken dat Jean-Marc weer in zijn leven was verschenen om bekeerd te worden. Hij besloot dat diner maar uit te stellen. Misschien een lunch na de Kerst. Of misschien wel niet.

18

Jeff

Ik ben een zwakkeling. Het was mijn bedoeling om ver bij miss Elizabeth Davis vandaan te blijven tot na het begin van het nieuwe jaar. Ik redde het om haar niet te bellen, die dag dat ik haar in het centrum zag, en ik vermoedde dat het me wel zou lukken om haar de komende paar weken te mijden. Ze zou naar Parijs gaan om Mary te zoeken en... nou ja, daarna zouden we wel zien.

Maar toen belde ze. Haar stem klonk zo anders over de telefoon. Smekend, zacht. Ze probeerde me niet te manipuleren. Het klonk alsof ze me echt nodig had.

Toen ze me dat stapeltje krantenartikelen en andere informatie over Mary liet zien, was ik al net zo gefascineerd als zij. Maar ik voelde me ook gesterkt. Ik had altijd al gedacht dat Mary Davis meer in haar mars had dan ze liet zien. Misschien wel omdat ik haar zo graag mocht. En je wilt altijd het beste zien in de mensen die je aardig vindt. En ze had nog wel een graad in de Franse taal en als tweede hoofdvak economie! De aarzeling van Liz om haar een stem in het bestuur van de stichting te geven, lijkt daardoor des te absurder.

Weet je wat het met Lizzie is, ze is nooit in staat geweest om iets te delegeren. Haar vader was eigenlijk precies hetzelfde. Geloof het of niet, maar zes uur voor hij stierf, lag Sam nog steeds orders uit te delen. Je zou denken dat iemand op zo'n moment bezig zou zijn om vrede te zoeken met God, maar Sam was alleen maar bezig met nog meer geld verdienen. Het is gewoon de waarheid en ik denk dat ik me voor het eerst echt realiseer hoe tragisch dat is. Liz was de laatste uren niet bij Sam. Hij had tegen haar gezegd dat hij wilde dat ze op de zaak zou zijn. 'Op de bressen', zogezegd. Ten slotte negeerde ze dat bevel en kwam ze naar huis toen Mary haar belde. Maar tegen de tijd dat ze arriveerde, was Sam bijna overleden. Zover ik weet, had hij geen laatste woorden meer voor hen.

Ik weet niet hoe dit allemaal gaat lopen, maar ik vermoed dat Liz denkt dat als ze een relatie met haar moeder gaat opbouwen, ze haar vader op de een of andere manier verraadt. En die meid is zo gevormd naar het beeld van Samuel Frederick Davis, dat ze zich niet eens kan indenken dat hij weleens niet de man zou kunnen zijn die ze dacht dat hij was.

Persoonlijk zie ik niet in waarom dat zo'n crisis zou moeten worden. Niemand is perfect. Sam had grote kwaliteiten – kwaliteiten die ik bewonder. Hij had ook dingen die ik niet leuk vond. Lizzie moet gaan inzien dat ze van het goede kan houden en het slechte moet vergeven. En dan kan Sam in vrede rusten terwijl zij haar moeder beter leert kennen.

Ik hoop dat er een verandering in de lucht zit. Ik ben blij dat Irene Baxter al die informatie over 'de Mary vóór Sam' verborgen heeft gehouden. Liz weet op het ogenblik niet wat ze ervan moet denken, maar daar komt ze op een gegeven moment wel achter. Zo gauw haar paspoort komt, gaat ze – gaan we – op weg naar Parijs. Ik heb toegegeven en heb haar gezegd dat ik haar zou helpen. We zijn bezig een lijst aan te leggen van hotels in de buurt van de Sorbonne en die ga ik morgen afbellen.

Liz is op dit moment bang. Ze zit op de wip wat enkele nieuwe ontdekkingen betreft die haar beeld van het verleden weleens op zijn kop kunnen zetten. Ze is er nooit goed in geweest om haar ongelijk toe te geven. Dat is de Samuel Davis in haar. Maar ze heeft ook een zachtere kant. Dat weet ik, omdat ik daar verliefd op ben geworden.

Liz

Ik ben bang. Op het ogenblik heb ik het gevoel alsof alles in mijn universum anders is dan het altijd heeft geleken. Al die dingen die ik nooit van mijn moeder heb geweten... Ik kan maar niet begrijpen waarom mijn vader haar gedwongen heeft dat allemaal achter zich te laten. Een van de dingen in Jeff die me aantrekken, is dat hij zich niet bedreigd voelt door iemand als ik. Ik bedoel, ik ben een sterke, onafhankelijke vrouw en ik ben behoorlijk succesvol – hoewel ik de eerste zal zijn om toe te geven dat het me grotendeels op een zilveren schaaltje is aangereikt. Maar ik heb zelf ook bepaalde dingen bereikt. Sinds mijn vader stierf, is de waarde van het bedrijf gestegen. En ik zie dat graag als het resultaat van mijn inspanningen. De stichting heeft voor de fondsen voor de nieuwe oncologievleugel gezorgd. En er zijn ook wat kleinere dingen verwezenlijkt.

En Jeff voelt zich daardoor totaal niet bedreigd. Hij is een echte man. Wat dat betreft doet hij me heel erg aan mijn vader denken. Maar nu begin ik te betwijfelen of mijn vader wel de persoon was die ik kende. Ik snap niet waarom hij van mijn moeder eiste dat ze zou stoppen met vioolspelen. Wat maakt dat uit in een huwelijk? Hoe kan muziek nou een negatieve factor zijn? En waarom gaf hij haar niet een positie in zijn eigen bedrijf? Ze had er tenslotte de papieren voor. Ik ben in het eerste jaar van hun huwelijk geboren, dus misschien wilde ze wel thuisblijven voor mij. Ik wil graag weten of dat het was... of dat ze haar carrière moest opgeven. Vanwege mijn vader.

Er is zo veel wat ik haar wil vragen, maar dan zal ik haar eerst moeten zien te vinden. Jeff heeft me verzekerd dat dat zal lukken, maar ik vraag het me af, als ik naar die hele waslijst hotels kijk. En mijn paspoort is er ook nog steeds niet. Ik heb diverse e-mails naar mijn moeders mailadres gestuurd. Geen reactie. Ze zei dat alles in orde is, maar ik zou alles overhebben voor nog een berichtje van haar.

Ik heb mezelf de afgelopen dagen eens goed onder de loep genomen. En veel van wat ik zie, staat me helemaal niet aan. Het is geen wonder dat Jeff even een stap terug wilde doen. Ik ben zo blij dat Irene me die bruine envelop heeft gegeven. Dat heeft mijn ogen geopend. Het erge is dat die envelop nodig was om ze open te krijgen. Mijn moeder heeft nooit anders gedaan dan proberen een goede moeder te zijn. De meeste keren heb ik dat van tafel geveegd als gerommel in de marge en ik heb me vaak afgevraagd waarom ze niet iets zinnigs met haar leven deed. Ik herinner me dat Hillary Clinton eens een keer heeft gezegd dat ze jurist is geworden omdat ze iets belangrijkers met haar leven wilde doen dan koekjes bakken. Veel vrouwen waren daar echt kwaad over. Ik snapte niet waarom.

Toen ik mijn moeder ernaar vroeg, glimlachte ze alleen maar en zei: 'Er is in dit leven niets uitdagenders dan het vormen van een eeuwige ziel, Elizabeth. En er is niets belangrijkers dan investeren in een huwelijk en een kind.' Ze reikte over de tafel heen en gaf me een klopje op mijn hand. 'Je vader brengt een hoop werk met zich mee, lieverd. Dat wist ik toen ik tegen hem zei dat ik met hem zou trouwen. Ik mag dus niet klagen.' Ze knipoogde. 'En trouwens, ik maak de beste chocoladekoekjes aan deze kant van de Missouri.'

Ik dacht toen dat ze zichzelf met die woorden alleen maar een goed gevoel wilde geven, omdat ze in haar leven niet veel meer had bereikt dan het huis schoonhouden. Maar nu zie ik wat ze voor mij en mijn vader heeft opgegeven en schaam ik me een slag in de rondte. Volgens mij heb ik haar nog nooit bedankt voor alles wat ze heeft gedaan.

Ik ben zo blij dat Jeff heeft gezegd dat hij met me meegaat. Ik ben doodsbang. Ik bedoel, hoe moet je aan een intieme relatie gaan bouwen na achtentwintig jaar van verkeerde veronderstellingen en beoordelingen? Het is vreemd dat ik er totaal geen moeite mee heb een bestuursvergadering te leiden, geen moeite heb met vijandige concurrenten, maar dat de gedachte om met mijn eigen moeder te praten – de *echte*, niet degene die gevormd is naar het beeld van Samuel Davis – me doodsangst aanjaagt.

Mary

23 december 2003

Het moment van de waarheid is bijna aangebroken. Nu 24 december eraan komt, merk ik dat ik iets lichter geraakt ben dan anders. Ik mis Annie Templeton ook. Ik ben nog nooit in zo'n korte tijd zo aan iemand gehecht geraakt. Natuurlijk is ook dat een uitvloeisel van Sam. Zo'n band had ik niet eens met Sam na zevenentwintig jaar met hem getrouwd te zijn geweest. 'Dat is een uitvloeisel van Sam' is vandaag de dag een soort allesomvattende term voor me aan het worden.

Het is een uitvloeisel van Sam dat ik sinds 1974 geen viool meer heb gespeeld.

Het is een uitvloeisel van Sam dat ik geen intieme vriendinnen had.

Het is een uitvloeisel van Sam dat ik nooit mijn diploma's heb kunnen gebruiken.

Maar ik had het over Annie Templeton. Binnen een paar weken is Annie de dochter gaan worden die ik nooit heb gehad. Degene die me viool hoort spelen, die me aanmoedigt nieuwe dingen te proberen, die me niet ziet door een bril die is gefabriceerd door Sam… en dat is waarschijnlijk de reden dat het maar het beste is dat Annie even naar Engeland is. Als Annie in de buurt is, doet de mening van Liz me des te meer pijn. Wat ik ontwikkel met Annie, is wat ik altijd met Liz heb gewild.

Dit moet ophouden. Alle spijt over de dingen waar Liz niet vanaf weet, moet gewoon ophouden. Ik weet niet of Jean-Marc morgen komt opdagen of niet, maar begin me te realiseren dat ik mijn toekomst nooit meer aan een man zal kunnen verbinden. En toch hoop ik nog steeds dat Jean-Marc zal komen. Maar over vijfentwintig jaar wil ik niet zeggen 'dat is een uitvloeisel van Jean-Marc'. In elk geval niet als excuus voor waarom sommige goede dingen niet zijn gebeurd.

Goede dingen. Sam heeft heel wat goede dingen in mijn leven gebracht. Ik moet eens stoppen met verdriet hebben over de dingen die hij me heeft afgenomen en me dingen gaan herinneren die hij me heeft gegeven. En boven aan het lijstje staat natuurlijk Elizabeth. Als het leven was zoals het lijkt te zijn. Maar dan is het wel zo… dat Liz geen uitvloeisel van Sam is.

Irene

Nu weet ik wel dat als ik zing, het meer klinkt als een loshangend lepelrek in mijn keel dan als een lied, maar beter dan dat kan ik niet en ik heb reden om te zingen. Ten eerste is het de ochtend voor kerstavond en ik maak voor de zoveelste keer eieren voor Cecil klaar, en het is een zegen om een gezonde en liefhebbende echtgenoot te hebben – zelfs al wil hij nooit eens iets nieuws als ontbijt.

Maar het wordt nog beter. Elizabeth komt los. Het was goed om haar die papieren van haar moeder te laten zien. Ze lijkt een bijna onstilbare honger te hebben naar meer kennis over haar moeder. Ik moet uren achtereen over haar moeder vertellen – wat, nu ik erover nadenk, niet echt bevorderlijk is voor mijn zangkwaliteiten. Ik ben gewoon hees van het praten. Zoals ik het zie, hebben Lizzie en ik hier de afgelopen dagen aan de keukentafel zo'n beetje haar hele leven opnieuw beleefd. Die meid heeft meer vragen dan er vlekken op een giraffe zitten. Ze was niet zo blij met sommige antwoorden, maar ik heb mijn best gedaan om het te vertellen zoals het is en dan mag zij alles op een rijtje zien te krijgen.

Een andere reden dat ik zing, is vanwege Jeffrey Scott. Hij gaat met Lizzie mee naar Parijs. Het lijkt erop dat hun relatie met sprongen vooruitgaat. Zelfs al zit hij in een ander vertrek hotels in Parijs af te bellen, dan nog lijkt het net alsof ze verbonden zijn met een onzichtbare lijn. En als hij even weg is geweest, komt hij de keuken binnen en aait hij haar over haar schouder of geeft hij haar een kus op haar wang. Of ze trekken hun jassen aan en gaan een eindje wandelen. Of hij maakt warme chocolademelk voor zichzelf klaar – Jeffrey houdt niet van koffie – en gaat dan naast haar zitten, waarna ze even lekker tegen elkaar aan kruipen. En dat doet me denken aan de manier waarop Cecil en ik ons gedroegen toen we verloofd waren. Cecil was niet mijn eerste liefde, maar hij neemt ook geen tweede plaats in, en toen we jonger waren, hebben wij ook zat geknuffeld. Dat doen we nog steeds, zelfs al worden we soms gestoord door een man met de naam 'Arthur Itis'.

Nog een reden dat ik zing, is omdat mevrouw Davis weer een e-mail heeft gestuurd. Ze had Lizzies mail gelezen – ik vermoed dat het er meer dan één is geweest – en ze schreef Lizzie dat alles goed gaat en ze snel weer naar huis komt. Het was geen lang bericht, maar ik weet zeker dat het de sfeer voor de komende feestdagen hier in Omaha zal bepalen, die rustig, maar gelukkig zullen zijn. Ik ga vier Cornishkippen braden op eerste kerstdag en Lizzie, Jeffrey, Cecil en ik zullen het uitstekend naar onze zin hebben. En de zevenentwintigste vliegen Jeffrey en Lizzie naar Parijs om mevrouw Davis te verrassen.

Dat is dus de andere reden dat ik zing. Lizzies paspoort is aangekomen.

Dus iedereen een gezegende Kerst en welterusten allemaal.

19

Mary

Het is stil in het hotel wanneer ik de trap afdaal. Iedereen lijkt tijdens de kerstdagen wel een plekje gevonden te hebben om naartoe te gaan en wanneer ik de straat op loop, is ook die verlaten. Zelfs de auto's die altijd aan beide zijden van de straat geparkeerd staan, zijn er niet. Ik ga op weg naar het plein waar Annie en Adolpho en hun vrienden vaak hun openluchtconcerten geven en vraag me af hoe zij het maken. Zij is enig kind en haar ouders hebben bepaalde verwachtingen – waarvan Annie er volgens eigen zeggen geen één van waargemaakt heeft. Ze willen dat ze een concertcelliste wordt. En zijzelf wil viool en cello spelen, maar meer voor haar eigen lol dan als een soort roeping. Zij willen dat ze aan hun kant van het Kanaal blijft. Zelf wil ze de wereld ontdekken. Zij willen dat ze gaat trouwen en hebben de ware Jakob al voor haar gevonden. Ze wil zelf ook wel trouwen, maar dan heet hij wel Adolpho.

Ik sta even stil en wilde dat de fonteinen hun solitaire watermuziek ten gehore brachten. Verderop in de straat loopt een stelletje en ze houden hun armen stevig om elkaar heen geslagen. Het is koud genoeg om mijn adem te kunnen zien. Ik hoop dat het niet gaat regenen. Ik heb namelijk belachelijk lang aan mijn onmogelijke haar zitten frutselen. En het zit nu waarschijnlijk precies hetzelfde als toen ik een uur geleden onder de douche vandaan kwam. Dat heb je nu eenmaal met krulhaar. De krullen zijn wat minder weerbarstig geworden toen ze grijs geworden zijn en daar ben ik blij om. Maar het drijft me nog steeds tot waanzin. Annie zegt dat ik het gewoon natuurlijk moet laten vallen. Maar goed, Annie houdt van dreadlocks.

Ik loop de Boulevard Saint Michel uit en treuzel wat, waarbij ik dingen opmerk die ik de afgelopen weken heb genegeerd. Ik probeer me losjes te gedragen, maar hoe dichter ik bij de Seine kom, hoe sneller ik ga lopen. Ik ben buiten adem wanneer ik de rivier bereik en voel me belachelijk. Ik zou me niet moeten haasten. Als hij zich de Kerst van negenentwintig jaar geleden nog herinnert, komt hij niet voor het donker is. Ik sla linksaf, in plaats van rechtsaf. Uiteindelijk steek ik de Pont Neuf over – als ik daaraan denk, moet ik altijd even glimlachen. 'Dit is de "nieuwe brug", die in 1607 is gebouwd. De straatverlichting erop is pure kunst, van gegoten brons. Ze staan op een klauw en vlak bij de lampen zijn gestileerde figuren in de ornamenten verwerkt, die de voorbijgangers nastaren. Ik sta halverwege de brug stil en denk aan al die mensen die hier elke dag langskomen, alle dromen en wensen en beloftes die hier zijn uitgekomen of zijn weggespoeld, net als het water onder me. Voor me staat de Notre Dame en het silhouet is in het afnemende licht enigszins onduidelijk, omdat de schijnwerpers nog niet aan zijn.

Achter en onder me piepen banden en wordt er geschreeuwd. Het lijkt erop dat het wat driftige karakter van de Parijse taxichauffeurs zelfs op kerstavond niet getemperd is. Ik kijk op mijn horloge. Het is nog veel te vroeg. Uiteindelijk begeef ik me op weg naar de andere oever. Vanavond zijn geen van de *bouquinistes* open. Hun keetjes – draagbare 'winkeltjes' die aan de betonnen relingen aan beide zijden van de Seine hangen – zijn gesloten. Ik vraag me af waar de kleine vrouw die altijd op een smeedijzeren kruk bij de ingang zit haar Kerst doorbrengt. Ze gaat altijd gekleed in de een of andere avondjurk, compleet met hoed en handschoenen, en ze glimlacht vriendelijk naar iedereen die langskomt. Ze heeft altijd hele partijen nepsieraden om haar nek hangen. En als ze een klant heeft, springt ze van haar kruk met een energie die niet bij haar grijze haar lijkt te passen om een boeketje samen te stellen. En zelfs al is haar winkeltje vanavond gesloten, ze is vergeten de ijzeren kruk binnen te zetten. Hij staat naast de ingang, als een troon die wacht tot de koningin terugkeert. Ik vraag me af wat het bloemenvrouwtje draagt bij speciale gelegenheden. Ik beeld me haar in in een met nepdiamanten afgezette jurk met tule en een tiara, omringd door liefhebbende achterkleinkinderen die denken dat overgrootmoeder, ook al is ze een beetje maf, het kroonjuweel aan de familiestamboom is. Zelfs excentrische oude dames brengen kerstavond door met hun familie. Ik verlang met een steek van eenzaamheid terug naar huis, waar Irene waarschijnlijk bezig is kaneelbroodjes te bakken voor haar traditionele kerstmaaltijd. Ik hoop dat ze er wat voor Elizabeth en Jeffrey bakt. Sommige gewoontes moesten maar nooit veranderen.

De klokken van de Notre Dame luiden. Ik loop terug over de brug. Het begint mistig te worden, zodat de toppen van de klokkentorens in de schaduw verdwijnen en de lichten van de stad alles in een barnsteenkleurige gloed zetten. Ik sluit mijn ogen en zwerf in gedachten terug naar 1974, toen de klokken van de Notre Dame luidden op het moment dat ik voor het eerst de woorden *ik hou van je* uitsprak…

Mijn professor had aan het begin van mijn studie een lang weekend in Parijs geregeld, maar het was vanaf het begin al duidelijk dat een lang weekend niet genoeg voor me zou zijn. De stad riep me terwijl ik al die weken in Arcachon zat en toen ik uiteindelijk mijn scriptie inleverde, smeekte ik professor Max om toestemming om naar Parijs terug te keren.

Het bleek dat meneer Davis, de man met die vriend die een Rolls Royce op het Concours d'Elégance had, naar de stad zou rijden om terug te gaan naar de Verenigde Staten en dat hij me graag een lift zou geven. Ik wist dat hij grote steden haatte. Maar er was dat weekeinde een zeilwedstrijd waar ik naartoe wilde. Jean-Marc en ik hadden een flinke ruzie. Hij had dit jaar de kans om te winnen, zei hij, en hij snapte niet waarom ik dat niet begreep. Hij snapte ook niet waarom ik er niet voor hem wilde zijn. Maar ik had niet alleen de kans om Menuhin de Bartok Sonate te horen spelen, maar ook nog eens om hem persoonlijk te ontmoeten – dankzij meneer Davis – en ik snapte niet hoe Jean-Marc zo egoïstisch kon zijn dat hij me deze buitenkans misgunde.

Jean-Marc bleef in Arcachon en ik reed met meneer Davis mee naar Parijs. Hij regelde zelfs een logeeradresje voor me bij vrienden van hem in de wijk Marais. De Marais was op zich wel interessant, maar ik slenterde liever langs de boekwinkeltjes en de cafés van het Quartier Latin. Ik kon uren in de zalen van het Louvre doorbrengen.

Op zekere dag keek ik op en zag ik meneer Davis daar, die me vroeg hem Sam te noemen, me uitnodigde voor de lunch en zeer charmant en hulpvaardig bleek te zijn. Zoals beloofd, ontmoette ik Menuhin. Ik liet me die avond meevoeren aan de arm van Sam Davis en voelde me een prinses uit een sprookje en vroeg me af wanneer ik weer wakker zou worden.

Sam hield me die week in de gaten. Hij was niet opdringerig en deed ook niet al te opvallend, maar het gebeurde meerdere malen dat wanneer ik uit een museum of boekwinkel kwam, hij daar op me zat te wachten en me uitnodigde voor een lunch of een diner. Hij trakteerde me op een maaltijd bij La Tour d'Argent, lachte om mijn naïviteit en vond mijn gebrek aan ervaring met dure restaurants charmant. Hij complimenteerde me met mijn Frans – hijzelf was een middelmatig talent – en gaf me min of meer het gevoel dat ik Assepoester was.

Maar ik miste Jean-Marc. Ik was van plan geweest op kerstavond naar een mis in de Notre Dame te gaan om een beroemde organist te horen spelen. Er was die avond iets met de stad – het was regenachtig en mistig – dat het ongemakkelijke gevoel waarmee ik al dagen rondliep steeds sterker maakte. Ik had in principe al besloten de volgende morgen te vertrekken en terug te gaan naar Arcachon. Ik had daar niet echt heel bewust over nagedacht of het gepland, maar ik voelde me er steeds ongemakkelijker over dat ik me wentelde in de aandacht waarmee Sam me overspoelde. Dat leek niet eerlijk tegenover Jean-Marc.

En dus had ik op kerstavond heimwee naar een plek die niet echt mijn thuis was en realiseerde ik me dat ik verliefd was op Jean-Marc David en vroeg ik me af of hij me wel zou missen. Ik ging op een bank in de tuin achter de Notre Dame zitten en probeerde niet te huilen, maar plotseling werd ik overspoeld door een golf sentiment. Ik sloot mijn ogen, leunde achterover en luisterde naar de klokken… en toen was hij daar. Jean-Marc. Hij had de trein genomen en had de hele dag door de stad lopen zwerven om mij te vinden. Hij stond op het punt om het op te geven, maar herinnerde zich toen dat ik het had gehad over die mis in de Notre Dame. Hij was op weg naar binnen en zag me toen… in de tuin.

Hij gaf me een kus – het soort kus dat een vrouw nooit vergeet. Lief, dringend, eisend, afwachtend… er zat een compleet nieuwe wereld opgesloten in die kus. We fluisterden elkaar onze liefde toe. We wandelden. We kusten. En we zijn nooit de kathedraal in geweest.

Hij komt niet. Ik had het moeten weten. Ik heb op deze bank zitten wachten en ben nu koud en stijf. De eerste groep gelovigen komt de kerk al uit. Het orgel heeft gespeeld, het koor heeft gezongen en de klokken hebben geluid. Ik ben meerdere keren de tuin door gelopen en heb de gebrandschilderde ramen bekeken die van binnenuit worden verlicht. Ik ben naar de rivier gewandeld, heb naar het water gekeken en herinneringen opgehaald... en... het is genoeg geweest. Ik denk dat ik te weten ben gekomen wat ik wilde weten. Geen antwoord is ten slotte toch een antwoord. En de dingen die we *niet* doen, zeggen soms meer dan de dingen die we *wel* doen.

Ik haal diep adem en kijk door de mist heen naar de kerk. Ik zie de steunpilaren en kijk omhoog naar de muren die ze al eeuwen overeind hebben gehouden. Om me heen staan allemaal gebouwen die al vele generaties meegaan en dat waarschijnlijk nog wel even zullen volhouden. Ik heb er iets van opgestoken... ik denk dat ik een dwaas ben geweest om te denken dat onbetekenend kleine zorgen ook maar iets van belang zouden zijn voor de God die tot de bouw van kathedralen heeft geïnspireerd.

Zielig. Ik ben zielig. Wat ben ik aan het doen... Ik heb de halve wereld over gereisd om... tja, waar zoek ik eigenlijk naar?

Ik weet in elk geval waar ik op *hoop*. Het soort liefde dat Sam me niet kon geven. Het soort liefde dat Jean-Marc beloofde te geven – en die ik niet durfde accepteren.

Zeg maar dag met je handje, Mary McKibbin Davis. Zeg maar voor altijd tot ziens. Wat gebeurd is, is gebeurd. Je kunt niet meer terug. En waar je ook naar zoekt, het bevindt zich in elk geval niet in Parijs.

Ik haal me Jean-Marc voor de geest, waar hij zich ook bevindt, lachend om het idee dat zijn oude vlam hier in deze tuin zit te wachten op een hereniging waarbij hij niet komt opdagen. En waarom zou hij ook?

Je kunt het niet terughalen.

Je kunt het niet terughalen.

Het gaat gewoon niet.

De klokken beginnen te luiden. De tranen branden achter mijn oogleden. Ik sta op en ga op weg naar het pad langs de rivier. Ik zal de brug naar het zuiden nemen en via Klein Athene teruglopen, gewoon als herinnering aan die goede oude tijd.

'Marie? Marie, c'est toi?! C'est vraiment toi?'

Ik beeld het me alleen maar in. Het zijn de klokken... en de –

'C'est moi, Marie. Jean-Marc. Comment vas-tu, chérie? Mais tu es belle... si belle... encore... si belle...'

Die felblauwe ogen glimlachen nog steeds. Ik doe mijn mond open om iets te zeggen, maar kan geen woorden vinden. Hij heeft me *chérie* genoemd... schat. Hij vindt me nog steeds mooi. Ik zou iets moeten zeggen, maar het gaat gewoon niet. Hij kust me op beide wangen. Hij lacht. Ik glimlach, maar kan nog steeds geen woord uitbrengen. Ik neem aan dat de tranen die over mijn wangen biggelen, genoeg zeggen, omdat hij zijn armen spreidt. En ik werp me erin.

De klokken, klokken, klokken... de klokken.

20

Jean-Marc belt me op eerste kerstdag om een uur of twaalf. 'Het spijt me, *chérie*. We zijn zo laat pas gaan slapen en ik weet dat ik je vandaag zou moeten laten uitslapen, maar bestaat er een kans dat je met me gaat lunchen? De conciërge van mijn hotel weet een tentje in St. Germain dat open is.'

We gaan en rekken de maaltijd uit, waarbij we bijna non-stop praten tot de grootvaderachtige ober het dessert voor onze neus neerzet. Wanneer ik naar het schuimgebak kijk, gevuld met slagroom en gegarneerd met een framboos en iets groens, schud ik mijn hoofd. 'Ik kan niet meer. Het ziet er fantastisch uit, maar ik zit gewoon stampvol.'

'Proef het dan in elk geval,' dringt Jean-Marc aan. 'Mijn grootmoeder maakte dit altijd voor speciale gelegenheden.' Hij begraaft zijn lepeltje in de smurrie en steekt dat naar me uit. Ik voel mijn wangen rood worden. En schaamte over schaamte maakt het alleen maar erger. Mijn wangen moeten wel bijna opgloeien wanneer ik toesta dat ik word gevoerd. Bij de eerste smaaksensatie knik ik instemmend. '*Délicieux*.'

'Ik zei het toch al.' Hij glimlacht. 'We wachten gewoon even. Straks heb je wel weer wat plek.'

De jaren hebben de overtuigingskracht van die blauwe ogen niet verminderd. 'Goed,' zeg ik en leun achterover met mijn handen in mijn schoot. 'Het is jouw beurt om te praten. Houd je nog steeds van Chopin?'

'Te lang op zee,' antwoordt hij terwijl hij zijn hoofd schudt. 'Maar misschien dat ik het weer zou moeten oppakken. Ik heb ruimte zat op de *Sea Cloud*. Een kleine piano zou best passen. Of misschien een van die keyboards.' Hij glimlacht nogmaals. 'Ik heb je favoriete muziek proberen te spelen op de dag dat ik je brief kreeg.'

'Echt?' Mijn hart bonkt. Ik voel mezelf beven. Ik probeer zo gewoon mogelijk te doen en neem een hap van mijn toetje.

Jean-Marc knikt. 'Ja. Ik stak je brief in mijn zak, liep naar de muziekkamer van het huis, ging zitten en –' hij lacht zacht '– maakte er een zootje van.'

Ik slik de hap door en proef hem niet eens. 'Ik was bang dat het huis ondertussen al gesloopt zou zijn om plaats te maken voor een groot hotel of iets dergelijks.'

'Het ziet er nog hetzelfde uit als toen jij er de laatste keer was. Ik heb alleen de sparren in de tuin moeten omhakken, zodat ik de baai kon zien... en *haar*.'

Ik glimlach. 'Mijn vriendin Annie moest me bijna reanimeren toen ik de *Sea Cloud* op je website zag. Ik kon niet geloven dat het je echt was gelukt. Ze behoort jou echt toe.'

De blauwe ogen stralen trots uit. 'Zeven jaar ondertussen,' zegt hij.

'Dat is mooi.'

Jean-Marc houdt zijn hoofd ietsje schuin en denkt na. Ik zie een litteken langs zijn kaaklijn lopen. Ik let hoe dan ook veel te veel op zijn lichaamsbouw. Ik neem nog een hap van mijn toetje.

'Ja. En nee. Mijn dochter vindt dat ik het eigendom ben geworden van mijn schip... en niet andersom.' Hij zucht en haalt zijn schouders op. 'In veel opzichten denk ik dat ze gelijk heeft. Een dame zoals de *Sea Cloud* heeft een hoop zorg nodig.' Hij kijkt me aan. 'Celine vindt dat ik met pensioen moet gaan. Ik denk dat ze me graag zou zien als een oude, strompelende man die voor de rozenstruiken in haar tuin in Toscane zorgt.'

Ik grinnik. 'Volgens mij strompel jij voorlopig nog niet. Vertel me eens wat meer.'

Jean-Marc vertelt me over de aankoop van de *Sea Cloud*. Hij beschrijft zijn kleinzoons. Hij heeft het ook over zijn assistent, Paul Garnier.

'Die Paul Garnier van jou lijkt veel op mijn Cecil Baxter thuis,' zeg ik. 'Betrouwbaar, kennis van zaken en oog voor detail.'

'Precies,' is Jean-Marc het met me eens. 'Ik zou niet weten wat ik zonder hem moest. Hij heeft zijn zaakjes in Arcachon zo goed op orde, dat ik enkele weken zou kunnen verdwijnen zonder dat het opvalt.'

'Maar dat geeft jou dan ook de mogelijkheid om dat daadwerkelijk te doen, nietwaar? Je kunt zo de zee op en thuis blijft alles gewoon doordraaien.' Ik kan me niet herinneren dat ik het naar binnen heb geschept, maar mijn toetje is op.

Jean-Marc bestelt twee espresso's en we blijven nog wat praten. Tegen de tijd dat ik in mijn hotel arriveer, realiseer ik me dat het in Omaha pas zes uur 's morgens is. Ik toets het nummer van Liz in en bereid me mentaal voor op een verontschuldiging. Niemand neemt op. Ik laat een korte boodschap achter – 'Gezegende Kerst. Met mij gaat het goed' – en bel naar huis. Weer geen antwoord.

De volgende keer dat de telefoon overgaat, werp ik een blik op de klok en zie verbaasd dat het bijna twaalf uur tussen de middag is. Ik doe mijn best om mijn vermoeidheid te verbergen en enthousiast te klinken wanneer ik de telefoon opneem.

'Je bent uitgeput, *chérie*,' zegt Jean-Marc. 'Ik hoor het aan je stem.' Hij zwijgt even. 'Wat dacht je hiervan? Er woont een oude vriend van me in Parijs. We zouden vorige week samen dineren, maar dat lukte niet. Zijn zaak is deze week dicht, dus is het een prima moment om samen te gaan lunchen. Ik ga zo naar hem toe. Jij en ik zouden later kunnen gaan dineren – nadat je nog wat rust hebt genoten. Heb je al iets van je dochter gehoord?' Wanneer ik nee zeg, reageert Jean-Marc: 'Des te meer reden voor jou om bij de telefoon te blijven. Ik kom later vandaag naar je toe.'

Aarzelend stem ik toe. Nadat ik nog een keer geprobeerd heb naar huis te bellen, plof ik weer in bed en slaap nog zeker een uur. De rest van de middag breng ik door in een warm bad, ik lees wat en ik schrijf in mijn dagboek.

Jean-Marc komt vroeg in de avond opdagen en samen wandelen we de heuvel af, de hoek om en naar de Jardin du Luxembourg, waar we eerst een breed trottoir uitlopen, daarna over minder drukke paadjes, tot we ten slotte op een bankje gaan zitten dat tegenover een slapende fontein staat, die bijna overwoekerd is door klimplanten.

'Ik zou het leuk vinden als je mijn dochter ontmoette,' zegt Jean-Marc zomaar opeens.

'Dat zou leuk zijn.'

'Ik had haar bijna naar jou vernoemd.'

Ik produceer een nerveus lachje wanneer ik reageer: 'En wat zou haar moeder daar niet van hebben gevonden?!'

'Celines moeder... bemoeide zich niet zo met haar. Ik heb er alles aan gedaan om Celine niet te laten denken dat ze een "ongelukje" was, maar...'

'Ik snap het.' Het onderwerp dochters geeft me een ongemakkelijk gevoel.

'Jij hebt nog nooit Toscane gezien, hè?' vraagt Jean-Marc. Wanneer ik nee zeg, begint hij Celines villa in de buurt van Florence te beschrijven. En hij dringt erop aan om met hem mee te gaan en haar te leren kennen. 'Je zult ze allemaal ontmoeten – Celine, Xavier en Olivier.' Zijn enthousiasme over het idee groeit en hij rondt de uitnodiging af met: 'En dan kunnen we op de terugweg Arcachon en de *Sea Cloud* aandoen.' Er moet onzekerheid van mijn gezicht afstralen, omdat hij plotseling zwijgt. 'Het spijt me,' zegt hij. Wanneer hij weer begint te praten, klinkt hij rustiger. 'Ik heb je overvallen.' Hij grinnikt en klopt op de rug van mijn hand. 'Je ziet het, ik ben niet veel veranderd sinds ik een onstuimige jonge vent was, of wel?'

Hij pakt mijn hand. Ik trek hem niet weg en ontwijk de uitnodiging. 'Annie Templeton verwacht me in het hotel aan te treffen wanneer ze van de week terugkomt van vakantie. Ze heeft voor het eerst haar vriend mee naar huis genomen nu ze naar Engeland is...' Ik had hem al kort over Annie verteld toen ik het over zijn website had. Ik vertel hem over Adolpho en Enzo, en dan zeg ik met mijn eigen versie van onstuimig gedrag tegen hem: 'Je zult ze wel mogen.'

Jean-Marc lijkt het wel een leuk idee te vinden om mijn nieuwe vrienden te ontmoeten. 'Ik mag iedereen waar jij zo hoog van opgeeft,' zegt hij, waarna hij vooroverleunt en even in mijn schouder knijpt. 'Maar ik vraag me af waarom ik zo veel over een Brits meisje met de naam Annie Templeton weet en zo weinig over Elizabeth Davis. Besef je wel dat je vrijwel nog niets over je eigen dochter hebt verteld?'

Mijn hart begint weer te bonken. Ik wend mijn blik af. 'Elizabeth is intelligent, georganiseerd en mooi. Toen Sam de leiding van het bedrijf aan haar overdroeg, had hij er het volste vertrouwen in dat ze het aan zou kunnen. En ze heeft bewezen dat hij het bij het rechte eind had.'

'Maar waarom praat je dan niet méér over haar?'

Ik haal mijn schouders op. 'Liz houdt van me omdat ik haar moeder ben, maar ze respecteert me niet als vrouw. Ze is van een generatie die het echtgenote- en moeder-zijn niet ziet als een fulltime carrière.'

Er blijft een lange stilte tussen ons in hangen. Niet echt ongemakkelijk, maar ook niet echt prettig. Jean-Marc verbreekt hem met een volgende vraag. 'Was je gelukkig?'

Onze blikken kruisen elkaar. 'Ik was… tevreden. Na een tijdje. Ik leerde tevreden te zijn.' Ik kom niet verder en kijk weg, me bewust van mezelf en zenuwachtig over de richting die het gesprek uitgaat.

Jean-Marc keert terug naar het oorspronkelijke onderwerp. 'En je dochter,' zegt hij, 'vertel me eens wat meer over haar.'

Ik praat eerst over Jeff en geef hoog van hem op als de perfecte partner voor mijn wilskrachtige dochter voor ik een beetje opschep over Elizabeths carrière. 'Dus je ziet,' besluit ik, 'hoe het komt dat ze een fulltime huismoeder niet waardeert.'

Jean-Marc gebaart nogal druk wanneer hij zegt: 'Waarom zie je je leven als iets waar je je voor moet schamen? Elizabeth zou respect moeten hebben voor wat je hebt gedaan. Er is niets mooiers in het leven dan een ander gelukkig maken. Van wat ik van jou begrijp, was het niet eenvoudig om een man als Sam Davis tevreden te stellen. En toch ben je bij hem gebleven. En Elizabeth zal toch zeker waarderen dat je van alles hebt opgegeven om thuis te zijn voor haar en haar vader?' Hij wacht op een antwoord. Ik weet niet hoe ik moet antwoorden zonder dat het lijkt alsof ik Sam afval. Hij begrijpt de reden van mijn stilzwijgen. 'Wat?! Heb je haar nooit over jouw muziek verteld? Over je plannen?'

Ik schud mijn hoofd. 'Sam wilde niet dat ze het wist.'

'En jij hebt daarmee ingestemd?'

'Ik… ik had er een goede reden voor,' is alles wat ik kan uitbrengen.

Hij is nu boos. Niet op mij, maar op de omstandigheden.

Hij gebaart nog wilder als hij weer iets zegt en staat op om heen en weer te kunnen benen terwijl hij een preek afsteekt. 'Wat voor redenen kan een vrouw nou hebben om haar eigen ik op te geven en zich te binden aan een man die het onmogelijke van haar eist!' Wanneer hij zwijgt om adem te halen, kijkt hij me aan en zo snel als zijn woede is opgekomen, zo snel is hij ook weer verdwenen. Hij gaat weer zitten. 'Het spijt me,' verontschuldigt hij zich. 'Het klinkt me gewoon zo absoluut onlogisch in de oren.' Hij leunt voorover, met zijn ellebogen op zijn knieën, en kijkt naar de grond. Zijn stem klinkt vriendelijk wanneer hij vraagt: 'Waarom heb je me geschreven, *chérie*?'

'Ik weet niet zeker of ik daar wel een antwoord op heb.' Ik vecht tegen de tranen en wilde dat ik nooit de brief had geschreven die heeft geresulteerd in zo veel zelfbespiegelingen en zo veel vragen die ik niet kan beantwoorden.

'Dat geloof ik niet.' Hij staat weer op. 'Je weet het best. Je wilt het me alleen niet vertellen.' Hij strekt zijn handen naar me uit en trekt me overeind. 'Het geeft niet,' verzekert hij me. 'Het is een heerlijke avond in Parijs. Laten we een stuk gaan wandelen. Ik beloof je niet meer zo heftig te reageren. Vertel me alleen maar wat je me wilt vertellen. Wees jezelf.'

'Mezelf,' mompel ik, me bewust van de bitterheid in mijn stem, maar niet in staat die te verbergen. Ik haal diep adem en de woorden beginnen naar buiten te tuimelen. 'Welke zelf zal ik zijn? De Mary die het heerlijk vond de zee tegen haar gezicht te voelen spetteren? De Mary die haar eerste liefde verried? De Mary die heeft gebogen voor de zelfzuchtigheid van een oudere man? De Mary die –'

'Ssssst. Stop.' Jean-Marc raakt mijn wang aan. 'Je hoeft niet zo opgefokt te doen. Je had de mogelijkheid om te kiezen tussen avontuur en zekerheid en je hebt voor het laatste gekozen.' Hij zwijgt even en zegt dan langzaam: 'Ik hield van je, Mary McKibbin, maar ik zou je waarschijnlijk ook een rotleven hebben bezorgd. Alles wat je zojuist over jezelf hebt opgesomd – de sterke *en* de zwakke punten – het zijn allemaal facetten van dezelfde vrouw.' Hij laat zijn vinger langs mijn kaaklijn glijden. 'En ik vind dat al die facetten uitstekend samengevloeid zijn.'

'Maar ik voel me niet compleet!' gooi ik eruit. Zijn blauwe ogen staan vriendelijk en ik vervolg: 'Ik heb het gevoel dat ik, overal waar ik ben geweest, splinters van mezelf heb achtergelaten. Ik verliet de zee toen ik ermee instemde dat Sam me een lift naar Parijs gaf. En jou. Ik heb jou verlaten. Ik heb mijn muziek achter me gelaten.' Mijn stem beeft. Ik schaam me, maar blijf doorpraten. 'Ik heb zo veel achter me gelaten terwijl ik de vrouw probeerde te zijn die Sam wilde dat ik zou zijn, dat ik niet eens meer weet wie ik ben. En of ik dat ooit nog zal worden. En wat erger is, ik weet niet eens of ik het wel verdien om –' Ik geef het uiteindelijk op en verberg mijn gezicht in mijn handen.

'Dus daar ging die brief eigenlijk echt over,' zegt Jean-Marc terwijl hij mijn vingers van mijn gezicht peutert en me in zijn armen trekt. Hij ruikt naar sigarettenrook en eau de cologne. Zijn baard kriebelt tegen de zijkant van mijn gezicht wanneer hij me over mijn achterhoofd streelt en praat. 'Niet zozeer over het terugzien van een oude vriend... als over het rechtzetten van oude, verkeerde beslissingen. Je neemt te veel op je schouders, *chérie*. Je zei dat je me hebt verraden, maar ik ben daar anders over gaan denken. Jij hebt me gedwongen om iets te doen waar ik bang voor was.' Wanneer ik probeer te protesteren, houdt hij me steviger vast. 'Ja, ja, ik weet het. Ik had de droom al. Maar ik weet niet of ik ooit echt uitgevaren zou zijn. Die avond, toen ik besefte dat ik je kwijt was, ben ik zonder erbij na te denken er in mijn eentje op uit gegaan. En dat zette me op het spoor naar de *Sea Cloud*. Misschien had ik dat nooit gedaan als je bij me was gebleven.'

Hij doet een stap achteruit, reikt naar iets achter mijn hoofd en doet alsof hij iets zwaars van mijn schouders heeft gehaald en het nu vasthoudt. 'Hoe dan ook,' zegt hij, 'laten we gewoon dat gewicht van die mooie schouders van je wegnemen en...' Hij doet alsof hij iets in de met klimplanten overdekte fontein gooit. 'Zo.' Hij klopt het denkbeeldige stof van zijn handen voor hij naar me toe leunt en me een zoen op mijn wang geeft. 'Dat is weg.' Hij kijkt naar de traan die over mijn ene wang rolt. 'Wat is dat?'

Ik snuif en veeg de traan weg. 'Opluchting, vermoed ik.' Ik kan hem niet aankijken. In plaats daarvan bestudeer ik de fontein.

'Denk je nou echt dat ik bijna dertig jaar lang wrok heb gekoesterd over een verlegen Amerikaans meisje?' Hij gaat voor me staan en blokkeert mijn zicht op de fontein, waarbij hij me dwingt hem aan te kijken.

Ik lach nerveus en schud mijn hoofd, waarna ik een volgende traan wegveeg. 'Dan zou ik veel belangrijker voor je zijn geweest dan ik in werkelijkheid was, nietwaar?'

Jean-Marc gaat weer zitten en trekt me naast zich neer. Hij grijpt mijn hand. 'Een man vergeet nooit zijn eerste liefde, Marie.' Hij spreekt het uit zoals hij dat lang geleden deed. *Marie*. Met de Franse *r*. 'Hij bewaart altijd een speciaal plekje voor haar in zijn hart,' vervolgt hij. 'Ik hield erg veel van je. En toen ik eenmaal over het verlies heen was – en ik moet toegeven dat dat wel even heeft geduurd – heb ik mijn best gedaan om geen bitterheid toe te laten.' Hij legt zijn hand over zijn hart. 'Ik heb mijn herinneringen aan jou veilig bewaard. En hoewel ze bij tijd en wijle pijn doen... geven ze me af en toe ook vleugels.'

Ik haal diep adem en voel wat spanning uit mijn lichaam wegvloeien. 'Het spijt me zo dat ik je op die manier heb gekwetst.'

'Genoeg,' zegt hij terwijl hij opstaat en me weer overeind trekt. 'Genoeg verontschuldigingen en genoeg verdriet.' Hij leidt me de tuin uit en de weg over, naar een bloemenwinkel. Hij grijpt twee enorme boeketten, rekent af en neemt me dan mee naar de Seine. We komen aan bij de Quai de Conti, waar Jean-Marc me mee de trap af neemt en langs de rivier naar een leeg bankje onder een boom voert.

'Deze dingen,' zegt hij terwijl hij de boeketten omhooghoudt, 'zijn de pijn van het verleden.' Hij trekt een bloem van zijn steel en gooit die in het water. 'Daar gaat de avond dat Sam Davis aankondigde dat je de zijne zou worden. Deze' – hij plukt een andere bloem en doet hetzelfde – 'is de eenzame treinreis terug naar Arcachon... En deze is het wegzeilen zonder jou...'

Hij blijft maar bloemen uit het boeket plukken en in de rivier gooien en teleurstellingen opnoemen tot het eerste boeket niet veel meer is dan kale stengels. Hij legt het andere boeket neer en slaat dan zijn armen om me heen. 'Zie je, Marie. Ze drijven weg. Alle teleurstellingen en pijn. En nog steeds heb ik je in mijn armen.' Hij kust me zachtjes in mijn nek en ik voel dat het kippenvel op mijn armen staat.

'Goed.' Hij pakt het andere boeket, plukt er een bloem af en geeft die aan mij. 'Jouw beurt.'

Ik pak de bloem aan, doe een stap naar de waterkant toe en fluister: 'De blik in je ogen, die avond... toen ik dacht aan de lege ligplaats waar je boot zich had moeten bevinden... de brief die ik nooit heb geschreven...' Ik volg het voorbeeld van Jean-Marc en laat mijn spijt over de Seine wegdrijven tot er nog maar één bloem over is. Ik snuif de geur ervan op en grap dat het verdriet op is. Ik ga naast Jean-Marc zitten, kijk de wegdrijvende bloemen na en ben me er scherp van bewust dat er nog één over is.

De volgende avond lopen Jean-Marc en ik de Boulevard Saint Michel uit, langs winkels die alles verkopen van boeken tot paraplu's, van Doc Martin-schoenen tot Levi's, langs de met stalen hekken omgeven ruïnes van Romeinse badhuizen en de wijk Klein Athene in, waar smalle straatjes de geuren herbergen van keukens van over de hele wereld.

Wanneer we een hoek om gaan, leunt Jean-Marc naar me toe en fluistert hij: 'Weet je nog dat we geen deuropening voorbij konden lopen zonder dat er iemand naar je glimlachte en ons naar binnen probeerde te lokken? En hoe jaloers ik was?'

Ik schud mijn hoofd en lach. 'Daar hoeven we ons vanavond geen zorgen over te maken.'

'Monsieur, vous avez une belle femme.' Degene die dat zegt, leunt tegen de deurpost van een klein Arabisch restaurant.

Ik voel mezelf blozen door de overduidelijke flirt van de man. En het feit dat hij denkt dat ik de vrouw van Jean-Marc ben, doet me alleen maar meer kleuren.

'Ce n'est pas ma femme, monsieur, mais vous avez raison,' roept Jean-Marc terug terwijl hij mijn hand pakt en die door zijn gebogen arm steekt, *'elle est belle.'* Als echte heer corrigeert Jean-Marc de veronderstelling van de man dat ik zijn vrouw ben, maar is hij het eens met zijn opmerking over mijn schoonheid.

'Pas votre femme?' reageert de Arabier, waarna hij met zijn tong klakt. *'C'est dommage.'*

'Zie je, Marie,' zegt Jean-Marc terwijl hij op mijn hand

klopt, 'Europese mannen hebben betere ogen. Wij kijken met ons hart... en zien de vrouw die binnen in je zit.'

Wanneer we een volgend restaurant passeren en een andere man naar me knipoogt, protesteer ik. 'Ik weet dat het hun taak is om te flirten –' ik moet even grinniken '– maar ik was vergeten hoe goed ze daarin waren.'

Een klein stukje verderop sta ik stil om een artistiek in elkaar gezette partij stokken en stammetjes te bewonderen die als luifel dienen voor zowel de deuropening als het raam van een restaurant met de naam Les Argonauts. Er hangen ook een stel gekleurde peertjes en ornamenten in en het geheel is mede bedoeld om de aandacht te trekken. De uitbater, een korte, getaande man met geweldige, donkere ogen, gebaart naar het raam, waar een partij vlees en vis op een bed van ijs ligt die je het water in de mond doet lopen. Ik bewonder de artistieke uitstalling en wijs naar een waaier van helderrode garnalen en kreeftenstaarten die zijn gegarneerd met schijfjes citroen en een groentesoort die ik niet herken.

De restaurateur bedankt me voor het compliment en voegt er in het Engels aan toe: 'Maar pas in de bereiding ontdek je de echte kunst.' Hij gebaart naar de deuropening en wijst naar binnen, waar twee rijen tafeltjes de muren vullen, met alleen maar een smal gangpad waardoor de obers de gasten bedienen. De geur van gegrild vlees drijft naar buiten. 'We grillen lam voor u en we hebben muziek.' Hij leunt naar me toe, knipoogt en zegt op een samenzweerderig fluistertoontje: 'Dansen!'

'Je ne danse pas,' zeg ik snel en schud mijn hoofd.

'U danst niet?' protesteert de man. 'Maar, madame, niet dansen is niet leven.' Hij richt zich tot Jean-Marc. 'Kom binnen. Eet met ons mee. Als u het niet lekker vindt, betaalt u niets. En –' hij trekt beide wenkbrauwen op en knikt naar ons, waarna hij weer naar voren leunt, alsof hij ons een geheim wil vertellen '– ik geef u een gratis glas goede wijn. Dan kunt u proosten op een goede vriendschap, goed?'

Jean-Marc snuift de etensgeuren diep in zich op. 'Het ruikt inderdaad heerlijk, *chérie*.'

We volgen de Griek naar binnen. Hij leidt ons naar een tafeltje achterin, in de buurt van een petieterig podiumpje waar twee mannen op hoge krukken zachtjes op de Griekse versie van een gitaar spelen. Ik kan me de naam van het instrument niet meer herinneren en dat stoort me. Eenmaal op onze stoel kijk ik op naar het plafond, waar elke denkbare papieren lantaarn hangt. Het restaurant is doordrenkt van charme en heeft duidelijk lak aan brandveiligheidsvoorschriften.

De Griek roept een ober. 'Voor *monsieur et madame*, speciale bediening vanavond, ja?'

De ober knikt. Terwijl ik naar hun onuitgesproken communicatie kijk, vraag ik me af hoeveel duizenden keren deze vent klanten naar binnen heeft gelokt met een complimenteer-de-dame, beloof-gratis-eten en behandel-hen-alsoude-vrienden routine.

Met een beetje aanmoediging van Jean-Marc vertelt de ober dat hij een relatieve nieuwkomer in Parijs is, een student met familie in Chicago, en hij wil ooit naar hen toe en in Amerika een Grieks restaurant openen. Hij vertelt ons zijn plannen met een knipoog in mijn richting. 'Wat is een betere manier om je leven door te brengen dan met het plezieren van een vrouw, nietwaar?' En dan wendt hij zich tot Jean-Marc. 'U moet haar ervan zien te overtuigen, monsieur, dat wijn en vrouwen beter worden met de jaren.' Hij grijnst naar me.

Terwijl de ober verdwijnt om onze bestelling door te geven aan de kok, laat ik de wijn in mijn glas ronddraaien en neem een slokje. Ik voel me ongemakkelijk en niet op mijn plek.

Jean-Marc reikt over het tafeltje heen en tilt mijn kin op. Zijn ogen kijken onderzoekend in de mijne als hij vraagt: 'Wat is er met je gebeurd, *chérie*? In het verleden zou je die jongeman een gevat antwoord hebben gegeven, waarna je de avond dansend in het gangpad met hem zou hebben afgesloten. Alleen maar voor de lol.'

'Ik ben oud geworden,' antwoord ik. 'En ik doorzie hun... vleierei.' Ik schud mijn hoofd. 'Het is maar een spelletje. Van leugens.'

'Natuurlijk is het een spelletje,' is Jean-Marc het met me eens, 'maar er was een tijd dat je genoeg van het leven genoot om spelletjes te spelen.'

Voor ik kan reageren, komt de ober ons eten brengen – grote borden gegrild vlees met gebakken aardappeltjes en salade. De muzikanten beginnen te zingen en een gesprek is vrijwel onmogelijk geworden. Bij de eerste hap besef ik dat, hoewel de Griekse restauranthouder waarschijnlijk een bekend spelletje speelde om ons naar binnen te lokken, hij zijn belofte over het eten heeft waargemaakt. Tussen elke hap sappig lamsvlees en heerlijke biefstuk op de spies, zorgt een stuk tomaat, ui of paprika voor een frisse smaakpauze voor ik de volgende hap neem. Ik heb mijn halve maaltijd al achter de kiezen voor de muzikanten hun heftige volksmuziek beëindigen en hun optreden voortzetten met rustige achtergrondmuziek. Jean-Marc begint weer verhalen op te lepelen en ik geniet van mijn eten en luister.

We zitten te genieten van onze koffie wanneer Jean-Marc zijn kop neerzet en zegt: 'Genoeg over het verleden. Wat is Mary Davis van plan, nu ze in alle opzichten een onafhankelijke vrouw is?'

De ingelijste spreuk op mijn bureau in Omaha flitst door

mijn gedachten. Ik haal mijn schouders op en vertel hem over de stichting en het werk dat daarbij komt kijken.

'Die stichting – is dat jouw nieuwe passie?'

Ik schud mijn hoofd. 'Niet echt. Het is goed werk. Belangrijk. Maar Elizabeth is heel erg efficiënt. Ze heeft mijn hulp niet echt nodig.' Ik leun achterover in mijn stoel en neem een slokje water voor ik zeg: 'Liz ziet me niet echt als een aanwinst voor de stichting. Ze ziet me als niet veel meer dan een decoratief element in het leven van Samuel Davis.'

'Was je dat?'

'Wat?'

'Alleen maar een decoratief element.'

'In sommige opzichten wel, ja,' zeg ik, waarna ik er gehaast aan toevoeg: 'Maar in andere opzichten weer niet.'

'En was je gelukkig?'

Die felblauwe ogen zuigen me weer naar binnen. Hoe kan dat, na al die jaren? Wat had hij op zekere avond op dat strand ook alweer gefluisterd...? *'Ik heb geen macht over mijn ogen.'* Ik realiseer me dat als ik niet oppas, ik geen macht meer heb over mijn woorden. Ik wend mijn blik af. 'Zoals ik eerder al zei, heb ik geleerd tevreden te zijn.' Ik forceer een glimlach. 'Sams wereld was behoorlijk goed gedefinieerd. Hij hield van orde. Voorspelbaarheid. Avondeten precies om zeven uur en zo. En dat heb ik goed gedaan.'

'Dat zal best,' zei Jean-Marc terwijl hij langzaam knikte.

Achter hem weet de ober een Amerikaanse vrouw met een T-shirt met daarop *I Love NY* over een weelderige boezem zover te krijgen om op te staan, waarna hij een eenvoudig danspasje voordoet. Ze bewegen zich door het smalle gangpad zijwaarts in onze richting. De luidruchtige vriendinnen van de Amerikaanse beginnen te juichen en te klappen en de ober en de jonge vrouw haken bij elkaar in.

Plotseling staat Jean-Marc op en steekt hij zijn hand naar me uit.

Ik schud *nee* en kijk om me heen, in de hoop dat niemand het heeft gezien.

Hij smeekt: 'Op de goede oude tijd, *ma chérie.*'

De ober valt hem nu bij en de rest van de gasten beginnen me nu ook aan te moedigen. Mijn wangen staan in brand wanneer ook ik opsta en Jean-Marc naar de voorzijde van het restaurant volg. Ik ben blij wanneer ook een ander stel opstaat.

Wanneer Jean-Marc zijn handen boven zijn hoofd houdt, doe ik hetzelfde en we verstrengelen onze vingers in elkaar. Ik leun dicht naar hem toe en fluister hem toe: 'Hier ga ik je voor vermoorden. En dan gooi ik je lichaam in de Seine.'

De blauwe ogen van Jean-Marc sprankelen wanneer hij zijn hoofd achterovergooit en lacht. 'Sterven voor een dans met een mooie vrouw – dat is een eervolle dood, *n'est-ce pas*?'

Het restaurant resoneert van de muziek en het klappen terwijl we onze weg zoeken door het gangpad, op het trage ritme van de gitaren. Langzaamaan versnellen de gitaristen het tempo. Er voegen zich nu meer obers bij de gasten, die inhaken en naar voren en naar achteren stappen. Naar voren en naar achteren.

Onze ober, Alain, geeft een tik tegen een rij belletjes die naast een papieren lantaarn hangen, waarna hij de sjaal die als riem fungeert, afrukt en hem naar Jean-Marc gooit, die hem uit de lucht grist en hem om mijn middel slaat. Hij houdt beide uiteinden vast en laat te allen tijde de open ruimte tussen ons tweeën intact. Voor het eerst sinds onze hereniging in de tuin achter de Notre Dame wend ik mijn blik niet af van die felblauwe ogen. Te midden van de muziek en de belletjes, de geur van gegrilde biefstuk en sigarettenrook, het licht van de lantaarns boven ons en dat van de kaarsen op de tafels, vervagen de voorbije jaren. Ik hef mijn handen boven mijn hoofd en klap met de muziek mee. Ergens tussen de laatste twee coupletten van het opzwepende lied vervliegt het gewicht van alle jaren en alle verwachtingen, en van schuld en dood. Ik ben weer het meisje dat verliefd is op een jongen, meegevoerd door de muziek, en grijze haren en rimpeltjes doen er niet meer toe. Bij de laatste noot van het lied gooit Jean-Marc de sjaal opzij en tilt hij me op. Hij draait me rond, lacht en kust me op mijn wangen terwijl hij me de paar stappen naar ons tafeltje toe draagt. Wanneer hij me neerzet, kust hij me nogmaals, maar niet op mijn wang. Ik beantwoord de kus.

De muzikanten zetten een ander lied in – zachte gitaarmuziek en oorstrelende stemmen. We laten ons in onze stoelen vallen, buiten adem en lachend, en werpen elkaar een geheimzinnige glimlach toe. Jean-Marc heft zijn glas water op en we proosten op elkaar voor hij overschakelt op wijn. Hij leegt zijn glas voor hij een sneetje baguette van tafel grist. Hij trekt de korst eraf en werkt het naar binnen.

'Het lijkt erop,' zegt hij, 'dat je *toch* nog danst.'

We wandelen arm in arm terug naar mijn hotel. Net voor de ingang haakt Jean-Marc nog eens bij me in en terwijl hij het wijsje neuriet, herhalen we de Griekse volksdans. En zo bewegen we ons naar binnen en op weg naar de wenteltrap, waar twee nieuwe hotelgasten op de lift wachten, zich niet bewust van het feit dat die veel te klein is voor al hun bagage.

De vrouw draait zich om en kijkt me aan. Ze werpt een blik op Jean-Marc en dan kijkt ze weer ongelovig naar mij.

'Mam?'

21

Jeff

Het zou zeer zwak uitgedrukt zijn als ik zou zeggen dat het een ongemakkelijke situatie was. Wie die Franse vent ook is – en geloof me, dat ga ik tot op de bodem uitzoeken – hij was zo glad als een aal.

'Jij moet de lieftallige Elizabeth zijn,' zei hij meteen. In het Engels. 'Ik heb van je moeder heel wat goede dingen over je gehoord,' zei hij. De glimlach die hij Mary toewierp, was... ronduit bezitterig. Maar op dat moment maakte ik me meer zorgen om Liz, die voor mijn gevoel op barsten stond. En dus nam ik het voortouw.

'Ik ben Jeffrey Scott, de verloofde van Liz,' zei ik en stak mijn hand uit.

'Jean-Marc David,' zei de vent terwijl hij mijn hand aanpakte. Hij gaf een stevige hand. Hij keek me recht aan. *Niets te verbergen,* leek hij te zeggen. Dat had ik natuurlijk wel verwacht. Niet vanwege hem, maar omdat ik Mary ken. Maar toch verwachtte ik een verklaring. Ik dacht dat Mary wel iets zou zeggen, maar dat deed ze niet. Nadat meneer David mijn hand had geschud, keerde hij zich tot Mary, gaf haar een kus – in elk geval nog op de wang – maakte een lichte buiging en verdween. Ik zou er een hoop geld voor hebben overgehad om te weten wat hij Mary in haar oor fluisterde voor hij naar Liz en mij knikte.

De lift kwam. Mary zei: 'Jullie krijgen daar nooit al jullie bagage in.' Ze greep het hengsel van een van de koffers van

Liz. 'Ik neem deze wel mee naar boven. Op welke verdieping zitten jullie?'

'De vijfde,' antwoordde Liz. 'Jeff heeft 503. Ik heb 510.'

'510,' herhaalde Mary. Ze gebaarde ons de lift in. Het laatste wat ik zag voor de liftdeur dichtgleed, was dat Mary zich omdraaide om naar de ingang van het hotel te kijken. Alsof ze naar Jean-Marc David zocht.

Mary

'Ik maakte me zorgen om je, mam.' Liz beweegt zich weloverwogen, neemt de koffer van me over en rijdt hem over het tapijt de slaapkamer in. 'Maar het lijkt erop dat dat niet nodig was,' zegt ze over haar schouder.

'Ik zei toch dat je je geen zorgen hoefde te maken,' reageer ik. 'En ik heb je meer dan eens proberen te bellen, maar er werd nooit opgenomen. En nu snap ik waarom. Jullie waren op weg hierheen.'

'Ja. Nou, ik had me nog niet gerealiseerd hoe volledig je was hersteld van… wat het dan ook was dat je deed besluiten slaappillen te gaan sparen.' Ze grist haar handtasje van het bed, rommelt erin, waarschijnlijk op zoek naar de sleutel van haar koffer. 'Stom van me. Ik dacht dat Parijs een soort afleiding voor je was, om niet aan je verdriet te hoeven denken.' Ze vindt de sleutel en rommelt met het slot.

Ik ben blij met Jeffrey, want ik weet even niet wat ik moet zeggen. Hij legt zijn hand over die van haar, maakt het slot open, legt de sleutel op het nachtkastje en laat dan zijn hand over haar rug glijden naar haar nek toe. Hij trekt haar naar zich toe en ze leunt tegen hem aan, haar rug naar mij toe en haar hoofd op zijn schouder. Het verbaast me, maar ik ben tegelijkertijd blij te zien dat ze hem niet wegduwt, in een onvolwassen poging om sterk te lijken.

Ik zwijg en staar Jeff aan.

'Nou, Mary,' zegt Jeff uiteindelijk. 'Het gaat me waarschijnlijk niets aan, maar...'

Liz slaat een arm om hem heen en houdt hem stevig vast, alsof ze wacht tot hij verder gaat. Weer ben ik blij dat te zien. Zelfs al zouden ze samen tegen me zijn, die band zal uiteindelijk goed zijn voor hun gezamenlijke toekomst.

Hij schraapt zijn keel en vervolgt: 'Ik denk dat we graag allebei iets meer zouden willen weten over meneer David.' Hij neemt Liz bij de hand en leidt haar naar de kleine zitkamer, waar ze allebei op de bank gaan zitten. Ik volg hen, ga bij het raam staan en trek de gordijnen open terwijl ik mijn gedachten bij elkaar raap.

'En ik zou graag weten waarom hij zich zo stilletjes uit de voeten maakte!' voegt Liz eraan toe.

Ik draai me om. De woede in haar blauwe ogen lijkt zo op die van Sam dat ik hem fysiek probeer te vermijden. Beneden, in de kleine binnenhof waar het keukenpersoneel pauzeert, zie ik een stelletje. Het meisje leunt met haar rug tegen de stenen muur en de jongen buigt zich naar haar toe en streelt haar wang.

'Hij maakte zich niet stilletjes uit de voeten. Hij realiseerde zich dat jij van slag was en probeerde alleen maar attent te zijn.'

Liz staart me een tijdje boos aan. Ze wacht duidelijk tot ik iets meer over Jean-Marc vertel, maar ik vind de woorden niet.

Ze barst uit: 'Hoe kon je, mam?! Hoe kon je het allemaal voor me verborgen houden? Wat kon je daar nu voor reden voor hebben?'

'Waar *heb* je het over?' Mijn maag draait zich om en ik zet mezelf schrap voor het antwoord.

'Waar ik het over heb?!' Liz leunt naar voren. 'Irene heeft me... ons –' ze werpt een blik op Jeff '– alles verteld.'

'Alles?' Ik voel een zweetdruppel langs mijn nek naar beneden lopen, tussen mijn schouderbladen door. Mijn hart bonkt.

'Ja. Alles. Ze heeft krantenartikelen bewaard. Foto's. Dingen die jij had weggegooid.'

Ik wil me wanhopig graag herinneren wat Irene zou kunnen hebben gevonden, maar Sam was degene die mijn verleden heeft uitgewist. Ik dacht dat mijn huwelijk voorbij was op het moment dat hij de envelop in mijn kast vond. Als we geen dochter hadden gehad, was dat misschien ook wel zo geweest. Ik sluit mijn ogen wanneer Liz praat en probeer de herinnering aan Sams woede uit te wissen... en de blauwe plekken die ik zelfs voor Irene verborgen heb gehouden.

'De vrouw die net deed alsof ze geen interesse had in de zaak, is op *twee* hoofdvakken afgestudeerd! De vrouw die net deed alsof ze totaal a-muzikaal was, was eerste violist! De ouders die net deden alsof ze niet van reizen hielden, hebben elkaar in Frankrijk ontmoet!' Liz moet een keer slikken voor ze vervolgt: 'Je hebt dat allemaal voor me geheim gehouden. En toen... toen ben je gevlucht!'

Ik weet niet of de tranen die over haar wangen biggelen, tranen van boosheid zijn of van pijn. Hoe dan ook, ik ontspan me een beetje wanneer Jeff haar hand grijpt. Liz klemt zich aan hem vast, ook al gaat de tirade gewoon door.

'En wanneer ik dan alles uit mijn handen laat vallen om hierheen te vliegen... om tegen je te zeggen dat het me spijt... om te proberen iets goed te maken, kom je binnenwalsen aan de arm van de een of andere Fransman waar je... aan bent blijven plakken en die weet ik veel waar vandaan komt!'

'Jean-Marc David is niet zomaar iemand waaraan ik – hoe noemde je dat? – ben blijven plakken. Het is een oude vriend.'

De linkerwenkbrauw van Liz gaat omhoog wanneer ze over die informatie nadenkt. En dan bitst ze: 'Hoe oud?'

Ik kijk haar aan en wend mijn blik nu niet af. 'Ik kende hem al voor ik je vader ontmoette.'

Liz sluit haar ogen. Haar neusvleugels gaan heen en weer. 'Wie *ben* je eigenlijk?' mompelt ze en ze laat zich weer tegen Jeff aan zakken. Ze kijkt me niet aan.

Wanneer het alarm op zijn polshorloge afgaat, schrikken we alle drie, maar de stilte duurt voort.

Uiteindelijk zeg ik: 'Ik vind het jammer dat het op deze manier is gebeurd, maar niet dat jullie Jean-Marc hebben ontmoet. Ik vertel jullie daar meer over, maar niet nu. Jullie zijn allebei uitgeput en jullie hebben een dag nodig om bij te komen van de jetlag.'

'En jij hebt tijd nodig om met *hem* te praten,' mopperde Liz.

Ik knik. 'We hebben vanavond samen gedineerd. We kwamen hierlangs zodat ik een warmer jack kon pakken toen we jullie tegenkwamen. Jullie hebben hard slaap nodig en ik zie geen enkele reden om mijn wandeling met Jean-Marc af te zeggen.' Ik sta op. 'Ik zit in 314. Ik blijf niet al te lang weg en als jullie iets nodig hebben: de conciërge spreekt vloeiend Engels. Als jullie honger krijgen: het theehuis hiernaast maakt heerlijke sandwiches, maar als jullie slim zijn, eten jullie iets lichts of helemaal niets.'

Ik wijs op iets wat op een nachtkastje lijkt, naast de televisie. 'Ik adviseer de Orangina uit de koelkast.' Bij de deur stop ik even en kijk om. Ik voel me rot over de emoties die net onder de oppervlakte rondzweven, maar ben ook trots op mezelf dat ik controle heb over de situatie. 'Ik hou van jullie allebei. Ik ben gewend 's morgens mijn koffie te drinken in een klein cafeetje vlak bij het plein tegenover de Sorbonne. Als je de heuvel afgaat, rechtsaf slaat en een blok verder loopt, zie je aan je rechterhand fonteinen en een bronzen standbeeld. Ik zit daar in het theehuis halverwege het plein. Als je er nog niet klaar voor bent en je niet wilt komen, begrijp ik dat.'

Ik glimlach naar Jeff. 'En omdat jij hier ook bent, hoef ik me geen zorgen te maken over Liz.'

Ik kijk naar Liz, wier kille blik al een beetje begint te ontdooien. 'Jean-Marc hoeft geen *onaangename* verrassing te zijn.' Ik denk dat ik redelijk overtuigend klink. Kon ik mezelf maar overtuigen.

Op het moment dat haar moeder de deur van de hotelkamer achter zich dichtdeed, sprong Liz op van de bank en liep ze de andere kamer in. Ze hees haar koffer op het bed, opende die... en uitte een kreet van afgrijzen en een woord dat een dame niet past.

'Wat is er?' Jeff volgde haar de kamer in.

'Deze is niet van mij.' Liz liet zich op het bed ploffen met een mannenoverhemd in haar hand. 'Niet te geloven. Maar de sleutel paste toch?'

'Raak niets anders aan.' Jeff nam het overhemd van haar over. 'Mary zei dat de conciërge Engels spreekt. Ik regel dit wel.'

'Wat moet ik doen? Wat als die andere persoon –'

'Jij,' zei Jeff terwijl hij de koffer dichtdeed en naast zich neerzette, 'gaat deze verwisseling even vergeten en lekker slapen. Die andere persoon heeft de vergissing waarschijnlijk ook bemerkt en het lijkt me sterk dat hij maatje 36 gaat proberen te dragen.'

'Mijn make-up zit in die koffer,' mopperde Liz terwijl ze ging liggen.

'Ik denk niet dat het Parijs ook maar iets kan schelen of je make-up draagt of niet, lieverd,' zei Jeff terwijl hij de gordijnen dichttrok. 'Zorg dat je wat slaap krijgt. Mary had gelijk. We hebben allebei wat rust nodig.' Hij ging op weg naar de deur.

Antwoorden, dacht Liz. *We hebben antwoorden nodig.* Maar ze sliep al voor ze dat hardop kon zeggen.

De liftdeur gleed open en het eerste wat Jeff zag, was Mary die in de lobby van het hotel op een designbank naast Jean-Marc zat.

'Is er iets mis?' Jean-Marc stond op.

'Is alles in orde met Liz?' Mary's gezichtsuitdrukking was duidelijk die van een bezorgde moeder.

'Die zal ondertussen wel slapen.' Jeff wees naar de koffer in zijn hand. 'Maar we hebben per ongeluk de bagage van iemand anders meegenomen.'

Jean-Marc greep ogenblikkelijk naar zijn autosleutels. 'Ik breng je wel. Dat zullen we eens even gaan regelen.'

'Dat hoeft niet,' zei Jeff. 'Ik weet zeker dat de conciërge –'

'Natuurlijk zal hij je willen helpen,' onderbrak Jean-Marc hem. 'Maar laat mij dan in elk geval een telefoontje plegen.' Hij klikte zijn gsm al open en vroeg naar het nummer van Lufthansa.

Heel even vroeg Jeff zich af hoe de man nu kon weten welke luchtvaartmaatschappij hij moest bellen, maar toen zag hij de sticker op de zijkant van de koffer. *Slimme vent.*

'Helaas,' zei Jean-Marc terwijl hij zijn gsm dichtklikte, 'moet je erheen met de bagagestickers om je eigen bagage terug te kunnen krijgen, maar het lijkt erop dat ze de andere koffer hebben – samen met de heer die heel graag wil ruilen. Laat mij je er nou heen rijden. Mijn auto staat in een garage hier enkele minuten vandaan.'

Hij bood aan zijn halve avond op te geven voor een stompzinnige vergissing van iemand die nog geen uur geleden een totaal onbekende voor hem was. En Mary keek naar hem met een glimlach die hij nog nooit had gezien. Ze zag er jaren jonger uit. Jeff besloot dat Jean-Marc een goeie vent moest zijn. Daar zag het in elk geval wel naar uit. Hij zou meneer David het voordeel van de twijfel geven. En trouwens, hij begon de jetlag te voelen. Hij was te moe om hem niet te mogen.

Mary

Ik lig in het donker naar het plafond te staren. Dat waar een deel van me het meest voor vreesde – hetzelfde wat een deel van me maar al te graag wilde zien gebeuren – is gebeurd. Ik heb het niet gepland, ik heb het niet geregeld en ik heb het niet gemanipuleerd. In feite ben ik letterlijk van huis weggevlucht om het te vermijden. Sinds Sam is overleden, en hoe meer Elizabeth van me leek te vervreemden, hoe vaker ik eraan dacht om mijn belofte aan Sam te breken dat ik nooit over Parijs zou praten. Ik weet nog steeds niet precies wat ik zal doen. Uiteindelijk wil een moeder alleen maar doen wat het beste voor haar kind is. En op dit moment weet ik eenvoudigweg het antwoord op deze vraag nog niet.

Ik bid het eerste eigen gebed sinds ik een klein meisje was. *Lieve God… als U er ooit over hebt nagedacht om U met mij te bemoeien… dan zou dit een perfect moment zijn.*

22

Luca

Bidden was geen gemakkelijke taak. Hij kon zingen als de beste. Hij kwam tenslotte uit het land dat de wereld *Madame Butterfly* en *La Bohème* had gegeven. Hij hield van lezen en dus was bijbellezen een dagelijks terugkerende bezigheid voor hem geworden – net zo gewoon als zijn schoenen aantrekken of elke morgen een kop koffie drinken voor hij aan het werk ging. Maar bidden? Bidden was een heel ander geval, vooral wanneer je geen vooruitgang zag en geen antwoord kreeg. En trouw elke dag bidden voor mensen die hij niet vaak zag, was zelfs nog moeilijker. En dat, zo redeneerde Luca Santo, was de reden dat hij het met God al een tijd niet meer over zijn oude vriend Jean-Marc David had gehad. Maar ondanks dat hij de reden wist, voelde hij zich een beetje schuldig nu Jean-Marc weer was opgedoken. Als God zo veel moeite had gedaan om Jean-Marc weer terug te brengen, moest God wel iets van plan zijn met de man. Hij had nooit moeten stoppen met bidden. Luca hoopte dat hij aan dat plan kon meewerken en dat hij niet in de weg zou staan voor wat God ook aan het doen mocht zijn.

Misschien was het al te laat, realiseerde hij zich. Jean-Marc had al een diner en een lunch afgezegd. Luca zocht zijn geheugen af naar iets wat hij verkeerd zou kunnen hebben gezegd waardoor Jean-Marc er niet echt happig op was om meer tijd met hem door te brengen. Het enige wat hij kon verzinnen was die ene openlijke verwijzing naar God toen hij het over Sophia's dood had. Maar dat kon de man toch niet hebben afgeschrikt, dacht Luca. Nee, hij had nooit moeten stoppen met bidden.

'Hier ben ik, Vader,' zei Luca bij het ontbijt. 'En ik weet niet hoe ik voor mijn vriend moet bidden. Het is zo lang geleden dat ik voor hem ben begonnen te bidden. U weet hoe hij toen reageerde, Vader. Ik kreeg mijn woorden over U met dubbele snelheid teruggekaatst. Hij zei dat mijn bekering tot U alleen maar een kruk was – iets om te zorgen dat ik niet bitter zou worden wanneer ik niet meer kon racen. Hij zei dat godsdienst iets was voor mannen die het leven niet meer zelf aankonden. Ik weet niet of hij nog steeds een beetje boos is. Ik wil hem niet weer wegjagen. Als ik degene ben die U hebt uitgekozen om met hem te praten... geef me dan de juiste woorden, dan zal ik die uitspreken.

Hij heeft al twee keer afgezegd. Ik heb hem nu weer uitgenodigd om te komen eten en hij zegt dat hij komt. Hij zegt dat hij me aan iemand wil voorstellen. Ik ben bang dat het weer een volgende vrouw is.' Luca deed gekookte melk in zijn koffie en roerde. Hij hoefde God niets te vertellen over de reputatie van Jean-Marc met vrouwen. Maar goed, bedacht Luca, dat was lang geleden. Misschien was er het een en ander veranderd.

Hij keek door het hoge, smalle keukenraam naar buiten en was blij een blauwe lucht te zien. Er waren te veel grauwe dagen voorbijgegaan en daar was hij rusteloos van geworden, alsof er iets niet in orde was in zijn wereldje. Met een zucht nam hij een grote slok koffie en hij sloeg zijn Bijbel open.

De telefoon ging over.

'Het spijt me erg, maar er is iets tussen gekomen – een onverwachte aankomst. Ik ben bang dat Mary en ik niet in staat zullen zijn om...'

Het was dus inderdaad een vrouw die hem bij dat diner en die lunch vandaan hadden gehouden. Luca wilde meer weten. De naam Mary… betekende iets. Maar wat? Het kon toch niet –

'Mary, zei je? Toch niet… *de* Mary?!'

Het was even stil aan de andere kant van de lijn. Voor Jean-Marc verder nog iets zei, wist Luca het zeker.

'Ja, oude vriend van me. Mijn eerste liefde. Het is toch niet te geloven? Een maand geleden schreef ze me dat ze naar Parijs kwam. Maar plotseling zijn haar dochter en diens verloofde gearriveerd.' Jean-Marc zweeg even. 'Mary verwachtte hen niet… en ze hadden mij *zeker* niet verwacht. Ik weet niet wat er gaat gebeuren, maar we –'

'Neem ze gewoon mee.' Luca had het er al uitgegooid voor zijn bewustzijn kon protesteren. *Wat zeg je nou, idioot?*

'Wat?'

'Neem ze gewoon mee,' herhaalde hij de uitnodiging. 'Neem ze allemaal mee. Als je denkt dat het helpt als je een oude vriend als buffer hebt… Is er een buffer nodig?'

'Ik weet niet wat er nodig is,' reageerde Jean-Marc. 'Haar dochter is… nou ja, niet echt blij met mijn aanwezigheid. Daar lijkt het tenminste op. Haar verloofde is een aardige vent. Ik heb hem gisteravond naar het vliegveld gereden, omdat ze een verkeerde koffer hadden meegenomen.'

'Ben je met hem naar het vliegveld gereden?'

'Ja, ik ben gek, ik weet het.'

Gek genoeg om een goede indruk te maken, dacht Luca. Hij liep naar het raam, de telefoon in zijn hand, en keek naar het verkeer. 'Nou, ik wil geen spelbreker zijn, maar ik zou heel graag de vrouw ontmoeten voor wie Jean-Marc terug is gekomen naar Parijs.'

'Ik haat het om mezelf op te dringen.'

'Ik maak alleen maar pasta en een salade. Het is makkelijk

om wat extra te maken. Ik zou het een eer vinden om hen te eten te hebben. Neem wat brood en wijn mee. Dan kunnen we proosten op de herenigingen.'

Jean-Marc aarzelde en beloofde hem terug te bellen. Luca hing op en staarde weer naar het verkeer. Het was soms moeilijk te geloven dat God groot genoeg is om iedereen in de gaten te houden die over deze aardbol rondhobbelt. *God, ik geloof... kom mijn ongeloof te hulp*. En Luca zond nog een gebed naar de hemel, voor Jean-Marc, voor Mary, voor haar dochter en diens verloofde. En voor hemzelf. 'Wijsheid, Vader. Ik heb wijsheid nodig. En een beetje hulp bij het koken zou ook meegenomen zijn.'

Luca lachte in zichzelf, liep naar de woonkamer en trok de kast open waar hij Sophia's favoriete servies bewaarde. De vrolijke kleuren op het Toscaanse porselein waren precies wat hij nodig had om de saaie kamer op te vrolijken en geschikt te maken voor een reünie. Terwijl hij met de tafel aan het schuiven was, kwam het idee in hem op om ook Enzo uit te nodigen. De jongen had uitstekend zijn best gedaan om de schade aan de Multistrada van Adolpho te vergoeden. Hij zou het geweldig vinden om Jean-Marc David te ontmoeten. En nog een 'buffer' aan tafel zou geen kwaad kunnen.

Liz

Ze zou de man niet mogen, wat hij ook zei.

Maar toen knipoogde Jean-Marc naar haar vanaf de andere kant van de tafel en zei hij iets lovends over haar uiterlijk. Hoewel Liz probeerde niet te reageren, kon ze niet voorkomen dat haar wangen een tint roder werden.

Ze zou de man *niet* mogen, wat hij ook deed.

Maar toen bediende hij eerst haar moeder voor hij zelf opschepte. En toen haar moeder opzij keek om naar hem te glimlachen, besefte Liz voor het eerst sinds... Dit was de eerste keer dat ze de *ogen* van haar moeder zag meelachen!

Ze zou de man niet mogen, wat er ook gebeurde.

Maar toen vroeg meneer Santo naar de *Sea Cloud* en begon Jean-Marc een serie verhalen te vertellen. Dat opende voor Liz een wereld die ze niet kende. Jeff stelde ook enkele vragen. De jonge Enzo was bijna in trance. Meneer David was charmant – zelfs bescheiden. Het was moeilijk om niet meegezogen te worden. Echt gekmakend.

Tijdens het hele diner, terwijl ze pasta leerde eten op zijn Italiaans en discussieerde over Franse en Italiaanse wijnen, zocht Liz naar iets om haar antipathie voor Jean-Marc David te rechtvaardigen.

Hij praatte met zijn handen. Liz merkte dat haar moeder dat ook was gaan doen. Irritant.

Hij leek een speciale glimlach voor haar moeder te hebben. Dat maakte natuurlijk gewoon deel uit van meneer Davids rol als charmante Europeaan. Het was allemaal nep. Show. Maar toen begon ze te twijfelen.

Was het alleen maar nep en show toen meneer Santo eerder op de avond een buiginkje voor je maakte en de rug van je hand kuste? Was het alleen maar nep en show toen hij hetzelfde bij je moeder deed? Nee, beredeneerde Liz. Meneer Santo was gewoon vriendelijk. Was het nep toen hij het erover had dat je moeder eerder al naar zijn winkel was gekomen en hij dat lotsbestemming noemde? Nee, dat was alleen maar een charmante reactie op een toevallige ontmoeting. En was het show toen meneer Santo een toost uitbracht op haar moeder nadat Enzo haar rit achter op de motor beschreven had? Nee, moest Liz toegeven. Meneer

Santo was gewoon een goede gastheer die zijn gast – haar moeder, die zo rood werd als een biet – op haar gemak probeerde te stellen.

Maar toen meneer David een tweede toost voorstelde, werd Liz weer gespannen. Ze schold inwendig op zichzelf. Was het wel eerlijk om zo negatief te doen? Ze moest toegeven dat hij voor een oudere man behoorlijk aantrekkelijk was. Maar zonder oorring zou leuker zijn.

Terwijl de avond vorderde, hield Liz haar moeder in de gaten. Het leek erop dat er heel wat stilzwijgende gesprekken werden gevoerd tussen haar moeder en meneer David. En allemaal positief. Ze begon net te denken dat de aanwezigheid van meneer David in haar moeders leven iets positiefs was, toen hij zijn arm over de rugleuning van haar stoel legde. Liz moest haar uiterste best doen om gewoon rustig op haar stoel te blijven zitten. Wie dacht hij wel dat hij was?! Ze was *getrouwd*. Goed, dacht Liz, ze was weduwe. Maar toch…

Jeff voelde het aan en toen haar moeder opstond om meneer Santo te helpen de tafel af te ruimen, leunde hij naar haar toe en fluisterde hij: 'Ontspan je eens een beetje, Bitsy.'

'Dat gaat niet,' fluisterde Liz terug.

Enzo stelde een suggestieve vraag over wat hij de 'prehistorie van het motorracen' noemde – voor er echt competitie was.

Meneer Santo nam de uitdaging aan. 'Niet veel competitie? Heb je weleens gehoord van Agostini? Walter Villa?' Hij noemde de ene na de andere beroemde motorracer uit zijn tijd en bij elke naam vertelde hij erbij hoe hij of Jean-Marc die verslagen hadden in die en die race. Hij drong er bij Jean-Marc op aan om meer verhalen op te lepelen. De mannen vermaakten hun toehoorders als twee geroutineerde cabaretiers met een perfecte timing. Ondanks haar voornemen werd Liz meegezogen. Samen met de rest van de gasten sloeg ze dubbel van de lach door Jean-Marcs verhaal vol zelfbeklag over de race die hij verloor. En als resultaat kreeg ze de hik.

'Het *hik* spijt *hik* me,' wist ze uit te brengen. 'Dit is me al *hik* in geen tijden meer overkomen. *Hik*.'

'Ik heb hetzelfde probleem,' zei Jean-Marc. Hij stond op, liep naar de keuken en kwam terug met zout en een plastic zak. 'Zout op je tong en in de zak ademen.'

'Werkt dat *hik* echt?' vroeg Liz.

'Absoluut niet,' zei Jean-Marc. 'Maar dan word je in elk geval afgeleid van de hik.' Zijn blauwe ogen sprankelden.

Nog meer gelach... en toen moest Jean-Marc ook hikken en schoten hij en Liz in de lach en hikten samen verder... tot...

Lieve help. Flashbacks van de avond. Dingen die meneer David deed. Bepaalde gebaren. De houding van zijn hoofd. Op zeker moment dacht ze dat ze zeker wist dat ze al eens een foto van de man had gezien. Hij kwam haar zo bekend voor. Ze wist het niet. Zelfs nu wilde ze er niet aan denken –

Liz sloeg haar hand voor haar mond en wilde dat de vloer onder haar zich zou openen en haar verslinden.

Meneer David keek haar aan met een vreemde glimlach.

Liz keek naar haar moeder, die opstond om koffie te gaan inschenken.

Jeff leek zich niet te realiseren dat er iets niet in orde was. Hoe kon hij zo blind zijn? Misschien had ze het mis. Toch leek haar borst te worden omsnoerd door een band die steeds strakker ging zitten. Ze nam een slok water. Dat hielp niet. Koffie. Dat hielp ook niet. Ten slotte stond ze op, haar hand tegen haar keel.

'Neem me niet kwalijk,' zei ze. 'Maar ik ben bang dat dit

meer is dan alleen maar de hik. Ik voel me echt niet in orde.'

Luca Santo sprong op. 'Wat is er? Kan ik ergens mee helpen?'

Jeff stond op en legde zijn arm om haar heen. 'Wat is er, schat?'

Ze mompelde iets waarvan ze hoopte dat meneer Santo het opvatte als een verontschuldiging en leunde tegen Jeff aan. 'We moeten weg. Nu.' Toen haar moeder iets wilde zeggen, staarde ze haar boos aan. 'Laat me jullie avond niet verknoeien.' Ze keek langs haar heen naar meneer David en toen weer naar haar moeder. Liz haalde haar schouders op en trok een wenkbrauw op op een manier waarvan ze had gedacht dat het een Davistrekje was – tot vanavond. Ze keek weer naar Jean-Marc.

Haar moeder werd bleek. Liz gaf een licht knikje. 'Geniet verder van jullie reünie.'

Ze duwde zich los van Jeff, kapte Santo's pogingen om haar te helpen af met een handgebaar en strompelde de deur uit, de trap af en de straat op. Ze hoorde Jeffs haastige voetstappen achter zich. Eenmaal beneden leunde ze zwaar tegen het grote raam van de Ducati-showroom.

'Wat is er aan de hand? Het ging zo goed en toen...' Jeff legde zijn hand op haar schouder. 'En ik weet dat je niet echt ziek bent, dus vertel me wat er aan de hand is.'

Liz schudde haar hoofd. Ze slikte en flapte eruit: 'Hoe *kon* ze?!'

'Wie?'

'Mijn moeder.' Liz sprak het uit als een vloek.

'Hoe kon ze *wat*?'

'Me in die kamer neerzetten. Met hem.' Ze dwong zichzelf om rechtop te gaan staan. 'En me gewoon maar laten –' Ze sloot haar ogen en schudde haar hoofd. 'Ik geloof het niet. Het *kan* gewoon niet.'

'Liz, waar *heb* je het over?'

'Het is net of ik gevangenzit in een kromming van de tijd. Of ik naar een andere dimensie toe ben gezogen.' Ze leunde met haar hoofd tegen het glas en sloot haar ogen. 'Ik *ken* die vrouw daarboven niet eens.'

Jeff was het met haar eens. 'Dat is niet precies de Mary Davis die wij kennen, nietwaar?'

Liz snoof. 'En dat is nog zwak uitgedrukt.'

'Het is gewoon een kant van haar die we nog nooit hebben gezien. Maar ik heb vanavond naar haar zitten kijken en… ik bedoel, heb je echt naar haar *gekeken*? Heb je *geluisterd*? Wanneer hebben we haar zo zien glimlachen? Hoe lang is het geleden dat je haar echt hebt horen lachen? Bij een van de verhalen van meneer Santo lachte ze zo hard dat de tranen haar in de ogen stonden.'

'Dat zou alles verklaren,' zei Liz.

'Wat?'

'Je hebt op mijn moeder zitten letten.' Ze keek Jeff aan en haar ogen waren vochtig. 'Ik heb op *hem* zitten letten.'

'Wie? Luca? Jean-Marc?'

'Sinds wanneer is hij voor jou "Jean-Marc"?' vroeg Liz.

Jeff haalde zijn schouders op. 'Hij vroeg me hem zo te noemen. Je was erbij.' Hij nam haar bij de schouders, keek in haar ogen en schudde haar zachtjes heen en weer. 'Wat is er aan de hand, Elizabeth?'

'Is alles in orde?' Luca Santo had een raam op de tweede verdieping opengedaan en riep naar beneden.

Jeff keek omhoog. 'Het gaat al wat beter. We komen zo weer naar boven.'

Santo knikte en deed het raam weer dicht.

'Jij mag van mij teruggaan,' zei Liz, 'maar ik ga terug naar het hotel. En naar huis. Zo gauw ik een vlucht te pakken kan krijgen.'

'Stop met die onzin.'

'Prima.' Liz hief haar kin op en staarde hem door haar tranen heen aan. 'Wat dacht je ervan om weer terug naar boven te gaan om een tijdje naar Jean-Marc te kijken? Kijk bijvoorbeeld eens naar de kleur van zijn ogen.' Liz wees naar haar eigen ogen. 'Die vreemde schaduw waar iedereen het altijd over had toen ik klein was. En als je daar toch bent, kijk dan ook meteen even naar zijn manier van doen. Kijk eens of er iets bij is wat je aan iemand doet denken.'

'Wat wil je daarmee zeggen?'

Terwijl hij de vraag stelde, zag Liz dat hij het begon te begrijpen. Hij keek haar verbaasd aan. 'Dat kan niet.'

'O nee?' Liz deed een stap bij hem vandaan.

'Maar je bent geboren in –'

'In september. Te vroeg, zeiden ze. En mijn ouders waren in januari getrouwd. Op die datum vierden ze tenminste hun zoveel-jarig huwelijk,' zei Liz. 'Wie weet wat er in hun trouwboekje staat.' Haar stem beefde. 'Mijn hele leven is een leugen.'

Jeff hield haar vast tot ze een beetje was gekalmeerd. 'Ik ga naar boven en zeg tegen hen dat je je niet goed voelt. Ik zal Luca vragen een taxi voor ons te bellen.'

'Ik wil niet dat mijn moeder naar beneden komt stormen en probeert om alles recht te praten,' zei Liz.

'Maak je geen zorgen,' reageerde Jeff. 'Dat regel ik wel.'

Toen hij naar boven was verdwenen, beleefde Liz de avond opnieuw. Ze had Jean-Marc David niet aardig willen vinden, maar stukje bij beetje had hij de muur afgebroken die zij had opgetrokken. Ze sloot haar ogen en trok de muren weer op. Ze zou die man niet mogen. Het maakte niet uit wat iedereen zei of deed. En zeker haar moeder niet.

Liz liep naar de hoek van het blok en keek naar de Arc de Triomphe.

Er blèrde een jong stel op een motor voorbij.

Verderop in de straat slenterde een oude man voort, die met zijn wandelstok tegen de trottoirband tikte.

De charme van Parijs vervloog. Ze keek omhoog naar de donkere lucht en liet haar tranen stromen.

Mary

Ik wankel de trap van Luca's appartement af en de straat op. *'Nee. Alsjeblieft, Jean-Marc. Laat me alleen teruggaan. Ik bel je morgen.' 'Dank je voor je gastvrijheid, Luca.' 'Liz? O, dat komt wel in orde. Je weet hoe het is met reizen. Alles is anders. Je lichaam wil soms niet. Bedankt voor je begrip.' 'Ja, natuurlijk laat ik het je weten wanneer ze een dokter nodig heeft. Je bent erg aardig. Dank je voor je gastvrijheid.'*

Het is een eind lopen van hier naar het Quartier Latin. *Je kunt niet meer naar huis.* Ik wilde dat ik nooit aan dat zinnetje had gedacht. Ik wilde dat Liz niet was gekomen. Ik wilde dat – nee, dat niet. Ik vind het niet jammer dat ik die brief heb geschreven. En ook vind ik het niet jammer dat Jean-Marc weer terug is in mijn leven. Met een zucht loop ik de straat uit. Misschien stop ik onderweg wel bij de Notre Dame om een kaarsje te branden. Dat kan nooit kwaad. Maar zou het helpen?

Jean Marc

Nadat Enzo was vertrokken, ruimden Jean-Marc en Luca de tafel verder af en brachten ze Luca's appartement weer op orde. Ze deden de afwas in een relatieve stilte. Uiteindelijk zei Luca: 'Ik neem nog wat koffie. Doe je mee?'

De twee mannen gingen vlak bij de deuropening naar het balkon aan de achterkant van het appartement zitten. Toen ze door het smeedijzeren hekwerk naar de stad keken, inclusief de twee torens van de Notre Dame en in de verte de Eiffeltoren, zei Jean-Marc: 'Ik had dit uitzicht niet verwacht.'

Luca ging in op Jean-Marcs opmerking en vergat even het zojuist afgelopen diner. 'Ik ben nooit van plan geweest om boven de zaak te gaan wonen, maar toen Sophia dit uitzicht zag, weigerde ze om nog naar andere appartementen te gaan kijken.' Hij rekte zich uit en zuchtte. 'We hebben een goed leven gehad.' Hij wachtte tot Jean-Marc iets zou zeggen, maar zijn vriend bleef zwijgen. Melancholisch.

'Die Mary van jou is een schitterende vrouw,' merkte Luca op.

Jean-Marc snoof zachtjes en schudde zijn hoofd. 'Ze is niet van mij. Dat is ze nooit geweest.' Hij nam een slokje van zijn koffie en keek toen weer naar de stad.

'En wat toevallig dat ze Enzo al kende en al in mijn zaak was geweest.'

Hoewel het duidelijk was dat Jean-Marc in gedachten verzonken was en niet geïnteresseerd in een gesprek, drong Luca aan. 'Trouwens, was je beledigd toen ik voor het eten bad?'

Jean-Marc haalde zijn schouders op en zei: 'Natuurlijk niet. Waarom zou ik beledigd zijn?'

'Godsdienst is een kruk voor zwakke mensen. Als je ooit nog eens iets anders gaat doen dan naar de kerk gaan, geef me dan even een belletje.'

'Oef!' Jean-Marc deed alsof hij geraakt werd door een kogel. 'Was ik zo grof?'

'Ja.'

Jean-Marc deed zijn mond open om iets te zeggen, deed hem weer dicht en schraapte zijn keel. 'Vertel eens, Luca.' Hij haalde diep adem en gooide er uiteindelijk uit: 'Dat meisje. Elizabeth. Ik dacht – ik beeld het me waarschijnlijk alleen maar in, maar...'

'Maar wat?' zei Luca.

'Je weet wat ik ga zeggen, hè?' Zijn stem beefde. 'Ik ben bang om het hardop te zeggen.'

'Of je het nu zegt of niet, je kunt aan niets anders denken. En zij waarschijnlijk ook niet.'

'Er is iets aan haar manier van doen – de manier waarop ze haar hoofd schuin houdt wanneer ze boos is.' Jean-Marc keek naar de grond en toen weer naar buiten. 'En ze heeft mijn ogen.'

23

Mary

'Dit kun je me niet aandoen!' roept Liz uit. Ze zit als een gewond vogeltje op de rand van de bank in haar suite. Wanneer ik een arm naar haar uitstrek, slaat ze mijn hand weg en springt ze op. Ze strijkt wild met haar vingers door haar haar, haast zich naar het raam, doet dat open en schreeuwt gefrustreerd naar de donkere stad.

'Elizabeth.' Jeff gaat naar haar toe, grijpt haar bij de schouders en drukt haar tegen zich aan terwijl hij het raam sluit. 'Stop hiermee. Nu.'

Liz balt haar vuisten en timmert daarmee op zijn borst. Ze roept uit: 'Vertel me niet dat ik moet stoppen! Mijn moeder heeft me zojuist verteld dat mijn leven een leugen is. Ik ben niet de dochter van Samuel Davis. Mijn vader is de een of andere zwervende zeiler die –'

'Nee,' onderbreek ik haar. 'Jouw vader is Samuel Frederick Davis. Dat is niet veranderd.'

'Tuurlijk. En ik neem aan dat dit *zijn* ogen zijn.' Ze schudt haar hoofd. 'En dan te bedenken dat de mensen zich afvroegen waar die kleur toch vandaan kwam.' Ze kijkt me beschuldigend aan. 'En dan vertelde jij het een of andere wilde verhaal over een betovergrootmoeder en een schilderij dat was verloren gegaan toen het dak lekte.'

'Je vader kwam met dat verhaal, niet ik.'

'En ik neem aan dat het ook zijn idee was om mijn hele leven tegen me te liegen?'

'O, Lizzie,' smeek ik. 'Houd alsjeblieft op. Deze... informatie... verandert niet echt iets. Je vader kon geen kinderen krijgen. Toen ik hem over jou vertelde, waren we al verloofd. Hij was geschokt. Maar hij was ook ontroerd en opgewonden. Hij kreeg tenslotte de kans om vader te worden. *Hij* was erbij toen je werd geboren. *Zijn* armen hielden je vast. *Sam* was degene die je elke gram van zijn liefde en aandacht gaf. En er is niets wat daar ooit iets aan kan veranderen. Niets.'

'Niets behalve een dineetje met oude vrienden in Parijs.'

Ik wil mezelf verdedigen. Ik wil haar alles vertellen. Maar dat doe ik niet. Haar alles vertellen zou haar alleen nog maar meer pijn doen. Ze heeft een idyllisch beeld van haar vader en dat ga ik niet verwoesten. Ik sluit mijn ogen en probeer de kracht te vinden om Lizzies herinneringen aan haar vader niet te beschadigen terwijl ik mezelf verdedig. *God. Bent U daar? HELP!*

'Weet je wat, lieverd,' zeg ik, hoogst verbaasd dat mijn stem zo kalm klinkt, 'ik wil, zover mogelijk, al je vragen beantwoorden. Maar niet op deze manier. Niet nu.' Ik kijk naar Jeff. Hij knikt dat hij het daarmee eens is en ik vervolg: 'Ik ben op mijn kamer. Neem de tijd. Praat erover met Jeff. En wanneer je gekalmeerd bent – wanneer je wat slaap hebt gehad – bel me dan. Dan kom ik meteen naar je toe.'

'Behalve als je een afspraakje hebt.' Het sarcasme in haar stem raakt me hard.

Ik negeer de aanval. 'Ik heb dan geen afspraakje. Ik kom. Ik hou van je, Lizzie. En niets kan daar ooit verandering in brengen. Ik hou van je en –' Mijn stem stokt. Ik moet mezelf eraan herinneren dat ik af en toe moet ademen. *God. HELP!* 'Ik zou er alles voor over hebben gehad als je niet naar Parijs zou zijn gekomen. Als je dit niet zou hebben ontdekt. Maar je kwam. Je ontmoette Jean-Marc. Je ontdekte een geheim dat ik voor me hield omdat ik je vader wilde gehoorzamen. Deze nieuwe informatie verandert niets met betrekking tot jouw vader en jou, of de liefde die jullie voor elkaar hadden, of de erfenis die hij jou heeft nagelaten. Mettertijd zal blijken dat het iets goeds is geweest.'

'Wat wil hij van je?' Haar stem klinkt schril.

'Ik snap niet wat je bedoelt.'

'Wat wil hij? Wat heeft het voor zin om jou nu op te zoeken? Na al die tijd?'

Het duurt even voor ik de bedoeling achter haar vraag tot me heb laten doordringen. 'Zoals je je misschien van ons gesprek aan tafel kunt herinneren, is Jean-Marc de kapitein van een behoorlijk beroemd jacht met de naam *Sea Cloud*, Liz. Hij heeft geen enkele interesse voor ons geld, als je dat soms bedoelt. En trouwens, hij heeft *mij* niet opgezocht. *Ik* heb hem geschreven.'

Ik blijf praten, bang dat als ik zwijg, ik van alles achterhoud. 'Ik ben zo... ongelukkig geweest, Lizzie. Soms zelfs wanhopig. Op een avond, toen ik alleen was, heb ik zelfs met een pot pillen in mijn handen gezeten.' Ik schaam me en wend me af. 'Het leek gewoon of mijn leven zo... zinloos was. Jij had me niet nodig, je vader was er niet meer. Ik was op drift. En ik had die pillen, maar ik was bang. Dus, in plaats van de pillen in te nemen, schreef ik een brief. Naar een oude vriend.'

Wanneer ik naar Liz kijk, is haar gezicht een masker. Ze kijkt me niet aan. 'Lang geleden heb ik Jean-Marc gekwetst. Enorm. Dat heeft me jarenlang achtervolgd. En sinds je vader is overleden, kwam dat schuldgevoel steeds vaker om de hoek kijken. En er kwam een gedachte bovendrijven dat als ik terug in de tijd zou gaan, dat deel van mijn verleden op een rijtje zou krijgen, ik misschien weer in staat zou zijn verder te gaan. In staat om het leven weer tegemoet te treden. En dus schreef ik die brief. Ik had geen idee of hij hem ooit zou krijgen. Maar dat was wel zo en hij kwam. Het ging niet eens om jou.'

'Ik zou er graag bij hebben willen zijn toen je het *hem* vertelde,' zegt ze.

'Wanneer ik hem wat vertelde?' Terwijl ik de vraag stel, realiseer ik me wat ze bedoelt. 'Ik heb hem niets over jou verteld. Ik heb je vader beloofd nooit over Parijs te praten en dat Jean-Marc nooit te weten zou komen wie je bent.' Ik voel de emoties opborrelen wanneer ik me plotseling herinner dat Jean-Marc wel erg stil werd nadat Liz tijdens het diner was verdwenen. Zou hij ergens door Parijs rondzwerven en zich afvragen of hij misschien een tweede dochter heeft? Dat verwacht hij natuurlijk helemaal niet en dus heeft hij geen enkele reden om dat te denken. Of hij moet dezelfde dingen hebben opgemerkt als die Liz heeft opgemerkt. *God. HELP!*

Ten slotte kijkt Liz me aan. 'Wil je beweren dat meneer David het niet weet?' In haar felblauwe ogen ligt een kille blik. Berekenend. Ik kijk haar blanco aan.

'Ik... ik weet het niet. Misschien dat hij iets vermoedt. Maar ik heb er niets over gezegd. Hoeveel keer moet ik het je nog vertellen? Dat is *niet* de reden dat ik die brief heb geschreven. Dat is *niet* de reden waarom ik naar Parijs ben gekomen.'

Ik wil me wanhopig graag naar haar uitstrekken, maar ik hou me in, in de wetenschap dat ze zich af zal wenden. En dat zou mijn hart breken. Ik voel me breekbaar... en toch realiseer ik me op de een of andere manier dat ik sterker ben geworden. Sterk genoeg om uiteindelijk een einde te maken aan deze confrontatie.

28 december 2003
Ik heb Lizzie verteld dat ik niet naar Parijs ben gekomen om Jean-Marc over haar te vertellen. Klopt dat? Of had ik nog ergens een verborgen agenda waar ik niet in wilde kijken? Ik heb tijd nodig om na te denken. Ik babbel maar even verder op papier en dan kan ik de hele puinhoop misschien bundelen tot een stuk informatie waar ik uit wijs kan worden. De telefoon is nog niet overgegaan. Ik heb ook geen berichten ontvangen. Ik weet niet of dat betekent dat Jean-Marc niet zo opmerkzaam is als Liz... of dat het betekent dat hij het wel weet en ervandoor is. Ik wil contact met hem opnemen, maar ik denk dat het maar beter is dat ik het niet doe. Als hij het heeft geraden, heeft hij tijd nodig. Zo niet, dan ga ik niet uitleggen waarom Liz deed zoals ze deed. Vanavond niet. Dus...
Ik ben naar Parijs gekomen omdat...

Ik stop even met schrijven. Ik denk na. Het antwoord is simpel. Ik ben naar Parijs gekomen omdat ik vijftig ben en ik die spreuk op mijn bureau in Omaha wil geloven. Ik wil geloven dat het nooit te laat is om te worden wat ik had kunnen zijn.

De logische vraag is dus...

Wat had ik kunnen zijn?
1. Een violiste. Ik wilde geen echte concertvioliste worden. Ik wilde gewoon dat muziek deel zou uitmaken van mijn leven. Maar omdat Sam wist dat Jean-Marc het heerlijk vond om me viool te horen spelen, wilde hij dat absoluut niet in mijn leven zien. Ik vermoed dat hij bang was dat ik aan Jean-Marc zou denken wanneer ik speelde. Het tragische is dat wanneer ik speelde, ik altijd aan dingen zoals golven dacht. Vogels in de vlucht. Dingen uit de natuur. Soms aan engelen. Soms zelfs aan God. De muziek verbond me niet met Jean-Marc. Maar Sam geloof-

de dat niet en legde zich er niet bij neer. Op zekere dag werd hij zo boos dat hij mijn strijkstok brak...

Ik stop weer met schrijven. Ik ga dat deel van mijn verleden niet herbeleven. Dat is voorbij. Ik keer terug naar mijn overpeinzingen van het heden.

2. Een avonturier. De wereld is zo'n opwindende plek. Het lijkt me heerlijk om nieuwe culturen te leren kennen. Ik wil nooit meer stoppen. In verschillende opzichten denk ik dat ik uiteindelijk toch in een avontuur ben beland, hoewel het niet het avontuur was dat ik verwachtte. Het leven van Sam Davis was een soort buitenland voor me. Ik heb heel wat geleerd over een deel van de maatschappij waartoe ik nooit had behoord. En volgens mij is me dat behoorlijk goed gelukt. Sam was op zijn manier trots op me. Hij zei dat alleen nooit hardop.
3. De vrouw van een zeeman. Dat is een maffe. Een deel van de reden waarom ik op eenentwintigjarige leeftijd voor Sam koos, was de wetenschap dat Jean-Marc niet het type was dat zich liet tegenhouden door vrouw en kind. Ik vond het triest om te horen dat hij twee keer getrouwd is geweest en dat geen van beide huwelijken heeft standgehouden. Wil ik nu een serieuze relatie met hem? Ik weet het niet. Negenentwintig jaar geleden liet ik me meevoeren door de romantische omstandigheden. Ik heb nu een volwassener beeld van wat het kost om een goed huwelijk te hebben. Maar mijn hart gaat nog steeds sneller kloppen wanneer hij naar me kijkt. En zijn kus... nou, ik denk dat er in mijn binnenste nog steeds vuurtjes smeulen die aangewakkerd kunnen worden. En die wetenschap is zowel opwindend als beangstigend.
4. Een zwerver. Het doet me verdriet dat Jean-Marc zich nooit ergens heeft kunnen settelen. Ik bedoel daarmee niet dat hij de zee vaarwel had moeten zeggen. Maar hij had kunnen wortel-

schieten op een manier die hem in staat zou hebben gesteld zijn wortels mee te nemen, waar de Sea Cloud *hem ook heen zou voeren. Toen we jong waren, vond ik hem waarschijnlijk aantrekkelijker door dat beeld van een zwerver dat ik van hem had. Maar nu voelt het alleen maar triest aan dat hij nergens aan gebonden is. Maar misschien ben ik nu alleen maar mijn eigen gevoelens op hem aan het projecteren. Ik denk alleen niet dat ik ooit een zwerver zou willen zijn. En ik denk dat Jean-Marc dat op het ogenblik ook niet wil. Wanneer hij over zijn dochter spreekt – zijn ANDERE dochter, Celine – doet hij dat met een soort weemoed.*
5. Een gescheiden vrouw. Ach, dat had ik kunnen zijn… twee keer. Ik zou van het leven van Jean-Marc een ramp hebben gemaakt. En ik had Sam kunnen laten vallen. Maar ik heb het leven van Jean-Marc niet lang tot een ramp gemaakt… en ik heb Sam ook niet laten vallen. Gelukkig niet.
Ik weet niet wat ik van Parijs verwachtte, echt. Jean-Marc haat me niet. Hij vindt me zelfs nog aardig. En ik geniet nog steeds van hem. Maar ik wil meer dan een romance waar nieuw leven in wordt geblazen. Ik wil weer contact met de muzikant en de reiziger en al die andere kanten van me die ik heb weggestopt voor Sam. Ik wil geen tijd meer verdoen met bitter zijn. Ik heb gedaan wat ik heb gedaan en dat heb ik zo goed mogelijk gedaan. Ik ben een goede echtgenote voor Sam geweest en ik ben een goede moeder voor Liz. Ik weet niet wat ik hierna wil zijn. Wie weet word ik wel een betere ik dan ik ben geweest. En het zou fijn zijn als dat betekende dat ik de vriendin zou zijn – in elk geval een *vriendin – van een Franse zeiler. Maar als Liz gelijk heeft dat Jean-Marc heeft geraden dat ze zijn dochter is, vervalt die mogelijkheid misschien wel.*
Zou ik weer naar Parijs gekomen zijn als ik van tevoren had geweten wat er zou gaan gebeuren?
Ja. De muziek is weer terug in mijn leven. En ik heb enkele

heerlijke nieuwe, jonge vrienden. Ik ben van plan weer een viool te kopen. Wie weet ga ik misschien zelfs wel in op het aanbod van Luca om me op een Ducati te leren rijden.
Wat wil ik? Ik wil Liz en Jeff meenemen naar Arcachon om ze te laten zien waar ik naar school ben geweest. Ik wil dat we allemaal bevriend raken met Jean-Marc. En ik wil dat Liz en Jeff weer naar huis gaan, zodat ik hier nog wat meer tijd voor mezelf heb – een tijd zonder spijt, zonder zorgen.

Ik leg de pen neer, wrijf over mijn rechterpols, die verdoofd aanvoelt na mijn geschrijf. Misschien word ik nog wel journalist. Meredith van de club zei tegen me dat ik aan een dagboek moest beginnen toen Sam overleed. Misschien was dat wel het enige zinnige advies dat Meredith me ooit heeft gegeven. Ik had naar haar moeten luisteren. Wanneer ik teruglees wat ik zojuist heb geschreven, lijkt het alsof er een nieuw soort helderheid en vrede over me gekomen is. Het is verbazingwekkend – en misschien wel een teken aan de wand – dat ik het helemaal niet over de *Sea Cloud* heb gehad. Ik schreef dat ik Liz wilde meenemen naar Arcachon... maar blijkbaar zie ik het schip van Jean-Marc niet als noodzakelijk onderdeel van mijn poging om Liz meer van mezelf te laten zien. Interessant.

Ik kijk naar de telefoon en moet een beetje lachen wanneer ik denk aan Snoopy en aan hoe verloren hij keek toen hij zei: 'Een voerbak wordt nooit vol wanneer je ernaar zit te kijken.' Of zoiets. Een telefoon waarnaar je zit te kijken, gaat ook nooit over.

Ik ben uitgeput. Ik schop mijn schoenen uit en ga op de bank liggen. Mijn laatste gedachten, die nogal wazig zijn, gaan over Luca Santo en hoe hij voor het eten bad. Hij deed me denken aan die voorganger in dat protestantse kerkje. Zo persoonlijk. Dat intrigeert me. Ik was niet van plan aan een godsdienstige pelgrimage te beginnen, maar ik zou die voorganger graag eens een paar vragen stellen over de Bijbel die hij me gaf, de laatste keer dat ik in zijn kerk kwam. En misschien eens met Luca Santo over zijn geloof praten. Als hij tenminste openstaat voor zo'n discussie. Als hij dat niet onbeschoft vindt. Als…

24

Mary

Een jengelend geluid doet me opschrikken uit een diepe slaap, maar ik word maar half wakker. Ik wilde dat iemand – en dan realiseer ik me dat het niet gewoon maar een geluid is, maar de telefoon. Ik ga kreunend rechtop zitten en wrijf over mijn nek, die blijkbaar niet gemaakt is om een halve nacht op de bank door te brengen. Het is nog steeds donker buiten.

'Hallo?'

'Met Jean-Marc.'

'Ja?'

'Kunnen we elkaar in de tuin ontmoeten? Alsjeblieft. Ik kan niet slapen.'

Hij weet het.

Ik aarzel even en denk aan Liz, twee verdiepingen boven me. Zou ze al slapen, of loopt ze nog steeds te ijsberen? Is het Jeff gelukt haar te kalmeren? Zou ik even gaan kijken of... of haar maar laten? Ik herinner me haar sarcasme – dat ik er zou zijn, *behalve* als ik een afspraakje had.

'Ik kom eraan.' Ik hang op, schrijf een 'voor het geval dat' – briefje, grijp mijn jack en de sleutel van de kamer en loop naar boven.

In eerste instantie wordt er niet op mijn geklop gereageerd, maar dan doet Jeff de deur open.

'Ze slaapt,' zegt hij, waarna hij er snel aan toevoegt: 'Ik heb op de bank liggen doezelen... voor het geval ze –'

Ik knik en onderbreek hem. 'Mooi. Dan kun jij dit doorgeven.'

Jeff leest het briefje, waarop staat *Ik ben even naar de Jardin du Luxembourg. Ben snel weer terug.*

'Jean-Marc belde net. Hij heeft niets gezegd, maar ik vermoed dat hij tot dezelfde conclusie is gekomen als Liz.'

Jeff knikt. Nadat hij achterom heeft gekeken naar de slaapkamer, stapt hij de gang in en trekt hij de deur bijna achter zich dicht. 'Mary, ik weet niet hoe dit allemaal zal aflopen, maar ik wil dat je weet dat ik hierdoor niet anders naar je ben gaan kijken. En ook niet naar meneer David, wat dat betreft. Ik mag hem en ik respecteer jou.'

'Respecteer je mij? Na de chaos die ik heb veroorzaakt?'

Hij schudt zijn hoofd. 'Deze *chaos*, zoals jij het noemt, is niet jouw schuld. En ik bewonder je omdat je alleen maar sterker wordt, in plaats van dat je wegkruipt in je schulp.'

'Je bent een lieverd, maar deze chaos is wel mijn schuld. Al is de zonde nog zo snel, de waarheid achterhaalt haar wel. Zelfs na dertig jaar.' Mijn ogen vullen zich met tranen.

'Je wilde niet dat Liz erachter zou komen. Ik geloof je. Als er in jouw veranderende wereld iets is dat constant blijft, is het wel je liefde voor Liz. En als ze eenmaal over de schok heen is, zal ook zij zich dat realiseren.' Hij steekt een hand uit en grijpt me bij een schouder. 'Ik sta achter je, Mary. Het komt allemaal wel goed.'

Ik heb geen flauw idee hoe alles dan goed zou moeten komen, maar dat zeg ik maar niet. Ik bedank Jeff eenvoudigweg en loop weer in de richting van de trap. Ik hoor de deur naar de suite van Liz achter me dichtgaan en dank God dat ze niet in haar eentje naar Parijs is gekomen.

Ik heb deze laatste paar weken misschien wel meer aan God gedacht dan in de afgelopen dertig jaar in Omaha. Wanneer ik langs het café loop waar ik sinds mijn aankomst in Parijs elke morgen ontbijt, herinner ik me mijn schietgebedje tot God om me te helpen. Als dit Zijn idee is van hoe Hij me moet helpen, weet ik niet zeker of ik God wel in mijn leven wil hebben. Maar als Hij echt God is, bedenk ik me in een moment van theologische helderheid, is Hij hoe dan ook in mijn leven, of ik dat nu accepteer of niet. Als Hij Zich niet in een mensenleven kan mengen, behalve als die mens Hem daartoe uitnodigt… zou Zijn schepping dan niet in gevaar komen? En wat voor God zou Hij dan zijn, om Zich te onderwerpen aan de wil van een mens? Verward door mijn onkunde geef ik het op.

Jean-Marc bevindt zich al in de tuin. Ik zie hem een stukje verderop. Hij staat naast de grote betonnen bak die in de zomer gevuld is met water en waar kinderen met hun modelscheepjes spelen. Maar vanmorgen staat de bak leeg en is het stil.

Hij hoort me naderen en draait zich om. Zo gauw ik dichtbij genoeg ben om op normale toon tegen me te praten, zegt hij: 'Ze heeft mijn ogen.'

Ik knik.

Hij haalt diep en beverig adem. 'Die eerste avond in het hotel merkte ik het niet op.' Hij schudt zijn hoofd. 'Vreemd genoeg waren het niet haar ogen die me aan het denken zetten. Ze houdt haar hoofd op een bepaalde manier een beetje schuin wanneer ze gespannen is. Wanneer ze een vraag stelt. Plotseling moest ik aan Celine denken. En toen begon ik beter op te letten. En die hik –' Hij zwijgt abrupt. 'Waarom heb je het me niet verteld?'

Ik zucht. 'Ik was jong. Doodsbang. Ik dacht dat je de verantwoordelijkheid niet zou aandurven. En ik wilde niet dat je iets zou doen uit verplichting.'

'Je vertrouwde me niet,' zegt hij.

Ik negeer die opmerking. 'Ik wist pas dat ik zwanger was

nadat Sam me ten huwelijk had gevraagd. Ik was geshockeerd. Ik gebruikte mijn zwangerschap om hem een reden te geven van ons huwelijk af te zien. Maar toen verbaasde hij me. Hij zei dat het niet uitmaakte. Dat hij de baby zou opvoeden als zijn eigen kind als ik erin toestemde om alle banden met jou te verbreken.' Ik haal mijn schouders op. 'Jij was er al vandoor gegaan.'

Jean-Marc ploft neer op de rand van de betonnen vijver, zo abrupt dat ik mijn hand uitstrek en op zijn schouder leg. Hij pakt mijn hand, kust die en trekt me naast zich op de betonnen rand. 'Je had gelijk dat je me niet vertrouwde. Ik zou je hebben verlaten. Uiteindelijk.'

'Het feit dat ik teruggekomen ben, heeft hier niets mee te maken. Ik verwachtte niet dat Liz zou komen en het was zeker niet de bedoeling dat ze het zou weten. Ik wilde me alleen maar verontschuldigen. Zien hoe het met je ging en dan het leven weer oppakken. Het spijt me zo, Jean-Marc. Ik heb je nooit willen kwetsen. Het spijt me zo verschrikkelijk.'

Hij schudt zijn hoofd. 'Dat hebben we allemaal al met de rivier mee laten drijven, weet je nog?' Hij kijkt naar de lucht. 'Misschien zou ik met je zijn getrouwd… maar je hebt gelijk. Uiteindelijk zou ik het gevoel hebben gekregen dat ik klem zat. Misschien niet meteen, maar mettertijd.' Hij duwt zijn schouder tegen die van mij. 'Jij was niet geschikt voor het leven van een zeeman, Mary McKibbin. Jij moest kunnen wortelen en ik ben er nooit de man naar geweest om wortel te schieten.' Hij glimlacht. 'Elizabeth is een mooie meid. Getalenteerd, helder. Een hulde aan jou.'

'Wat ze is, is ze grotendeels geworden door wat Sam in haar heeft geïnvesteerd.' Ik doe mijn best om de relatie tussen Elizabeth en Sam aan Jean-Marc uit te leggen. Ik probeer Sam niet in een kwaad daglicht te stellen, maar het is duidelijk dat ik mijn gekwetstheid en vervreemding laat blijken, want Jean-Marc grijpt mijn hand terwijl ik praat.

Wanneer ik uiteindelijk zwijg, zegt hij: 'Ze heeft heel wat gemist omdat ze je niet beter kende. Misschien, nu ze hier is, kan een tuin in Parijs meer betekenen dan alleen maar twee jonge geliefden die oude vrienden zijn geworden. Misschien dat deze tuin getuige zal zijn van een nieuwe start tussen moeder en dochter.' Hij klopt me op mijn hand. 'Als deze bomen konden praten, zouden ze heel wat te vertellen hebben, lieve vriendin van me. Misschien dat jij ze een nieuw verhaal zult geven over een hereniging en een nieuw begin.'

Mijn ogen vullen zich met tranen en ik word overspoeld door een diepe droefheid. 'Ik wilde dat ik je kon geloven. Maar ik heb maar weinig hoop dat ze hier ooit nog overheen komt.' Ik haal haperend en geëmotioneerd adem. Jean-Marc legt zijn arm om me heen. Ik leun tegen hem aan.

'Ik was dus niet de enige die tijdens het diner de schok van mijn leven kreeg,' mompelt hij.

Ik schud mijn hoofd en veeg de tranen van mijn gezicht.

Hij drukt me stevig tegen zich aan en trekt me overeind. Wanneer we verder wandelen, zegt Jean-Marc: 'Luca heeft tegen me gezegd dat God mensen vaak meer dan eens de kans geeft.'

'Meer dan eens de kans op wat?'

'Geluk. Begrip. Vergeving. En wat voor onuitgesproken behoeften een mens ook mag hebben. Een God van tweede kansen, noemt Luca zijn God.'

Terwijl de vroege ochtendzon de muren van het paleis in een gele gloed zet, ben ik me nu heel erg bewust van alles om ons heen, inclusief de auto's die over de straat net achter het ijzeren hek langs rijden dat het Palais du Luxembourg en de tuin omringt.

Ik verontschuldig me nogmaals. 'Ik heb nooit gewild dat –'

'Sst.' Hij legt een vinger tegen mijn lippen. 'Die laatste bloem – die je niet in de rivier wilde gooien…'

'Ja. Spijt dat je Elizabeth nooit zou leren kennen. Dat zij jou nooit zou kennen. Dat ze de rest van haar leven bezig zou zijn om op Sam te lijken… en ze nooit van de dingen zou weten die jij haar had kunnen leren, dingen die misschien Sams zwakheden eruit hadden kunnen filteren.'

'Daar heb je *mij* niet voor nodig,' zegt hij. En dan keert hij zich naar me toe en grijpt mijn beide schouders beet. 'Geef haar jouzelf, *ma chérie*. Laat haar de vrouw zien die je al die jaren verborgen hebt gehouden. Laat haar de muziek horen… laat haar luisteren naar de lach die ik me herinner… laat haar de zee in haar gezicht voelen sproeien.' Wanneer hij het over de zee heeft, glimlacht hij. 'Als ze me de ruimte geeft – als ze mee zou willen komen – zouden we haar samen de zee kunnen geven.' Hij zwijgt even. 'Zou ze meegaan naar de *Sea Cloud*?'

Ik schud mijn hoofd. 'Ik betwijfel het.'

'Weet je, Mary, toen je brief arriveerde… heb ik hem dagenlang ongeopend in mijn zak bewaard. Uiteindelijk ben ik naar het duin gegaan. Ik wilde hem verscheuren en in zee gooien.' Hij haalt zijn schouders op. 'Jij bent niet de enige met spijt. En niet alleen God is bereid een tweede kans te geven. Als ze meekomt… en of ze nu wil of niet, ik zou het heel erg leuk vinden als je het komende voorjaar meegaat aan boord van de *Sea Cloud*. En misschien mee op een zeiltocht naar Italië om Celine en mijn kleinzoons te leren kennen.'

'Wat zou Celine hiervan denken?'

Hij zucht. 'Ik weet het niet. Ze heeft de tijd om het te laten bezinken voor je komt.'

'Ik moet terug naar het hotel.'

Hij slaakt een diepe zucht. 'Ja, natuurlijk. Ik breng je wel.'

'Dank je, maar...'

Hij knikt. 'Ik begrijp het.' Hij neemt mijn gezicht in zijn beide handen en fluistert: 'Voor die goeie ouwe tijd,' en kust me. Hij neemt me in zijn armen. Het is een vriendschappelijke knuffel, geen gepassioneerde. Voor hij me loslaat, zegt hij: 'Ik ga ontbijten met Luca. Als je van gedachten verandert en me wilt komen opzoeken, weet ik zeker dat Luca ervoor kan zorgen dat je me op elk tijdstip van de dag of de nacht kunt vinden.'

Ik mompel een bedankje en hij kust me nogmaals. 'Deze,' zegt hij, 'was voor de toekomst.' Hij glimlacht en knipoogt. Hij is nog steeds de flirtende zeeman en ik reageer nog steeds op zijn hartstocht met een verhoogde bloeddruk.

Ik kijk Jean-Marc na en kom niet in de verleiding om hem terug te roepen. Hij heeft gezegd dat hij zal wachten. Ik geloof – deze keer – dat hij dat zal doen. Ik draai me om en loop terug naar het hotel waar ik woon... *Waar ik woon.* Dat vind ik wel een prettig idee. Ik sla het op in mijn geheugen en richt mijn aandacht weer op Elizabeth.

Ik heb geen idee van wat ik vandaag ga zeggen. Wat ik doen zal. Of mijn dochter naar me toe zal komen – of zich voor altijd van me af zal keren. Terwijl ik zo alleen op weg naar mijn hotel ben, blijft een zinnetje maar in mijn hoofd rondmalen. *Een God van tweede kansen.*

25

Mary

Weer word ik uit een diepe slaap gerukt door een geluid, maar deze keer is het niet de telefoon. Het is een klop op mijn deur. Zonder zelfs maar naar de klok te kijken sta ik op, trek ik een broek en een oversized overhemd aan en stommel ik naar de deur, blootsvoets en met slaperige ogen.

'Ja?'

'We zijn terug! En we hebben nieuws!'

Ik doe de deur open en Annie, Adolpho en Enzo tuimelen naar binnen.

'We hebben je wakker gemaakt! Het spijt ons. We komen later wel terug.' Annie is van plan meteen de gang weer in te duiken, maar ik ben blij met de terugkomst van mijn jonge vrienden, die een afleiding vormen voor het feit dat Elizabeth nog steeds niet heeft gebeld... en dat het al bijna twaalf uur is.

'Nee, wacht. Geef me even een minuutje.' Ik trek me terug naar de slaapkamer en doe de deur achter me dicht. Mijn persoonlijke record om er 's morgens weer toonbaar uit te zien, is tien minuten. Volgens mij red ik het nu in *drie* minuten.

Net op het moment dat ik me weer bij mijn jonge vrienden in de zitkamer voeg, wordt er nogmaals op mijn deur geklopt. Deze keer zijn het Liz en Jeff – Liz met rode ogen en bleek en Jeff met zijn versie van een bemoedigende glimlach. Ik hoop in elk geval dat ik hem juist interpreteer.

Door de introductie van deze vreemden die een buffer vormen voor onze 'recente geschiedenis', lijkt Liz zich weer te herstellen. Ze begroet de drie jonge mensen en glimlacht naar Adolpho. 'Dus jij bent degene die met mijn moeder Parijs rondgeraced is?' Ze legt haar hand op mijn schouder terwijl ze praat en ik sta weer versteld van haar vermogen om al haar gevoelens opzij te schuiven en een beleefd sociale houding aan te nemen. Niemand zou ook maar het geringste vermoeden hebben dat we iets anders zouden zijn dan een liefhebbende moeder en dochter.

'Je zei dat je nieuws hebt?' zeg ik tegen Annie. Ze glimlacht naar Adolpho en kijkt weer naar mij. 'Kunnen jullie allemaal' – ze bedoelt daar ook Liz en Jeff mee – 'naar het theehuis komen? We hebben iets te vieren en het zou hartstikke leuk zijn als jullie er ook bij waren!'

'Wat hebben jullie dan te vieren?'

'De verrassing... in het theehuis.' Adolpho kijkt me met een samenzweerderige glimlach aan. Hij kijkt naar Jeff en Liz. 'Het is mooi dat jullie hier ook zijn, want een deel van de verrassing is voor Mary.'

Ik ben echt verward. Ik aarzel, maar Liz doet haar mond open en neemt de uitnodiging namens ons alle drie aan. Dat voelt een beetje aan als hoe het er thuis aan toeging, maar in dit geval komt dat mooi uit. Misschien is het wel een goed idee om de komende uren enkele menselijke buffers in de buurt te hebben. Misschien weet God wel waar Hij mee bezig is en misschien is Annies terugkomst wel een antwoord op mijn smeekbede om hulp. Maar terwijl ik dit denk, lach ik mezelf al uit om het absurde van deze gedachtespinsels. God die theekransjes regelt. Ha!

Liz, Jeff en ik gaan ons klaarmaken en de anderen gaan vast vooruit om de verrassing voor te bereiden – wat die verrassing ook mag zijn.

Het theehuis zit vol met leden van het kamerorkest en een paar gezichten die ik niet herken, maar dit is duidelijk een gepland feestje en het raakt me diep dat ik ook ben uitgenodigd.

Adolpho staat op, bedankt alle aanwezigen voor hun komst, pareert een paar goedbedoelde geintjes, neemt dan Annie bij de hand en zegt eenvoudigweg: 'We zijn verloofd.'

Er wordt gejuicht en gefloten, gestampt en gejoeld om een toespraak, wat hij dan ook maar doet. Hij beëindigt zijn verhaal met het lezen van een gedicht voor Annie. Het wordt stil in het theehuis en wanneer hij klaar is en naar zijn verloofde kijkt, is dat met zo'n tederheid dat de hele ruimte bijna hoorbaar zucht. Ik merk dat Jeff Liz' hand heeft gegrepen tijdens het voorlezen van het gedicht.

Wanneer Enzo een grapje maakt, is het moment voorbij. Een paar groepsleden doen hun instrumentkist open – de instrumenten waren me niet eens opgevallen toen we aankwamen – en er is muziek. Het is niet het klassieke geluid dat ik van de groep gewend ben, maar meer folk of blues – iets wat ik niet helemaal kan thuisbrengen. Wanneer Annie haar vioolkist opendoet en haar instrument in mijn handen duwt, schud ik mijn hoofd en probeer ik het ding van me af te duwen.

'Alsjeblieft,' zegt ze. 'Maak er dan ons verlovingscadeautje van.'

'Ik kan het niet,' reageer ik, me plotseling bewust van Liz' ongelovige blik en iets waarvan ik denk dat het een lichte, afkeurende frons is. 'Misschien een andere keer.'

Maar de rest van de groep bemoeit zich er nu ook mee en plotseling sta ik in het middelpunt van de belangstelling. Als ik weiger, kwets ik Annie. Als ik toegeef, schaam ik me. Maar wanneer ik Annie aankijk, besluit ik dat ik me maar beter kan schamen dan een meisje teleurstellen tijdens haar verlovingsfeestje. En dus, na wat zelfspot, klem ik het instrument onder mijn kin, sluit ik mijn ogen en zet mijn vingers zo op de snaren dat ik hoop dat het de juiste tonen zal opleveren voor het eenvoudige volksliedje dat ik jaren geleden heb geleerd.

Mijn vingers beven, ik houd de strijkstok niet helemaal goed vast en de viool piept. 'Zie je wel?' zeg ik terwijl ik de viool aan Annie terug probeer te geven.

'Wat moet ik zien?' glimlacht Annie. Ze kijkt naar Liz. 'Doet ze altijd zo wanneer je haar vraagt of ze iets wil spelen?'

Liz mompelt iets onduidelijks.

'We hebben haar in jaren niet horen spelen,' zegt Jeff. Hij werpt me een veelbetekenende glimlach toe. 'Alsjeblieft, Mary. Speel iets voor ons.'

Het is een somber wijsje, maar wanneer ik het uit het verleden terugroep en worstel om het hart van Annies viool te vinden, sluit ik mijn ogen nogmaals en probeer de mensen om me heen te vergeten en ook mijn zenuwachtigheid. Ik herinner me meer dan ik verwachtte. Niet echt slecht, denk ik. Niet echt goed ook. Een beetje middelmatig. Het is jaren geleden dat ik aan dat zinnetje heb gedacht. Sams moeder – de oorspronkelijke Elizabeth – gebruikte het vaak wanneer ze haar mening over koken en dergelijke gaf. *'Je kunt niet gewoon maar een beetje middelmatig zijn, Mary McKibbin,'* zei ze dan. *'Je bent nu een Davis.'*

De jongeren klappen voor mijn middelmatigheid en ik haal mijn schouders op en geef Annie haar instrument terug. 'Ik zei toch dat het niet veel soeps zou zijn? Het is te lang geleden.'

'Dat was schitterend, Mimi,' zegt Liz.

Ik kijk haar aan en ben geschokt – zowel dat ze me heeft

genoemd bij haar koosnaampje voor mij… als dat ze tranen in haar ogen heeft.

'Je zong dat altijd voor me toen ik nog heel klein was.' Ze fronst haar voorhoofd. 'Maar daar ben je mee gestopt. En zelfs wanneer ik erom vroeg, wilde je het nooit meer zingen. Waarom eigenlijk niet?'

'Je vader hield er niet van,' zeg ik.

Enzo zegt: 'Dat was een oud Provençaals slaapliedje. Heel erg oud.' Hij kijkt me aan. 'Waar hebt u dat geleerd?'

'Vóór papa,' zegt Liz. Ze kijkt me aan, maar ik kan haar gevoelens niet peilen.

Ik knik en zeg tegen Enzo: 'De moeder van Jean-Marc zong dat altijd.'

'Aha,' grijnst Enzo, 'de beroemde Maman David.'

Ik schud mijn hoofd, druk mijn handen tegen mijn gezicht en probeer mijn lach te verbergen.

'Wat?' vraagt Liz.

'Dat zult u even moeten uitleggen,' zegt Annie.

Enzo kijkt naar Adolpho, die zijn schouders ophaalt. Blijkbaar geeft hij zijn permissie en Enzo steekt van wal. 'Toen we nog klein waren, vertelde de legendarische oom Luca ons dat Hélène David – de moeder van Jean-Marc – werd ontvoerd door zigeuners, toen ze nog jong was. Ze woonde bij hen tot ze een jaar of dertien was, waarna ze ervandoor ging door zich bij het circus aan te sluiten.'

Het verhaal begint al belachelijk te klinken en de toehoorders reageren luidruchtig en afkeurend.

'Je moet zelf maar weten wat je ervan gelooft,' gaat Enzo verder. 'Maar het is waar gebeurd. Mijn eigen oom Luca vertelde het. Maman David was een beroemde zangeres. Tot ze de vader van Jean-Marc ontmoette en verliefd werd. Ze trouwden en gingen in Arcachon wonen en Maman David weigerde iets over haar verleden te vertellen tot ze een zeer oude vrouw was – behalve dat liedje dan, dat ze de rest van haar leven in het Provençaals voor haar zoon zong. En nu rust Maman David in vrede en zijn dat liedje en dit verhaal het enige wat overgebleven is.' Enzo sluit het verhaal af met een weids gebaar van zijn hand en een diepe buiging.

We houden het theehuis al ruim een uur bezet voor de gasten een voor een beginnen te vertrekken. Ten slotte moeten ook Adolpho en Annie gaan. Terwijl ze haar viool inpakt, leunt Annie naar me toe en zegt ze: 'Nu kan ik u de andere verrassing vertellen waar Adolpho het over had. Ik heb de vrijheid genomen om een afspraak voor u te maken. Bij monsieur Rousseau.'

Ik leg Liz en Jeff uit: 'Monsieur Rousseau heeft een kleine winkel tegenover de Notre Dame. Ik liep erover te denken om een viool te kopen.' Ik richt me weer tot Annie: 'Ik twijfel nog. Ik zal het je wel laten weten.'

'Ga nou gewoon,' zegt Liz abrupt. Jeff pakt haar bij de hand. Ze knikt. 'En – als je het niet erg vindt – mag ik dan misschien met je mee?'

Mijn eerste gedachte is dat er uiteindelijk toch een God van tweede kansen is.

Jean-Marc

'Sì?' Omdat hij in zijn dagdromen werd gestoord, antwoordde Luca Santo door de intercom in zijn moedertaal.

'E'io, Jean-Marc.'

'Acceso in su, il mio amico.' Luca liet de knop van de intercom los en liep naar de keuken om zijn Bijbel uit het zicht te leggen, maar aarzelde toen en besloot hem te laten liggen

waar hij lag. *Als ik hem aanstoot geef, Vader, laat dat dan om de juiste reden zijn.*

Jean-Marcs gezicht maakte duidelijk dat hij de afgelopen nacht niet veel geslapen had.

'Je ziet er vreselijk uit.'

Jean-Marc haalde zijn schouders op en liet zich in de gemakkelijke stoel bij de balkondeur vallen.

'Heb je trek in koffie?'

'Grazie.' Jean-Marc stond op en volgde Luca naar de keuken. Hij trok een stoel tevoorschijn en ging zitten. Hij wees naar de Bijbel. 'Jij leest andere dingen dan je vroeger deed.'

'Sì.'

Nadat hij het koffiefilter in de houder had gedaan en de koffie had gemalen, excuseerde Luca zich om kopjes en schotels van Sophia's servies uit het andere vertrek te gaan halen.

Toen hij terugkwam in de keuken, een kop en schotel in elke hand, had Jean-Marc de Bijbel open voor zich liggen en wees naar Sophia's naam – geschreven in Luca's handschrift – in de kantlijn.

'Wat is dit?' vroeg Jean-Marc.

Luca leunde voorover en keek naar het betreffende Bijbelgedeelte – over Christus die uit de hemel neerdaalt – door de onderste helft van zijn multifocale glazen. Hij gromde. 'Een belofte voor mij dat ik mijn Sophia weer terug zal zien.' Op het moment dat hij dat zei, begon de theeketel te fluiten en begon Luca water door het koffiefilter te gieten, waarbij hij de geur van versgezette koffie diep inademde. 'Bestaat er een lekkerder geur dan die van verse koffie?' Hij grijnsde naar Jean-Marc. 'Ik weet het, ik weet het. Jij denkt aan zout, schuim en vis.'

'Eigenlijk,' reageerde Jean-Marc, 'dacht ik in eerste instantie aan de vers omgespitte aarde om Celines villa heen, in het voorjaar.' Hij deed de Bijbel weer dicht en schoof die naar het midden van de tafel om ruimte te maken voor de koffie die Luca voor hem neerzette. 'Ik heb Mary gevraagd om er in het voorjaar samen met mij naartoe te gaan. En om Elizabeth en Jeffrey mee te brengen.'

'Je vertrekt dus.' Het was een opmerking, geen vraag.

'Denk je dan dat ik dat beter niet kan doen?'

Luca haalde zijn schouders op. 'Ik weet het niet.'

'Jij denkt dat ik een oude fout bega – ervandoor gaan.'

'Dat heb ik niet gezegd.' Luca deed melk in zijn koffie. 'Eigenlijk, oude vriend, weet ik niet wat ik denk. Behalve dan dat ik wilde dat jij er eens over zou nadenken om God om hulp te vragen. Ondanks wat jij denkt, is Hij veel meer dan een kruk voor mensen met een zwakke geest. Hoewel ik moet toegeven dat ik me compleet tot Hem heb bekeerd toen ik op mijn zwakst was.' Toen Jean-Marc bleef zwijgen, vervolgde Luca: 'Tot mijn verbazing leek dat de manier te zijn waarop God handelt. Hij neemt de zwakheid van een man en verandert die in een sterk punt.' Hij wees op de Bijbel. 'Daar staat zelfs in dat wanneer ik zwak ben, Hij sterk is.'

'Wat voor soort God wil zwakheid? Wat heeft Hij daaraan?'

Luca glimlachte. 'Ik weet het, dat lijkt onmogelijk. Maar het is waar. Mensen komen tot Hem met hun zwakheden en lege handen en vinden het leven. Hij maakt hen sterk en vult hun leven met Hemzelf.'

'Ik heb geen lege handen en ook geen leeg leven,' zei Jean-Marc vlug.

'Ik dacht hetzelfde,' was Luca het met hem eens. 'Tot ik mijn leven door Gods ogen zag.'

'En toen?'

'En toen las ik de woorden van dit boek: "Het kennen van

Christus Jezus, mijn Heer, overtreft immers alles. Omwille van Hem heb ik alles prijsgegeven; ik heb alles als afval weggegooid."' Luca leunde achterover, dwong zichzelf om een slok van zijn koffie te nemen en bad om de juiste woorden. 'Ik had God niets te bieden. Ik moest accepteren dat mijn toekomst helemaal van Hem afhing... en niet van mij.'

'Jij zegt dat deze God mensen een tweede kans geeft,' zei Jean-Marc.

'Ik denk,' antwoordde Luca, 'dat Hij honderden kansen geeft, als dat nodig is om een ziel te redden.'

Jean-Marc tuurde uit het kleine raam boven de keukentafel. Een hele tijd dronken de mannen alleen maar koffie en zeiden niets.

Toen Jean-Marc ten slotte de stilte tussen hen verbrak, vertelde hij Luca over zijn gesprek met Mary. 'En dus eindigt het net zo als zoveel jaar geleden. Ik ga met lege handen terug naar Arcachon en hoop iets van het meisje te horen.' Hij forceerde een glimlach. 'En dat is, neem ik aan, wat ik verdien.' Hij keek Luca aan. 'Neem ik de juiste beslissing?'

'Dat weet alleen God,' antwoordde Luca.

'Ik heb tegen Mary gezegd dat ik ervoor zou zorgen dat jij weet waar ik te vinden ben.' Jean-Marc haalde zijn portemonnee tevoorschijn, waarin hij een briefje tussen de euro's had gestopt. Hij legde het op tafel voor hij opstond. De mannen schudden elkaar de hand. Halverwege de deur stond Jean-Marc stil om een vraag te stellen. 'Vertel eens, Luca. Als ik besluit om eens na te denken over die God Die een tweede kans geeft... hoe doe ik dat dan? Moet ik dan weer naar de mis gaan?'

Luca aarzelde. 'Dat zou je kunnen doen. Maar het verdrietige is dat veel van onze schitterende kerken niet meer zijn dan mausoleums – gebouwen vol tradities die maar weinig doen om de mens in contact te brengen met een persoonlijke God.' Hij zweeg even en verzette zich innerlijk tegen dat waarvan hij het gevoel had dat God dat van hem verwachtte. Hij aarzelde even, liep toen naar de keukentafel en pakte zijn Bijbel. 'Ik denk,' zei hij, 'dat er iets is wat jou veel meer duidelijk maakt. Kijk gewoon naar wat God Zelf over Zichzelf zegt.' Hij stak Jean-Marc het boek toe. 'Begin eens met het Evangelie volgens Johannes. Ik ben benieuwd wat je ervan vindt.' Met een glimlach gaf hij zijn oude vriend een klap op zijn rug en volgde hem naar de deur. 'Je kunt altijd binnenvallen bij een oud, afgebrand racemaatje in Parijs, mocht je willen praten over wat je hebt gelezen.'

Jean-Marc nam de Bijbel aan en nam Luca toen van top tot teen op. 'Jij bent minder afgebrand dan ik verwachtte,' zei hij. 'Hoewel een beetje zon je goed zou doen. Misschien moet je ook maar eens naar het zuiden komen.'

'Rustig aan,' zei Luca. 'Je wordt gek als iedereen die je hebt uitgenodigd, daadwerkelijk komt.'

'Misschien...' reageerde Jean-Marc, 'misschien wordt het gewoon eens tijd om tevoorschijn te komen.'

Toen Jean-Marc naar beneden liep, riep Luca vanaf de tweede verdieping: 'Weet je, Jean-Marc, God heeft niet alleen in dat *boek* over Zichzelf geschreven! Hij heeft *overal* over Zichzelf geschreven. Je had tot nu toe alleen de ogen niet om het te kunnen zien. Kijk eens naar Hem uit, de eerstvolgende keer dat je de *Sea Cloud* mee uit varen neemt!'

Jean-Marc keek naar boven. 'Misschien doe ik dat wel.'

Luca wenste zijn vriend het beste toe en sloot met een zucht van spijt de deur. Hij miste het boek dat hem door de zwaarste tijd van zijn leven had geholpen nu al. Hij liet zich in zijn favoriete stoel zakken, keek uit over de stad en wilde dat hij een en ander duidelijker had gezegd. Hij hoopte dat

Jean-Marc zijn kostbare Bijbel niet in de eerste de beste vuilnisbak zou gooien en vroeg zich af hoe het met Elizabeth en haar moeder ging. Hij was zich er pijnlijk van bewust dat zijn zorgen en zijn interesse zich meer uitstrekten naar de moeder dan naar de dochter. *Wat heeft dat te betekenen, Vader?*

26

Mary

Het is in Parijs tijd om te gaan dineren. Jean-Marc heeft de stad verlaten, maar heeft wel een envelop bij de conciërge achtergelaten. Er zat een kattenbelletje voor mij in en een brief voor Elizabeth. Ik moet zelf maar beslissen of ik die aan haar geef of niet, schrijft Jean-Marc. *Wat jij denkt dat het beste is.* Hoewel ik zijn poging waardeer, vind ik het niet leuk dat hij die verantwoordelijkheid op mijn schouders heeft gelegd. En ik vind het ook niet leuk dat hij van het toneel is verdwenen.

Het kattenbelletje is kort. Hij is blij dat we elkaar weer hebben gevonden, hij wil de vrouw leren kennen die ik ben geworden en hij hoopt dat de tuin in Parijs een begin is... geen einde. En weer vraag ik me af: hoe kan iets beginnen als de betreffende partijen ervandoor gaan? Ik besluit de brief aan Liz niet te lezen, maar hem aan de conciërge te geven. Ze moet zelf maar beslissen wat ze doet.

Het is de dag na het feestje van Annie en Adolpho in het theehuis. Het grootste deel breng ik door met wachten tot ik iets van Liz hoor. Maar ik hoor niets, dus ga ik een stukje wandelen. De tuin weer in, terug naar de kathedraal, Klein Athene rond. En ten slotte een zeer oude en eenvoudige kerk in, die St. Severin heet. Hij heeft niet de grandeur van een kathedraal met gebrandschilderde ramen en zo, maar het koor is ergens in een andere ruimte aan het oefenen en hun lied echoot door een lege kerkzaal. Wanneer ik mijn ogen sluit, word ik overweldigd door een verlangen om de God te leren kennen die de inspiratie vormt voor deze muziek.

Wie bent U... waar bent U...? Ik wil U leren kennen.

Op weg terug naar het hotel besluit ik, hoewel ik vandaag niet in staat was God te vinden, in elk geval mijn dochter op te zoeken. Wanneer ik de telefoon pak om naar Liz' kamer te bellen, merk ik dat ik bid. Onbeholpen. *Help. Alstublieft. Ik verdien het niet, maar als U daar echt bent en als U echt om me geeft... help me dan alstublieft.*

In de kamer van Liz wordt niet opgenomen.

Jean-Marc

De rit terug naar Arcachon was langer dan Jean-Marc zich herinnerde. Hij kwam uitgeput op zijn bestemming aan en in plaats van naar huis te gaan, reed hij naar de jachthaven. Zoals altijd leken de zorgen van deze wereld minder op zijn schouders te drukken zodra hij voet op het dek van zijn schip zette. Hij ging de kajuit binnen, onderdeks, maakte zijn hut open, liet zich in bed vallen en viel bijna meteen diep in slaap. Uren later werd hij wakker van een geluid dat verdacht veel leek op kindervoeten die over het dek renden. Hij had zijn voeten amper uit bed gezwaaid toen er op de deur werd geklopt, gevolgd door bekende stemmen die om 'grand-père' riepen.

'Je grootvader is hier niet!' riep Jean-Marc. 'Ik heb met hem gevochten en hem in de stamppot gedaan. En nu ben *ik* de kapitein van dit schip.' Hij stapte uit bed en deed zijn best om als een piraat te klinken toen hij de deur opengooide en een harde brul gaf.

Xavier en Olivier gilden het uit van de pret, draaiden zich om en renden naar de trap die naar het dek voerde. Jean-Marc haalde hen net op tijd in en schepte ze van de grond – onder elke arm één. Toen draaide hij zich om, sleepte hen terug naar zijn hut en gooide ze op het bed. Hij sprong achter hen aan en vocht met hen en kietelde hen tot ze om genade smeekten, waar hij pas gehoor aan gaf toen hij zijn dochter hoorde foeteren.

'Papa! Je maakt ze ziek!'

Hij gluurde om het kussen heen dat de jongens gebruikten om hem te smoren. 'Maar ze zijn aan de winnende hand,' protesteerde hij terwijl hij naar beide jongens keek en toen weer naar Celine. 'Ze zijn zo sterk geworden. Ongelofelijk. Echt, als je me niet was komen redden… dan zouden ze hebben gewonnen.'

Xavier en Olivier staken juichend hun vuisten in de lucht en lieten zich op hun grootvader vallen, die dreigde weer met hen te gaan vechten. Maar hij werd tegengehouden door het beeld van zijn dochter in de deuropening. Ze had haar handen op haar heupen gezet en bekeek het tafereeltje met een licht afkeurende blik in haar ogen. Jean-Marc stapte uit bed en kuste Celine op beide wangen. 'Ik ben zo blij dat je bent gekomen. Heb je al ontbeten?'

'Drie uur geleden.'

Jean-Marc pakte de hoed die aan een haakje bij de deur hing en drukte die op zijn hoofd. 'O?!' zei hij terwijl hij in zijn ogen wreef. 'Dan heb ik langer geslapen dan de bedoeling was.' Hij draaide zich om naar de jongens. 'Geef je grootvader even de tijd om zich aan te kleden. Ik trakteer jullie allemaal op… een lunch?' Hij keek met vragende blik naar Celine. Ze haalde haar schouders op, glimlachte en zei ja voor ze naar de jongens gebaarde dat ze moesten meekomen. Net zo snel als het rumoer begon, was het ook weer voorbij. Jean-Marc sloot de deur en greep naar zijn tas. Hij trok een kaki broek aan en een marineblauwe blazer. Hij besloot zich niet te scheren. Het had zijn voordelen om de plaatselijke 'veteraan van de zeven zeeën' te zijn. Er werd van hem verwacht dat hij 'kleurrijk' was. Net voor hij aan dek ging, pakte hij een klein pakketje uit een zijvak van zijn tas. Hij pakte het uit en legde de Bijbel van Luca op een stapel navigatiekaarten.

Celine

Ik weet niet wat er met hem is gebeurd, maar dat er *iets* gebeurd is, is wel duidelijk. Ik denk dat het iets positiefs is, maar het is zo abrupt gegaan dat ik merk dat ik wat terughoudend ben. De duidelijkste verandering is dat hij echt om Olivier en Xavier lijkt te geven. Niet dat hij hiervoor niet aardig tegen hen was, maar ik had altijd het idee dat dat uit plichtsgevoel was en dat hij er niet echt plezier in had kleinzoons te hebben. Hij lijkt nu anders te zijn. Ik zie hem naar hen kijken op een manier alsof hij elke beweging in zich op wil slaan.

Hij heeft de afgelopen dagen op het schip gewoond, wat op zich niet zo opzienbarend is, maar Paul zegt dat mijn vader het grootste deel van zijn tijd lezend in zijn hut doorbrengt. Hij verschijnt twee keer per dag bovendeks, één keer voor de lunch en één keer na het diner. Dan rijdt hij naar het huis, vraagt naar de jongens en dan... *speelt* hij met hen. Spelletjes. Soms neemt hij hen mee naar Pinelli's, voor een ijsje. De jongens beginnen het nu te verwachten en ik hoop maar dat deze verandering permanent is, omdat ze gekwetst zullen worden als hij opeens weer zou worden zoals hij was.

Daarmee bedoel ik als hij weer weg zou zeilen en lange tijd niets van zich laat horen.

Tegen mij is hij ook anders. Het enige wat hij over Parijs heeft gezegd, was dat het verkeer er een ramp was en dat hij niet snapte hoe iemand het daar uithoudt. Hij heeft het ook gehad over zijn oude motorracevriend – Luca of zoiets – en hij zei dat ze samen hadden gedineerd. Maar één dineetje met een oude vriend houdt je niet zolang in Parijs. Ik zou hem er graag naar vragen, maar ik geloof dat ik dat maar beter niet kan doen. Als ik ga zitten vissen voor hij bereid is te praten, werkt dat alleen maar averechts. Zo zit hij gewoon in elkaar.

Jean-Marc verzette zich langer tegen de roep van de zee dan ooit tevoren, maar ten slotte kreeg de zee haar zin. Hij zei tegen zichzelf dat het alleen maar een kort tochtje langs de kust was en dat hij voor donker weer terug zou zijn. Hij belde Paul om hem te helpen. Samen gidsten de mannen de *Sea Cloud* door de baai, zoals altijd blij met het klappen van de net gehesen zeilen. Jean-Marc stond aan het roer en sloot zijn ogen, waarbij hij genoot van het geruis van de boeg die door het koude water sneed. Zijn hart zwol op van trots door de wetenschap dat achter de hoge ramen van de jachtclub mensen samenstroomden die vol bewondering naar de wegzeilende *Sea Cloud* keken.

Toen ze de baai uitvoeren en zich naar open zee begaven, knikte Paul naar de horizon. Jean-Marc keek met samengeknepen ogen naar de muur van wolken. 'We varen een halfuur naar het zuiden en gaan dan weer terug,' zei hij. 'Dan liggen we alweer aangemeerd voordat het slechte weer ons komt lastigvallen.'

Een kwartier later, toen de zee wat onrustig werd, besloot Jean-Marc het tochtje af te blazen en op de haven aan te koersen. Een halfuur later trok de wind steeds verder aan en werden de golven al hoger. Beide mannen streken de zeilen en deden hun zwemvesten aan. Jean-Marc startte de motor en liep voor de wind uit met alleen de stormfok op, terwijl Paul alles vastsjorde wat los lag en alle luiken sloot. Toen het zo hard waaide dat ze elkaar niet eens meer konden verstaan, gebruikten de mannen handsignalen die ze hadden geleerd in de jaren dat ze al op zee rondzwierven. Jean-Marc hield het roer stevig vast en moest alles op alles zetten om het jacht in bedwang te houden, en Paul hield het radarscherm benedendeks in de gaten en kwam om de zoveel tijd naar boven om te controleren of daar alles nog in orde was.

Denk nooit dat je de zee beheerst. De dag dat je te zeker van jezelf wordt, is de dag die je je leven zal kosten. Hoe vaak, vroeg Jean-Marc zich af, had hij die preek al afgestoken tegen jonge broekjes in de jachtclub? Terwijl de grijsgroene wolken over hem heen raasden, vroeg hij zich af of hij nu het bewijs van zijn eigen lessen zou worden. *Maar Paul niet. Alstublieft, God, niet Paul.*

Het leek wel of de storm uren aanhield, maar toen, net zo plotseling als hij was opgestoken, luwde hij weer. Alsof een gigantische hand hen te hulp schoot, braken de wolken open en stroomden de stralen van een ondergaande zon erdoorheen, waardoor er een schilderij van licht ontstond op het water om de *Sea Cloud* heen.

'Dat,' zei Paul terwijl hij diep ademhaalde, 'is het vreemdste wat we ooit hebben meegemaakt.'

Jean-Marc knikte toen beide mannen hun zwemvesten weer uittrokken.

'Net wanneer je denkt dat je weet waar je mee bezig

bent, komt de natuur met iets vreselijks aanzetten.' Paul veegde zijn vochtige handpalmen af aan zijn broek. 'Ik dacht net heel even dat we –'

'Ja,' onderbrak Jean-Marc hem. 'Ik ook.' Hij zweeg even voor hij de vraag stelde waarover hij zich al dagenlang het hoofd brak. 'Zou jij er klaar voor zijn geweest?'

'Klaar?'

'Als God achter die wind had gezeten, die je ziel ter verantwoording riep, wat zou je dan hebben gezegd?'

Paul haalde zijn schouders op en produceerde een nerveus lachje. 'Daar denk ik liever niet over na. Laten we zorgen dat we in de haven komen.' Hij greep een lijn, keek omhoog hoe het zeil opbolde, helderwit tegen de donkere wolken die bij hen vandaan dreven.

Jean-Marc draaide aan het stuurwiel, in de hoop dat Paul niet had gemerkt hoe erg zijn handen beefden. Voor het eerst in jaren was de zee niet in staat gebleken zijn zielenroerselen tot rust te brengen. In plaats daarvan was de zee een spiegel voor zijn emoties geweest, die hem en de *Sea Cloud* heen en weer smeet als een stukje speelgoed.

In de verte flitste de bliksem terwijl de donkere wolkenbank uit het zicht verdween. *Als dit front intact blijft, veroorzaakt het over een paar uur regen in Parijs.* Waar, zo vroeg hij zich af, zou Mary vandaag zijn? En Elizabeth? Zou die haar moeder beter willen leren kennen… of zou ze de komende tijd van haar vervreemden? Zo'n zelfde vervreemding had hij met Celine ook gekend. En hij hoopte niet dat Mary hetzelfde overkwam.

God. Gedachten aan God begonnen zich aan zijn filosofische levensbeschouwing op te dringen. Hij wilde het christendom nog steeds niet aanvaarden en zag het als een simplistisch zicht op dit leven. En toch, terwijl hij nadacht over of Elizabeth zich ooit zou neerleggen bij de nieuwe situatie en of Mary ooit gelukkig zou worden, smachtte een deel van hem naar de vrede die hij in Luca zag.

Terwijl hij de *Sea Cloud* recht op huis aan stuurde, dacht Jean-Marc na over deze nieuwe wending in zijn leven. Hij wilde een antwoord op de vraag die hij aan Paul had gesteld. Wat als de dood op de toppen van die golven was komen meerijden en zijn ziel had opgeëist... wat dan? Hij had altijd gezegd dat de dood het einde betekende. Hij had altijd gezegd dat geloof in iets anders niet meer was dan een kruk voor zwakke mensen die zichzelf te veel waarde toekenden. Sinds hij het geloof in Luca's leven had gezien – en nadat hij het Evangelie volgens Johannes had gelezen – begon hij zich toch af te vragen of dat wel klopte. De man die hij in Luca's Bijbel was tegengekomen, leek in niets op het zwakke, ziek uitziende schepsel dat in zo veel kunstwerken werd weergegeven.

Toen Paul op de pier sprong en de *Sea Cloud* afmeerde, kwamen Celine en de jongens de pier uit rennen. 'We dachten... we –' Celine barstte uit in tranen van opluchting.

Verrast door de vochtophoping in zijn eigen ogen, nam Jean-Marc zijn dochter in zijn armen en trok haar stevig tegen zich aan. 'Maar natuurlijk ben ik in orde.' Hij leunde iets achterover en veegde met een vuile duim de tranen van haar wangen. Toen hij een hand door het haar van Xavier en Olivier haalde, maakte hij een grapje, maar achter de lach voelde hij iets nieuws. Een soort openbaring. Hij realiseerde zich dat hij heel erg veel van dit kleine gezin hield en dat hij niet langer wilde dat de zee zijn meesteres, zijn familie, zijn leven was. Jean-Marc David zocht naar meer.

27

Mary

Net zoals Jean-Marc en ik bloemen in de Seine gooiden, ben ik nu aan het leren om de missers uit het verleden achter me te laten en een heden te creëren dat ervoor zal zorgen dat de toekomst minder missers zal bevatten. Ik ben te realistisch om te hopen op een toekomst *zonder* missers, maar ik doe in elk geval mijn best.

Ik weet niet of het God is die mijn smeekbede om hulp aan het verhoren is of dat ik gewoon geluk heb, maar de volgende keer dat ik naar de kamer van Liz bel, is ze er. En ze stemt ermee in dat ik haar en Jeff op een etentje trakteer. We ontmoeten elkaar in de lobby van het hotel en lopen zwijgend over de Boulevard Saint Michel. Wanneer we langs het ondertussen vertrouwde stalen hek om het Romeinse badhuis lopen, staat Liz stil om te lezen wat er op het bord staat.

'Mijn Frans is abominabel,' zegt ze. 'Ik herinner me vrijwel niets. Zou jij dit even voor me kunnen vertalen?'

Dat doe ik en ik knik naar het museum dat ernaast staat. 'Het Cluny is een schitterend museum.'

'Is het morgen open?' vraagt Liz. 'Dan zouden we ernaartoe kunnen gaan – samen. Als je wilt. Ik bedoel, als je geen andere plannen hebt. Met Annie, of iemand anders.'

Elizabeth heeft nog nooit zo onzeker geklonken. Ik haat het idee dat het mijn schuld is dat de grond onder haar voeten is weggeslagen en toch vraag ik me af of zij nu hetzelfde voelt als ik het grootste deel van mijn leven heb gedaan.

Ik besluit om iets duidelijk te maken. 'Ik heb inderdaad plannen. Om naar het Musée de Cluny te gaan. Met jou.' Ik ben blij dat zij en Jeff blijkbaar niet meteen naar huis vliegen. Ik had verwacht dat ze me dat tijdens het diner zouden vertellen.

We slenteren verder, Klein Athene in. Nu roepen de winkeleigenaren Elizabeth na, waardoor ze moet blozen. Jeff slaat beschermend zijn arm om haar heen en ik neem het spelletje met de winkeleigenaren op me. *'Elle est belle, n'est-ce pas? C'est ma fille.'* Ik wend me tot Elizabeth. 'Ze bedoelen het niet verkeerd. Het is maar een spelletje.'

We komen aan bij de kleine crêperie waar ik hen mee naartoe wilde nemen, in plaats van naar Les Argonauts. Het is daar rustiger, intiemer, en ik hoop dat de sfeer daar uitnodigt tot praten – als Liz tenminste *wil* praten.

De crêpes zijn heerlijk, maar de sfeer aan tafel is enigszins gespannen. Ik wacht tot Liz begint over Jean-Marc of over wat er is gebeurd. Maar dat doet ze niet. Ze wil echter wel weten hoe ik Annie en Adolpho heb ontmoet. Ik beëindig mijn verhaal met een herhaling van de uitnodiging om morgen met me naar het Musée de Cluny te gaan.

'Maar daar ben je al geweest,' protesteert Liz. 'Je gaat je een slag in de rondte vervelen.'

'Dat kan ik me niet voorstellen,' zeg ik, waarna we een tijd afspreken.

Na een ochtend in het Musée de Cluny te hebben doorgebracht, neem ik Jeff en Liz mee naar het drukste café dat ik ken – La Lutèce aan de Boulevard Saint Michel. We eten biefstuk met frites en kijken naar voorbijgangers. Ergens tijdens die maaltijd – zonder dat we er ook maar iets over zeggen – besluiten we het onderwerp Jean-Marc maar even te laten rusten. We besluiten van Parijs te genieten. Later die avond eten we pizza bij Mamalina. Ik schep tegen de tandeloze ober op over mijn dochter en haar verloofde, en doe mijn best om alles voor Liz en Jeff te vertalen.

Hoewel ik qua kunst ondertussen een beetje overvoerd ben geraakt, lijkt alles nieuw nu ik niet net hoef te doen alsof ik het niet al eerder heb gezien. Zo kan ik bijvoorbeeld de anekdotes vertellen die ik van professor Max heb gehoord. We maken het rondje opnieuw. Het Musée d'Orsay, het Louvre, Giverny, Versailles. Zelfs de kleine zolder waar componist Erik Satie woonde en werkte in een kamertje ter grootte van een hangkast.

Op zekere middag krijgen we gezelschap van Annie en Adolpho. We blijven wat rondhangen op Montmartre en eten in Le Consulat. Er is daar livemuziek en we zingen samen met Annie en Adolpho mee en proosten vaker dan goed voor ons is.

En zoals het zo vaak gaat met de mens, nu het beter gaat tussen Liz en mij, vergeet ik in mijn Bijbel te lezen en te bidden – tot de dag komt dat we, na in een lange rij in de regen te hebben gestaan, de wenteltrap naar de kleine Sainte Chapelle opklimmen. Ik kijk naar het raam dat de kruisiging van Christus uitbeeldt en precies op het moment dat ik me afvraag waarom God zo'n goede man op zo'n manier heeft laten sterven, beschijnt de zon het raam naast het exemplaar dat ik sta te bekijken. Ik kijk opzij en de zonnestralen worden breder. En dat gaat door tot de zon helemaal achter de wolken vandaan is gekomen en één kant van de kapel in het licht baadt en wel in brand lijkt te staan. De toeristen om me heen roepen *oooh* en *aaah*, en ik heb het gevoel alsof ik ingekapseld ben door een robijn. Ik laat ruimte en tijd achter me en weer rijst het verlangen in me op om het geloof te begrijpen dat resulteerde in de toewijding die de apostelen aan de dag legden – die bereidheid om te volgen tot de dood. Ik realiseer me dat ik nog nooit zo'n toewijding heb gevoeld voor iets of iemand. Uitgezonderd Elizabeth misschien. Ik ben onder de indruk. Ik wil het begrijpen.

Ik ben er niet zo happig op om mijn godsdienstige vragen te delen met Liz. Ik weet niet waarom. Misschien wel omdat ik na al die jaren van verwijdering geen nieuwe barrières wil opwerpen. En ik wil niet dat ze me weer een zwakkeling vindt. Er zijn periodes geweest waarin ze Irenes verwijzingen naar 'de goede God' bijna belachelijk maakte. Als dit thuis was gebeurd, zou ik er met Irene over kunnen praten.

Ik denk weer aan Luca Santo en zijn dankgebed voor het eten, en dat dat zo persoonlijk en fris klonk. Maar sinds Jean-Marc uit Parijs is verdwenen, heb ik niets meer van hem gehoord en ik ga hem in elk geval niet bellen. Hij zou het weleens verkeerd kunnen opvatten. Hij is tenslotte een begerenswaardige weduwnaar. Atletisch gebouwd, geweldig haar en, nou ja, er is me blijkbaar meer opgevallen dan ik dacht.

Als God God is en Hij me daadwerkelijk op de hielen zit, en als Luca de antwoorden op sommige van mijn vragen kent, dan zal God er toch zeker wel voor kunnen zorgen dat hij me die antwoorden komt geven zonder dat ik hem daarom hoef te vragen.

Als U tot me wilt spreken, God, zal ik proberen te luisteren.

De volgende morgen tijdens het ontbijt zeg ik tegen Liz en Jeff: 'Om tien uur heb ik een afspraak in de vioolwinkel. Wil je nog steeds mee? Annie heeft gisteravond gebeld om te zeggen dat ze monsieur Rousseau heeft overgehaald om me enkele van zijn betere instrumenten te laten zien.'

We spreken af om half tien in de lobby te zijn.

Terug in mijn kamer pak ik mijn Bijbel. Ik schaam me voor mijn onkunde in verband met het belangrijkste boek uit de menselijke geschiedenis. Het duurt even voor ik de vier gedeeltes vind die voorin staan – de passages waarvan die voorganger blijkbaar vond dat ze voor zichzelf spreken. Ik pak een blad papier en schrijf in mijn eigen woorden op wat ik denk dat er staat. Ik vind het jammer dat er geen Engelse Bijbel in mijn nachtkastje ligt, zoals dat in veel hotels thuis wel het geval is.

'Je bent jaloers op Annie Templeton,' zei Jeff na het ontbijt.

'Doe niet zo belachelijk,' protesteerde Liz. 'Ik dacht gewoon dat, nu we midden in een familiecrisis zitten, mijn moeder niet op zoek zou gaan naar een viool... met Annie.' Ze voegde eraan toe: 'Denk je dat ze zich niet beter zou kunnen concentreren op –'

'Jou?'

'Op de situatie.'

'Volgens mij doet ze het uitstekend. Ze jaagt je niet op. Ze probeert je de ruimte te geven. Zou je liever hebben dat ze je constant op je huid zat en van je zou eisen dat je haar vertelt hoe je je voelt, en alles voor morgenochtend twaalf uur zou regelen?'

'Dat bedoel ik niet.'

'Wat dan? Moet ze dan maar in het hotel blijven rondhangen tot we allemaal weten hoe we ons voelen? Stoppen met leven? Alweer?'

'Wat bedoel je met *alweer*?'

'Is dat niet precies waar jij je zo druk om hebt gemaakt? Dat ze was gestopt met leven? Het lijkt me dat ze zich uitstekend redt en dat ze probeert haar leven niet te laten verknoeien door jouw houding, waarbij ze haar weg probeert –'

'Houding? *Mijn* houding?'

'Ga dit nou niet aangrijpen om ruzie te zoeken, Liz. Denk liever eens na. Je hoeft geen genie te zijn om te zien dat je tijd nodig hebt om bepaalde dingen te laten bezinken. Maar terwijl je daarmee bezig bent, bevinden we ons wel in *Parijs*. En je moeder doet precies wat we wilden dat ze zou gaan doen. Ze is een leven aan het opbouwen. Ze maakt nieuwe vrienden. Ze gaat uit. Dus, ik zeg het nog eens... wees niet zo jaloers. Ga je moeder helpen een viool te kopen.'

Mary

'Ah,' zegt de oude man. Hij zwaait met zijn vinger en knipoogt. 'U hebt het, madame. Fluweelzacht.'

Ik ben zowel opgelucht als verbaasd wanneer ik de strijkstok langs de snaren beweeg van een van de tien violen die uitgestald staan in het kleine winkeltje in een van de zijstraten rond de Notre Dame. De waardering in monsieur Rousseaus ogen lijkt gemeend.

'Ze heeft al in geen dertig jaar meer echt gespeeld,' zegt Annie.

De wenkbrauwen van de oude man gaan omhoog.

'Ze was eerste violist,' zegt Annie.

Ik voel dat ik bloos en ik protesteer. 'Eén keer. Voor een plaatselijke productie. Dat is alles.'

Annie fluistert iets tegen de winkeleigenaar, die glimlacht

en naar een viool toe loopt die apart van de andere staat, in een afgesloten glazen vitrine. 'Normaal gesproken moet dat formeel geregeld worden,' zegt hij, 'maar voor de Amerikaanse vriendin van mademoiselle Templeton maak ik een uitzondering.' Hij wijst op de viool. 'Zou madame op de Amati willen spelen?'

Ik schud mijn hoofd. 'Dank u, maar…'

Liz heeft uit het raam staan kijken toen ik het ene na het andere handgemaakte instrument bespeelde. Wanneer monsieur Rousseau het over het speciale instrument heeft en ik aarzel, draait ze zich om. 'Maak je geen zorgen over het geld, mam.'

'Het gaat niet om het geld,' reageer ik.

Liz loopt de zaak door om door het glas naar de viool te turen. 'De vernis ziet er niet goed uit,' zegt ze.

'Dat is patina,' legt Annie uit.

'Hoeveel kost hij?'

Wanneer monsieur Rousseau de prijs noemt, zet Liz grote ogen op.

Annie zegt: 'Hij heeft ook nog een Guarneri in de kluis liggen.'

'Zou je die willen proberen?' vraagt Liz me.

Ik schud mijn hoofd. 'Absoluut niet. Je vraagt niet zomaar om zo'n instrument te mogen proberen,' leg ik uit. 'Dan zouden er beveiligingsbeambten bij moeten zijn en je moet aan bepaalde kwalificaties voldoen en wie weet wat er nog meer bij komt kijken.'

Terwijl ik het aan Liz uitleg, loopt de winkeleigenaar naar voren, doet de deur op slot en trekt de rolgordijnen naar beneden. En nu loopt hij naar de balie achter de vitrine, haalt een dik stuk vilt tevoorschijn en vouwt dat uit. Hij pakt zijn sleutelbos, maakt de vitrine open en met het respect waarmee een misdienaar een kaars aansteekt, pakt hij de Amati, stemt hem en legt hem op het dikke vilt. Hij vertelt in het kort hoe hij aan het instrument komt en houdt hem dan voor me omhoog. 'Een buitenkans, madame. Om schoonheid te creëren, samen met een meesterinstrument.'

Mijn hart bonkt wanneer ik de Amati onder mijn kin klem en me klaarmaak om de strijkstok over de snaren te laten glijden. Ik sluit mijn ogen en denk aan al die generaties musici die dit schitterende instrument hebben aangeraakt en ze intimideren me stuk voor stuk. Het oorstrelende geluid dat ontstaat wanneer ik het Provençaalse slaapliedje speel – eerst één keer, daarna twee en dan nog eens – zorgt ervoor dat de tranen in mijn ogen staan.

Monsieur Rousseau knikt. 'U begrijpt het.'

Ik laat de strijkstok zakken en geef de viool terug.

'Neem je hem niet?' vraagt Liz. 'Maar je... vindt hem fantastisch.'

'Dat klopt. Maar ik verdien hem niet.' Een laatste keer streel ik de klankkast van de viool. 'Deze verdient een Isaac Stern... niet Mary Davis uit Omaha.' Ik haal diep adem en richt me tot monsieur Rousseau. 'Dank u dat u me de mogelijkheid hebt gegeven om hem te bespelen.' Hij zet de viool weer terug in de vitrine met klimaatregeling. 'Laten we gaan,' zeg ik. 'Ik kan vandaag met geen mogelijkheid een beslissing nemen. Niet nadat ik een Amati heb bespeeld – en in dezelfde ruimte ben geweest met een Guarneri.'

De winkeleigenaar buigt. Hij doet de deur van het slot, zodat de winkel weer open is voor voorbijgangers. En hij probeert me er niet toe over te halen zijn Amati te kopen.

We verlaten de vioolwinkel en lopen langs de kade. Annie verdwijnt, omdat ze moet oefenen met het strijkensemble. Liz en ik slenteren langs de Seine en bekijken wat schilderijen en oude boeken die zijn uitgestald door de *bouquinis-*

tes. We lopen de Pont Neuf op en stoppen om naar een *bateau mouche* te kijken die over de Seine vaart.

'Annie is aardig,' zegt Liz.

'Het is een schat,' ben ik het met haar eens.

'Jeff zegt dat ik jaloers op haar ben.'

Ik frons mijn voorhoofd en kijk haar aan. 'En is dat zo?'

'Ik denk dat ik wel jaloers ben – een beetje – op het... gemak waarmee jullie met elkaar omgaan. Het idee dat er geen spanning tussen jullie is.'

'Nou, als je bedenkt waar ik jou de afgelopen dagen allemaal mee heb geconfronteerd, is het bijna een wonder dat we hier samen op deze brug staan – en het is vrij normaal dat er wat spanning tussen ons in hangt.'

Liz flapt er opeens uit: 'Vind je het erg als ik je iets vraag?'

'Ga je gang.'

'Waarom ben je teruggekomen? Waarom wilde je hem terugzien?'

'Dat heb ik je al verteld. Ik had hem pijn gedaan. Ik wilde zeggen dat het me speet.'

'Je had hem een brief kunnen schrijven.' In haar stem klinkt een beetje droefheid door.

'Ja. Ik had me in die brief kunnen verontschuldigen en het daarbij kunnen laten.' Ik haal diep adem. 'Dus er moet meer aan vast hebben gezeten. Ik denk dat ik op zoek was naar een manier om... het meisje terug te vinden dat ik ooit was.'

'De violiste?'

'Niet zozeer haar als wel het meisje dat de muziek in haar hoofd hoorde... en danste... en lachte.' Ik zwijg.

Ik voel dat Liz naar me kijkt. 'Ben je ooit gelukkig geweest? Met alleen papa en mij?'

De gekwetstheid in haar stem wanneer ze dit vraagt, doet de tranen in mijn ogen springen. 'Jazeker. De eerste keer dat je *Mimi* zei. Toen je je eerste stapjes zette. Je eerste dansuitvoering. Elke keer dat je me vroeg een verhaaltje voor te lezen. Toen je je MBA kreeg...'

'En met papa...?

'Je hoeft papa niet los te laten om mij te leren kennen,' verzeker ik haar. 'Hij was een goede man. Ik heb geleerd om van hem te houden.'

'Maar hij heeft ervoor gezorgd dat jij een deel van jezelf begroef,' zegt ze. 'Hoe kon hij dat dan doen?'

'Nou, ik denk dat hij in wezen net zo was als ik – bang dat hij op de een of andere manier niet voldeed. Ik denk dat hij zich bedreigd voelde door Jean-Marc – die van alles durfde en knap was – bedreigd door het idee dat ik zou wegzeilen met een hedendaagse piraat. En uiteindelijk zorgde die angst ervoor dat hij wilde dat ik de muziek en andere delen van mijn verleden los zou laten. Hij was bang dat die dingen me uiteindelijk bij hem vandaan zouden trekken.'

'Hij was egoïstisch,' zegt Liz.

'Hij was *menselijk*,' reageer ik. 'En ja, hij was egoïstisch. Maar ik ook.'

'Wat?' Ze draait zich om en kijkt me aan.

'Ik laat je niet zomaar gaan, Elizabeth Davis. Je mag dan de dochter van Samuel Davis zijn, maar je bent ook *mijn* dochter. En ik ga voor je vechten.'

'O, Mimi,' zegt ze. Ze begint te huilen. 'Je hoeft niet voor me te vechten. Ik ga helemaal nergens heen.' En dan stort ze zich in mijn armen en huilen we allebei.

28

'Je kunt niet eens zien dat er ooit iets mee is gebeurd,' zei Adolpho terwijl hij om zijn Ducati heen liep, zijn handen op zijn heupen. Hij floot waarderend en knikte. 'Goed werk.'

Enzo haalde zijn schouders op. 'Je hoeft mij niet te bedanken. Het enige wat ik heb gedaan, is werken voor de onkosten. Oom Luca heeft hem gerepareerd.'

'Ik niet,' zei Luca vanachter zijn bureau bij het raam. 'Donato heeft het gedaan. Hij heeft een speciale opleiding in Bologna gehad. Je kunt *hem* beter bedanken.'

Adolpho zwaaide een been over zijn motorfiets, draaide de contactsleutel om, startte de motor en gaf een paar keer gas voor hij hem weer uitzette. 'Wat denkt u? Is dit de juiste fiets voor mij? Ik heb me voor het komende voorjaar ingeschreven om wat proefrondes te rijden op het circuit.'

Luca keek op van zijn boeken en trok een moeilijk gezicht. 'Je wilt dus nog steeds racen? Heb je dan niets geleerd van mijn zere knieën en stijve schouders?'

'Alleen dat ik voorzichtiger moet zijn dan u... en dat ik ervoor moet zorgen dat ik niet in net zo'n competitiestrijd terechtkom als u en Jean-Marc David,' antwoordde Adolpho.

'Wat doen jij en je verloofde op oudjaarsavond?' vroeg Luca plotseling.

'Weten we nog niet.'

'Ik heb kaartjes voor het ballet.'

Adolpho stak abrupt een hand op. 'Niet vragen. Alstublieft.'

'Het is de Opéra Garnier, Adolpho,' zei Luca. 'De mooiste operazaal ter wereld. Je zou –'

'Niet op oudjaarsavond, meneer Santo. *Alstublieft.*'

'Goed dan,' zei Luca met een lach. 'Ik zal je niet kwellen.'

Enzo zei: 'Waarom vraagt u mevrouw Davis niet?'

'Ik heb vier kaartjes,' zei Luca terwijl hij zijn neef aankeek. 'Ik vermoed dat jij er hetzelfde over denkt als Adolpho?'

Enzo knikte grijnzend naar zijn oom.

Adolpho zei: 'Mevrouw Davis was ooit musicus. Een goeie. Ze heeft naar violen lopen kijken in een kleine winkel in de buurt van de Quai de la Tournelle.' Toen Luca hem niet-begrijpend aankeek, vervolgde hij: 'Die zijn handgemaakt. De beste instrumenten voor de beste musici. En ook zo geprijsd. Mevrouw Davis zou waarschijnlijk weg zijn van het ballet. U zou haar kunnen vragen. En haar dochter en verloofde zijn er ook nog steeds. Dat zijn er dus vier.'

'Ik weet niet wat Jean-Marc daarvan zou vinden. Ik wil geen dingen doen die moeilijkheden oproepen.'

'Wat? Vindt u mevrouw Davis dan aardig?' Enzo klonk hoopvol.

Luca schudde een vinger naar zijn neef. 'Hou op. Ik ben te oud voor dat soort onzin.' Hij hief zijn kin op en gaf een rukje met zijn schouders. 'Maar ik ben niet blind. Een aantrekkelijke vrouw en goed gezelschap met oudjaarsavond zou leuk zijn.'

'Neem haar toch mee,' onderbrak Adolpho hem. 'U kunt toch tegen uw vriend zeggen dat u ervoor wilde zorgen dat zijn dame niet alleen was op oudjaarsavond?'

'Inderdaad, Adolpho,' was Enzo het met hem eens. 'Dat zou ik ook graag voor jou willen doen. Is Annie vrij op oudjaarsavond?' grapte hij.

'Dat is iets anders,' kwam de reactie. 'Wij zijn verloofd. Mevrouw Davis en meneer David –'

'Al goed, jullie twee. Al goed.' Luca stond op vanachter zijn bureau en maande hen tot stilte. 'Genoeg gediscussieerd. Volgens mij ben ik oud genoeg om mijn eigen oudjaarsavond te regelen. Ik zal het ze eens vragen. Welk hotel was het ook alweer, Adolpho?'

Mary

Wanneer de telefoon overgaat, verwacht ik dat het Jeff is, niet Luca Santo. Ik stamel als een idioot, maar hij interpreteert het verkeerd en schakelt meteen over van Frans naar Engels.

'Ik hoorde van de vriend van mijn neef, Adolpho, dat jij musicus bent,' begint hij.

'Adolpho wil gewoon erg aardig zijn,' protesteer ik. 'Ik speelde ooit viool, maar dat is veel te lang geleden om er nog iets fatsoenlijks uit te krijgen.'

'Maakt niet uit. Adolpho dacht dat jij en je dochter een avond naar het ballet wel leuk zouden vinden. Nou heb ik van een klant vier kaartjes voor oudjaarsavond gekregen. Zou jij me die eer willen aandoen? Samen met je dochter en haar verloofde? Het is de vroege uitvoering. Ik zou jullie daar kunnen ontmoeten...' Hij hoest een heleboel aanwijzingen op over hoe ik er moet komen en plotseling begin ik me te realiseren dat hij het weleens over de beroemde Opéra Garnier zou kunnen hebben.

'Maar, eh... begrijp ik je wel goed? Nodig je ons uit voor de Opéra Garnier?'

'Ja. Natuurlijk. Houd je daar niet van?'

'Ik... ik weet niet goed wat ik moet zeggen. Ik heb er altijd van gedroomd om daar nog eens een uitvoering mee te maken, maar het is altijd ver van tevoren uitverkocht, toch?'

Ik hoor hem lachen. 'Je vindt het dus leuk?'

'Leuker dan je beseft.'

'Is het goed... dat ik jullie daar ontmoet? Ik heb geen auto, zie je, dus –'

'Nee, dat is prima. Schitterend. Ik weet niet hoe ik je moet bedanken.'

Wanneer ik het aan Liz vertel, begrijpt ze het niet.

'Lieverd,' zeg ik, 'dat is *de* Opera. Die heeft Napoleon nog laten bouwen... Het interieur bezit een legendarische schoonheid. Het is... och, ik weet niet eens hoe ik je dat duidelijk moet maken. Ik heb alleen maar foto's van het interieur gezien, maar ik heb er altijd al naartoe gewild.' Ik grijp haar hand. 'We moeten nodig gaan winkelen!'

'Wauw.'

Jeff staat in de lobby van het hotel op ons te wachten en wanneer Liz en ik uit de lift stappen, bekijkt hij ons van top tot teen.

'Vind je het niet een beetje te jeugdig?' Ik twijfel nog steeds over de tot op de grond vallende waterval van zwarte spandex die Liz me heeft aangepraat. Ik vang een glimp van mezelf op in de spiegel aan de andere kant van de lobby en hoewel ik de overvloed aan nepbriljanten over mijn linkerschouder en langs mijn mouw schitterend vind... en de manier waarop de grote oorhangers langs mijn hals glinsteren, twijfel ik er nog steeds aan of een vrouw van mijn leeftijd wel zoiets opvallends zou moeten dragen.

Jeff kust me op de wang. 'Je ziet er echt schit-te-rend uit.' En dat zegt hij met zo'n grappig Frans accent dat ik me een beetje ontspan.

'En jij!' Hij raakt de elleboog van Liz aan en bekijkt haar lang van top tot teen in haar strapless indigokleurige avondjurk. 'Wauw.'

De conciërge werpt een blik op Jeff, loopt naar de deur en kijkt naar buiten, waarna hij ons komt vertellen dat de taxi is gearriveerd. Het is een limousine. Ik kijk naar Jeff, die knipoogt en zijn schouders ophaalt. 'Bij twee speciale vrouwen hoort een speciale taxi,' zegt hij. Wanneer we wegrijden, steekt de conciërge zijn duim naar me op.

'De Opéra Garnier,' begin ik tegen Liz en Jeff terwijl onze auto zijn weg vindt door de drukke straten, de Seine over en in de richting van de Place de l'Opéra, 'stamt uit de tijd van Napoleon III. Hij is over een ondergrondse waterbron heen gebouwd. Herinner je je nog dat de Phantom of the Opera zijn boot diep onder het podium door duwde? En het interieur – verguld en met marmer – en die trap!' Wanneer we er zijn, zien we dat de steunpilaren van het gebouw worden verlicht door schijnwerpers en de vergulde figuren tussen de pilaren schitteren.

'Tjonge...' is alles wat Liz kan uitbrengen.

'Ja,' zeg ik instemmend. Ik kijk op en zucht: 'Inderdaad.'

Jeff praat met de limousinechauffeur, die ons vertelt waar hij ons na de voorstelling zal oppikken. En wanneer we ons omdraaien om de trappen te beklimmen, stapt Luca achter een van de pilaren vandaan. Onder zijn jas draagt hij een smoking. De witzijden sjaal die onder de kraag van zijn jas zit, heeft franjes die aan beide zijden van de knopen fladderen. Het verbaast me hoe gemakkelijk hij zich in een smoking lijkt te voelen. Hij roept me, steekt zijn hand uit en biedt me dan zijn arm aan terwijl hij Liz en Jeff begroet. Hij leidt ons naar binnen en de schitterende trap op. We passeren het beroemde sculptuur met de naam *La Danse.* Met open mond bewonder ik de schitterende plafonds, de ingelegde vloeren en het met juwelen behangen en overduidelijk rijke gezelschap waarin we ons bevinden. Ik vraag me af of het mijn verbeelding is, of dat Luca inderdaad door het vrouwelijke deel van de aanwezigen met bewondering nagekeken wordt.

We gaan naar boven en naar rechts, waar Luca een plaatsaanwijzer de vier kaartjes laat zien. Er wordt een deur van het slot gedaan, alleen voor ons. We stappen een kleine antichambre in, groot genoeg voor een chaise longue en een kapstok. Luca helpt me met mijn jas en leidt me door de fluwelen gordijnen, waarna ik me realiseer dat we ons in een privé-gedeelte met een schitterend zicht op het toneel bevinden. Ik kijk omhoog naar de magnifieke kristallen kroonluchter die beroemd geworden is door *De Phantom of the Opera.*

Het gordijn gaat omhoog, het orkest begint te spelen en voor ik het weet, is het pauze. We lopen naar beneden en volgen Luca naar een galerij waar verfrissingen worden verkocht.

'Net of je in Versailles zit te dineren,' zegt Liz en ze geeft Jeff een knuffel, die haar blik naar het plafond volgt, naar een zoveelste fresco.

'Iemand zou er een boek over moeten schrijven,' zegt Jeff. *'De plafonds van Parijs.'*

Luca lacht en knikt. 'Dat is waarschijnlijk al gebeurd. Je zou er een serie van kunnen maken. In alle bescheidenheid wil ik je er even aan herinneren dat de grootste kunstenaars uit *mijn* vaderland komen. Dat zouden jullie eigenlijk eens moeten bezoeken. Vooral Florence.' Hij heft zijn glas op, drinkt het leeg en kijkt me aan. 'Ik heb daar in de buurt een villa.' Hij glimlacht naar Liz. 'Jullie zijn daar te allen tijde welkom. Ik beveel oktober aan. Dan zijn de toeristen weg – en de hitte ook.' Hij zwijgt even. 'Misschien kunnen we Jean-Marc zover krijgen dat hij naar de jachthaven van Pisa komt... hoewel hij liever naar Livorno gaat. Wat op zich ook goed is.'

'Daar ga je dan, Mary,' plaagt Jeff. 'Dan kun je in Toscane of aan boord van de *Sea Cloud* herstellen van je gebroken been. Hoe dan ook, het klinkt goed en ik denk dat je het maar beter niet aan je voorbij kunt laten gaan.'

Luca snapt duidelijk niet wat hij met die opmerking bedoelt en Jeff haast zich het uit te leggen, ondanks mijn pogingen hem zijn mond te laten houden. 'Ze is van plan om samen met Annie en Adolpho naar de Ducati-dagen te gaan.'

Ik hef mijn hand op om mijn gezicht te verbergen, waarvan ik weet dat het vuurrood is. 'Jeff, alsjeblieft. Ik schaam me rot.'

'Waarom zou je je schamen?' merkt Luca op. 'Mijn enige reactie is dat ik me een beetje gekwetst voel na mijn aanbod om je motorrijden te leren.'

De pauze is voorbij en het gesprek dus ook. Ik ben blij dat we weer terug kunnen naar de privé-loge. Wanneer de mensen enigszins lopen te dringen, biedt Luca me zijn arm aan. 'Zodat je niet kwijtraakt,' legt hij uit.

Na de voorstelling staat de limousine op de afgesproken plek op ons te wachten. Het is niet meer dan beleefd om Luca een lift naar zijn appartement aan te bieden en wanneer we daar eenmaal zijn, is het niet meer dan beleefd van Luca om ons mee naar binnen te nodigen voor een drankje – of koffie, voor de liefhebbers.

'Vanaf mijn balkon heb je een schitterend uitzicht om het

vuurwerk te bekijken. Als jullie dat zouden willen.' Hij geeft de chauffeur van de limousine een biljet en die salueert als hij het getal in de benedenhoek ziet. Hij wacht op ons, zegt hij, en wenst ons groepje een prettige jaarwisseling toe.

Er wordt eerst over het ballet gepraat, maar binnen niet al te lange tijd brengt Luca het gesprek op Italië.

'Vertel eens iets over jezelf,' vraag ik. 'Heb je kinderen?'

Nee, zegt Luca hoofdschuddend. Hij en zijn Sophia waren niet gezegend met nakomelingen. Hij zucht. 'Dat was iets waar we het vaak met God over hebben gehad. Maar Hij zei altijd nee. En ik heb geleerd dat te accepteren. Maar toch is het jammer.'

Er valt een korte stilte en dan gaat er buiten een stuk vuurwerk af.

'Het is tijd!' zegt Luca en hij springt op om de gordijnen open te schuiven en de deur open te doen. We verdringen elkaar op het balkon en maken waarderende geluiden voor het vuurwerk boven de stad.

Ik merk dat Jeff zijn arm om Liz' middel legt en dat ze tegen hem aan leunt. Ik ben me er plotseling van bewust dat Luca achter me staat en ogenschijnlijk naar de lucht kijkt. Wanneer ik denk te zien dat hij vanuit zijn ooghoeken naar me kijkt, scheld ik inwendig op mezelf dat ik dingen begin te zien die er niet zijn. En ik voel me ook behoorlijk schuldig over het feit dat ik me tot deze man aangetrokken voel. Ik ben naar Parijs gekomen om Jean-Marc te zien. En ik heb de dingen nog lang niet op een rijtje. Mijn leven is momenteel al ingewikkeld genoeg zonder de een of andere midlife-fantasie. Ik zeg tegen mezelf dat ik eindelijk eens volwassen moet worden! Uiteindelijk wordt het weer rustig in de stad, op een knal hier en een kleurenwaaier daar na.

'Als jullie het niet erg vinden – als ik jullie er niet mee beledig,' zegt Luca uiteindelijk, 'het is mijn gewoonte om het nieuwe jaar te beginnen met een eenvoudig gebed. Willen jullie met me mee bidden voor jullie gaan?'

Hij steekt zijn handen uit, die Liz en ik aanpakken, zodat we met zijn vieren een cirkel vormen. We buigen ons hoofd en Luca bidt. 'Dank U, Vader, Die ons door de moeilijke dagen die achter ons liggen hebt geleid. Dank U, Vader, omdat U ons zo veel blijdschap hebt gegeven. We vragen U met ons mee te gaan in het nieuwe jaar dat voor ons ligt. En geef ons net genoeg zorgen om ons dichter bij U te brengen. En we vragen U hetzelfde voor de vrienden die niet bij ons zijn. Amen.'

Bij het amen knijpt Luca lichtjes in mijn hand. Wanneer ik hem aankijk, zegt hij: 'Gods wil geschiede, te land en ter zee, nietwaar?'

Wanneer ik op de eerste morgen van het nieuwe jaar wakker word, is Jean-Marc de eerste aan wie ik denk. Ik heb over hem gedroomd en krijg de neiging hem te bellen. Ik draai me om in bed en kijk de kamer rond. Mijn zwarte jurk van gisteravond ligt op een hoopje op de grond. Ernaast staan de schoenen met naaldhakken en de minieme handtas. Ik denk na over mijn avond in de Opera en realiseer me enigszins blij dat ik zelfs met de naaldhakken aan nog niet zo lang was als Luca. Maar, zo houd ik mezelf voor, dat maakt niets uit. Behalve dat hij me heeft aangeboden gebruik te maken van zijn villa in Toscane. En weer houd ik mezelf voor waarom ik moet oppassen voor Luca, wanneer de telefoon overgaat en ik word begroet door zijn stem.

'Ik ben net uit bed en zit aan de koffie, en ik bedacht me

dat het een prettig begin van het nieuwe jaar zou zijn als ik hem niet alleen opdrink.' Hij haast zich eraan toe te voegen: 'Dus ik vroeg me af of mijn nieuwe Amerikaanse vrienden zin hebben om ergens koffie te gaan drinken? Het is vanmorgen rustig in de stad en dat is een zeldzaamheid in Parijs.'

Ik denk even na... ongeveer anderhalve seconde. 'Ik bel Jeff en Liz en laat het je dan weten. Het klinkt in elk geval heel aanlokkelijk.'

'Je hoeft me niet terug te bellen,' zegt Luca. 'Ik zie wel wie er komt. Ik ben in de tuin vlak bij Place de la Concorde. Als het tenminste niet te ver is? Misschien dat de metro en de bussen vanmorgen niet al te veel haast hebben.'

Ik loop naar het raam en trek de gordijnen open. De zon schijnt. 'Het is een schitterende dag,' zeg ik. 'En een lange wandeling moet nu heerlijk zijn.'

'Geen kinderen?' zegt Luca, die een blik achter me werpt om te kijken of Jeff en Liz er ook zijn.

Ik schud mijn hoofd. 'Ze wilden uitslapen en ik denk dat ze ook gewoon een dag even samen willen zijn.' Ik vraag me plotseling af of Luca mijn alleen-zijn verkeerd heeft begrepen en ben me erg bewust van mezelf.

'Ik ben net langs een klein cafeetje gelopen dat al open is. Hun warme chocolademelk is heerlijk.'

We zitten nog maar net wanneer Luca vraagt: 'Heb je nog iets van Jean-Marc gehoord?'

Ik schud mijn hoofd.

'Ik had je misschien moeten vertellen dat hij nog even bij me langs is geweest toen hij uit Parijs vertrok.' Luca roert in zijn chocolademelk en likt het lepeltje af voor hij verder gaat. Hij kijkt me aan en glimlacht. 'Natuurlijk wist ik al van de mooie Mary McKibbin uit onze jeugd. Maar nu pas hoorde ik van Jean-Marc iets over...' Zijn donkere ogen staan vriendelijk wanneer hij zegt: 'Hij heeft me over jouw Elizabeth verteld.'

Ik weet niet wat ik moet zeggen en daarom neem ik een slok en kijk naar het stomende bruine vocht.

Zijn stem klinkt vriendelijk wanneer hij zegt: 'Ik vertel je dit alleen maar zodat je je niet ongemakkelijk voelt bij mij in de buurt en je het me zult laten weten wanneer ik iets kan doen om te helpen. Al is het alleen maar om voor je te bidden.'

'Gebed is altijd welkom,' zeg ik. 'Antwoorden zouden nog welkomer zijn.' Ik sluit mijn ogen en vecht tegen de uitputting die me dreigt te overweldigen en de tranen die achter mijn oogleden branden.

Luca interpreteert mijn gezichtsuitdrukking verkeerd. 'Het spijt me. Ik wilde me niet met dingen bemoeien waar ik niets mee te maken heb.'

'Nee, ik ben niet van streek. Niet op de manier die jij denkt.' Ik leun achterover en strijk met mijn vingers door mijn krullen. 'Liz heeft er min of meer vrede mee. In elk geval op dit moment.' Ik forceer een glimlach. 'Hoewel ik niet weet hoe iemand dat voor elkaar krijgt na een leven lang met valse feiten te hebben geleefd.'

Luca reageert met een warme stem en vol overtuiging. 'Geef God de tijd om te werken. Daar is het nooit te laat voor.'

'Jij weet duidelijk heel wat meer over God dan ik.'

Hij haalt zijn schouders op. 'Ik heb een vast geloof, maar ik ben alleen maar een leerling van God.'

'Jean-Marc zegt dat geloof alleen maar –'

'Een kruk is voor mensen met een zwakke geest.' Luca glimlacht. 'Ja. Dat heb ik hem heel wat keren horen zeggen. Ben jij het met hem eens?'

Ik schud mijn hoofd. 'Ik denk het niet. Maar ik denk niet dat het iets met zwakheid te maken heeft wanneer iemand bij God aanklopt. We zijn allemaal op de een of andere manier zwak. Sommigen van ons kunnen alleen beter doen alsof dat niet zo is.' Ik zwijg even. 'Ik heb het bijna dertig jaar gedaan. En ik zou dat bij Liz nog steeds doen als ze me niet hierheen was gevolgd.' Ik vertel hem over de vrouw die ik zag bidden. 'Wat maakte het uit dat ze haar zwakheid toonde? Ze verliet die kerk met vrede in haar hart. Ik zag het aan haar gezicht.' Wanneer Luca begrijpend knikt, vraag ik: 'Vertel me eens hoe jij God hebt leren kennen.'

'De lange of de korte versie?'

'Maakt niet uit,' zeg ik. 'Wat je maar wilt.'

Hij spaart zichzelf niet wanneer hij een portret van zichzelf schildert. Ik begrijp hem helemaal wanneer hij zegt: 'Wie had gedacht dat God Zich om zo'n vent zou bekommeren, nietwaar? Het kostte die arts moed om me in de ogen te kijken op de dag dat hij me vertelde dat mijn carrière voorbij was. Wanneer ik eraan terugdenk, zie ik nog steeds de glimlach op zijn gezicht toen hij zei: "Maar als je Hem de kans geeft, maakt God van dit einde een nieuw begin. En dan kon dat ongeval weleens het beste zijn wat je ooit is overkomen. En ik geloof trouwens niet in toevalligheden, wist je dat?" Toen hij dat zei, wilde ik hem iets naar zijn hoofd slingeren. "Denkt u nou echt dat God me tegen die muur heeft gesmeten?!" schreeuwde ik. En die arts stond daar maar te glimlachen en vroeg: "Had Hij je aandacht?"

Luca zweeg even. 'Hij verliet de kamer en kwam pas de volgende dag weer terug. En toen hij kwam, had ik meer vragen voor hem. Uiteindelijk stopte ik met vechten en zei ik "ja" tegen God. En dat veranderde alles.'

'Wat veranderde er dan?' Ik wil het zo graag begrijpen.

Luca denkt lang na over mijn vraag voor hij antwoordt.

En wanneer hij dat doet, klinkt hij verontschuldigend. 'Ik weet niet of het jou wel zinnig in de oren klinkt,' zegt hij. Hij legt zijn hand over zijn hart. 'De veranderingen vonden hier plaats. Een zekerheid zonder aanmatigend te worden. Een gevoel van vrede over het feit dat God luisterde. Dat Hij om me gaf. Een verlangen om Hem te behagen. En een gewicht... dat plotseling verdwenen was.' Hij maakt met beide handen een zwierige beweging die eindigt met zijn handpalmen naar boven. 'Gewoon verdwenen.' Hij grijnst naar me. 'Het was helemaal niet logisch. Maar de arts had gelijk. Dat ongeval was het beste wat me ooit is overkomen.' Hij haalt zijn schouders op. 'Je zou eens met iemand anders moeten praten. Een voorganger, misschien.'

'Die... verandering... is dat ineens gebeurd?'

Hij schudt zijn hoofd. 'Dat ging stapje voor stapje. Ik ben Luca Santo gebleven – met heel wat dingen die nog steeds moeten veranderen.'

Wanneer ik niets zeg, vraagt hij: 'Dus... jij denkt nu dat deze man ze niet allemaal op een rijtje heeft en je zou er nu verschrikkelijk graag vandoor gaan, nietwaar?'

Ik schud mijn hoofd. 'Nee. Ik denk op dit ogenblik dat deze man weleens door God gestuurd zou kunnen zijn.' Wanneer hij me weifelend aankijkt, vraag ik: 'Goed. Heb *jij* nu tijd voor een verhaal?' Ik vertel hem meer dan de bedoeling was en tegen de tijd dat ik uitgepraat ben, weet Luca heel wat van mijn levensverhaal, veel van mijn moeilijkheden met Elizabeth en alles over mijn recente zoektocht naar God.

'Voor de moeilijkheden met Elizabeth en de vragen over ons beider vriend Jean-Marc kan ik alleen maar bidden,' zegt Luca. 'Maar met de zoektocht naar God kan ik je wel helpen.' Op een heel eenvoudige manier doorloopt hij de Bijbel met me. Hij tipt ook de dingen aan die door die protestantse voorganger voor in de Bijbel waren geschreven die hij me enkele weken geleden gaf. En net zo eenvoudig beëindig ik mijn zoektocht naar God. Niet in een kathedraal… maar in een cafeetje in Parijs.

29

Toen hij het pakketje in zijn reistas stopte, moest Jean-Marc glimlachen. Wat had hij zich het hoofd gebroken over het briefje dat Luca's Bijbel zou vergezellen naar zijn rechtmatige eigenaar. Ergens wilde hij dat hij erbij kon zijn wanneer Luca het las. Er zou een dag komen... ooit. Maar op dit moment hield hij zijn belofte om tijd door te brengen met Celine en de jongens. En hij moest *nog* een brief schrijven. Wanneer hij het zich eenmaal gemakkelijk had gemaakt in het gastenhuisje bij Celines villa, zou hij daar tijd voor hebben. Het onweer in de verte herinnerde hem aan de naderende storm. Ze moesten gaan.

'Celine!' schreeuwde hij naar boven.

'Nog vijf minuten, pap!' gilde zijn dochter terug.

Een bliksemflits richtte zijn aandacht weer op de benedenverdieping en op de muziekkamer. Hij liep naar de oude piano toe en dacht terug aan die morgen in november toen hij hier ook zat, met de brief van Mary Davis in zijn zak. Daar bevond zich nu een andere brief. Terwijl de regen de ramen teisterde en het zicht over de baai beneden hem vertroebelde, haalde Jean-Marc de brief uit zijn zak en las hij hem nog eens over.

Beste Jean-Marc,
Vergeef me alsjeblieft voor het feit dat ik je bij je voornaam noem. Dat bedoel ik niet respectloos. In deze situatie lijkt meneer David te formeel. Je begrijpt hopelijk dat ik er nog niet aan toe ben om je papa te noemen.

Dit is een poging van mijn kant om een deur te openen. Ik ben zowel bang als enthousiast over wat de gevolgen hiervan zullen zijn. Mijn moeder en ik hebben heel wat uurtjes met elkaar gepraat sinds jij uit Parijs bent vertrokken. Ik heb geen idee of ik alles begrijp wat er is gebeurd, maar ik wil de hoop niet opgeven dat ooit alles weer goed zal komen tussen iedereen die te maken heeft met wat we hebben ontdekt.
Ik wens je het beste toe en hoewel ik nog niet weet of Jeff en ik op je uitnodiging zullen ingaan om je in het voorjaar te bezoeken, wil ik wel de communicatie tussen ons op gang brengen. En, zoals mijn moeder de laatste tijd nogal eens zegt, zien wat God gaat doen.
Jeff en ik vertrekken morgenochtend vroeg naar Omaha en mijn moeder heeft beloofd dit voor me op de post te doen. Ik laat het aan haar over om haar eigen nieuwtje te vertellen.
Ik wens jou en je familie het allerbeste toe.
Liz Davis
P.O. Box 1121
Omaha, Nebraska 68313-743A
of, als je dat liever hebt…
esdavis@davisenterprises.com.

Terwijl hij de brief herlas, herinnerde Jean-Marc zichzelf eraan om er niet te veel hoop uit te putten. Hij moest zich niet het hoofd breken over dingen waar hij geen invloed op had. Elizabeth had hem een adres gegeven en, zoals ze had gezegd, een deur geopend. Hij was van plan tot de drempel te gaan en hoopte dan dat hij binnengelaten zou worden.

Toen hij Xavier en Olivier van de trap af en naar buiten hoorde rennen, vouwde Jean-Marc de brief op in vieren en stopte hem terug in zijn zak. Zijn vingers vonden de noten van een vertrouwde melodie terug, het slaapliedje dat zijn moeder altijd speelde. *Dat zou ik eens voor de jongens moeten spelen,* dacht hij. Hij vroeg zich af of Celine een piano had. Zo niet, dan zou dat het eerste zijn wat hij zou bijdragen. Misschien zou hij zelf de jongens wel kunnen leren spelen. In de jaren die komen zouden, wilde hij dat ze zich meer van hun grootvader zouden herinneren dan de man die altijd maar weer bij hen wegzeilde.

'We zijn klaar, pap!' riep Celine vanaf de overloop.

Jean-Marc speelde het liedje uit, deed de klep van de piano naar beneden en ging op weg naar de achterdeur.

'Zal ik kijken of de voordeur op slot zit?' vroeg Celine. 'Is alles uit?'

'Paul komt later nog langs om alles te controleren,' zei Jean-Marc. Hij krabbelde iets op een briefje en hing het aan het haakje naast die waar de sleutels van zijn Triumph aan hingen. *Gebruik hem alsof hij van jou is.*

Toen Celine het briefje zag, trok ze verbaasd haar wenkbrauwen op.

'Het is een goeie vent,' zei Jean-Marc schouderophalend. 'Hij zou eens wat meer van het leven moeten genieten.'

Een uur nadat ze uit Arcachon waren vertrokken en terwijl Xavier en Olivier zaten te doezelen op de achterbank, zei Celine: 'Ik wil niet gaan zitten vissen, pap… maar ik kan mijn nieuwsgierigheid niet langer bedwingen. Wat is er in Parijs gebeurd?'

'Dat heb ik je al verteld,' zei Jean-Marc. 'Ik ben bij een oude vriend langs geweest.'

'Meneer Santo?'

'Ja.' Hij schraapte zijn keel. 'Bedankt trouwens dat je me hebt vergeven. Dat ik de jongens heb teleurgesteld. Dat heb ik veel te vaak gedaan.' Hij pakte haar hand en gaf er een kneepje in. 'Ik ben niet altijd zo'n beste vader geweest, hè?'

'Je bent jezelf geweest, pap.'

'Wat een diplomatiek antwoord,' zei Jean-Marc. Na enkele momenten vroeg hij: 'Denk je nog steeds dat ik tegen je heb gelogen over Dominique Chevalier?'

Celine zuchtte en keek uit haar raampje naar buiten. 'Ik weet dat je niet met haar naar Parijs bent geweest. Ze belde het huis toen jij weg was.' Na weer enkele momenten knikte ze naar de achterbank, naar de jongens. 'Breek hun hart niet, pap. Alsjeblieft. Het heeft lang geduurd voor ik had geleerd dat van je houden op jouw voorwaarden beter was dan helemaal geen vader hebben. Ik zou liever niet hebben dat de jongens voor diezelfde keuze komen te staan met hun grootvader.'

'Dat zal ik niet doen,' zei Jean-Marc.

'Dat zeg je nu,' reageerde Celine. 'Maar je zou vergeten kunnen zijn hoe klein het gastenhuis bij de villa is. En je kunt tussen die heuvels de zee niet zien. En vroeg of laat gaat die toch roepen. En dan vertrek je weer. En dan zul je hun hart breken.'

De donder rolde over hun hoofden en de hemel opende zich, waardoor de weg om hen heen door de striemende buien kletsnat werd. Heel even zei Jean-Marc niets en concentreerde hij zich op het besturen van de auto over de slingerende bergweg. Toen de regen iets minder werd, zei hij: 'De tijd dat ik weken achtereen verdween, zijn voorbij. Wanneer ik weg ben, e-mail ik. En ik zal elke vrijdag bellen om met de jongens te praten.' Hij slikte moeilijk. 'Die worden snel groot en dat wil ik niet missen. Ik weet dat je waarschijnlijk niet zult geloven dat deze verandering blijvend is en dat kan ik je niet kwalijk nemen. Maar mettertijd zul je het vanzelf gaan zien.'

'En dus herhaal ik mijn vraag nog maar eens,' zei Celine. 'Wat is er in Parijs gebeurd?'

'Een hereniging,' zei Jean-Marc, 'gevolgd door een nieuw

begin. Ik denk in elk geval dat het een begin is. De tijd zal het leren.'

'En je wilt er verder dus niet meer over praten,' zei Celine. 'Goed, pap. Ik zal er niet over doorzeuren. Wat – of wie – het ook was, ik ben er blij mee. Van wat ik ervan kan zien, is Parijs heel erg goed voor je geweest.'

Jean-Marc knikte. 'En het had niets met Dominique Chevalier te maken.'

'O... ik denk niet dat je bang hoeft te zijn dat die je nog langer lastigvalt,' zei Celine.

'Hoezo? Zijn mijn charmes aan het beschimmelen?'

'Het heeft niets met jouw charmes te maken,' zei Celine. 'Ik heb haar woest gemaakt. Ze heeft de hoorn erop gegooid.'

'Wat heb je dan gezegd? Ik probeer haar al maanden zover te krijgen,' grinnikte Jean-Marc.

'Ik heb tegen haar gezegd dat jij niet nog een dochter hoefde.'

Mary

De lucht is kristalhelder wanneer ik Liz en Jeff naar de luchthaven vergezel voor hun terugvlucht naar Omaha.

'Dank jullie voor jullie begrip,' zeg ik wanneer ik mijn dochter omhels.

'Ik wilde bijna dat wij ook langer konden blijven,' antwoordt ze.

'Nou, het is goed dat in elk geval een van de vrouwen aan het hoofd van de Samuel Frederick Davis Stichting genoeg verantwoordelijkheidsgevoel heeft om naar huis en weer aan het werk te gaan.'

'Ik heb vanmorgen Millie Patton gebeld voor een laatste verslag van het gala. De veiling heeft genoeg opgebracht om in het voorjaar de eerste steen te leggen.' Liz glimlacht. 'Ik denk dat we dat maar rond een reisje naar Toscane moeten plannen.'

Jeff doet een stap naar me toe om me te omhelzen.

'Zou je trouwens nog iets voor ons willen doen?' vraagt Liz. 'Zou je een boeket voor Annie willen kopen, voor haar eindexamenuitvoering? Zeg maar tegen haar dat we aan haar denken. En als ze auditie zou willen doen voor het symfonieorkest van Omaha, zullen we voor haar eens een praatje gaan maken met George Kincaid. Ik begreep dat hij de dirigent nogal goed kent.'

Jeff trekt het handvat van Liz' koffer op wieltjes uit.

'Weet ik. Tijd om te gaan.' Ze neemt de koffer over en geeft me een laatste omhelzing met haar vrije arm. 'Ik hou van je, Mimi,' fluistert ze. Ik ben verbaasd over de emotie in haar stem en de tranen in haar ogen.

'Ik hou ook van jou, Lizzie.' Ik draag Jeffrey op om goed voor mijn meisje te zorgen en kruip weer in de taxi. Ik laat de chauffeur me naar het noordelijkste deel van de stad rijden, waar ik de rest van de dag doorbreng in het nooit eindigende netwerk van antiekwinkeltjes die samen de markt van Clignancourt vormen.

De eindexamenuitvoering van Annie is een succes. Alle leden van het strijkensemble zijn erbij, maar zij zijn niet de eersten die opspringen om haar toe te juichen. Dat doet haar leraar. Zo gauw ze haar instrument neerlegt, springt Adolpho het podium op en geeft haar het boeket dat ik op verzoek van Liz voor haar heb gekocht. Iedereen begeeft zich naar het theehuis om het te vieren en ik zit op een gegeven moment naast Luca Santo, die weer over motorrijlessen begint. Wanneer ik het theehuis rondkijk, word ik gegrepen door een gevoel van nostalgie. Ik zal al die jonge mensen missen wanneer ik over een paar dagen weer naar Omaha terugkeer. Het stoort me dat ik ook Luca zal missen. Jean-Marc heeft geen contact meer met me gezocht sinds hij Parijs heeft verlaten. Ik vraag me af waarom niet.

'Je bent een eind weg,' zegt Luca, die me terugroept naar het heden.

Ik knik en roer in mijn thee.

'Zou je mij een gunst willen bewijzen?' vraagt hij op een gegeven moment.

'Natuurlijk.'

'Ik heb rondgekeken naar wat woningen om in te investeren, hier in de buurt. Er is er een die ik wel zie zitten, maar ik vind de prijs nogal aan de hoge kant en ik ben een beetje onzeker over bepaalde designdetails. Zou jij ook eens een kijkje willen nemen en me vertellen wat jij ervan vindt? Ik zit te springen om de mening van een vrouw.'

Nogmaals feliciteren we Annie met het behaalde resultaat. Luca loopt met me terug naar het hotel, zegt tegen me dat hij me zal bellen wanneer we het pand gaan bekijken en wenst me een goede nacht met een kus op elke wang. Ik neurie in mezelf op weg naar mijn kamer.

De ochtend dat ik met Luca naar het betreffende pand ga kijken, is het vreselijk weer. De lucht is grauw en de gure wind smijt allerlei rommel door de straten. Wanneer Luca arriveert, heeft hij het goed koud. We gaan naar beneden om koffie te drinken. Wanneer ik tegenover hem zit, probeer ik niet de vriendelijkheid te zien die in zijn grijsblauwe ogen ligt en ook niet de manier waarop zijn grijze haar contrasteert met zijn olijfkleurige huid. Het lukt me niet. Hij wil nog steeds dat ik motorrijles bij hem neem en houdt vol dat ik de Ducati 650 geweldig zal vinden. We blijven bijna een uur zitten praten. Ik heb nog meer vragen over God. En over motorfietsen.

Wanneer we het hotel verlaten, doet Luca zijn best om me af te schermen tegen de wind. We zijn verscheidene huizenblokken voorbijgelopen wanneer hij stilstaat bij een kleine deur in een grote houten schutting die een schitterende tuin scheidt van de drukke straat. Het is er stil en het waait er ook nauwelijks. Zorgvuldig onderhouden wintergroene planten en een wijnrank die langs de tegenoverliggende muur klimt, geven de indruk van een verborgen tuin.

'Hierheen,' zegt Luca, waarna hij me door de tuin heen naar een deur aan de andere kant leidt. 'Dit is een privé-ingang,' zegt hij. Hij haalt de sleutels uit zijn zak en maakt de deur open.

'Aah...' Ik kan alleen maar bewonderend en enthousiast toekijken.

'Die kleur...' zegt hij terwijl hij naar de heldergele entree wijst. 'Als ik dit pand koop, zou ik dat dan moeten overschilderen?'

'Nee. Het is perfect zo.' Ik vind het contrast tussen de mosterdgele muren en het zuiver witte houtwerk prachtig. De trap in het halletje komt uit op een overloop die, zegt Luca, door de vorige bewoners werd gebruikt als slaapkamer. Recht vooruit bevindt zich een muziekkamer met hoge ramen en hoge dubbele deuren die uitkomen op een balkon, dat is afgezet met een overdadig afgewerkt smeedijzeren hek.

Dan pas realiseer ik me dat de muziekkamer echt door een muzikant is – of zal worden – gebruikt, want in een van de hoeken staat een vleugel, in de ruimte die is ontstaan onder de trap. Onmiddellijk bedenk ik me dat die bij de ramen moet staan. En op datzelfde moment zie ik ook de vioolkist die op de glimmend zwarte piano ligt.

Ik kijk ernaar en dan naar Luca, die met zijn armen over elkaar geslagen en met een glimlach op zijn gezicht tegen het raamkozijn staat geleund.

'Wat is dit?' vraag ik.

Hij haalt zijn schouders op. 'Kijk zelf maar.'

Ik voel dat ik een brok in mijn keel krijg. Ik open de vioolkist. Voor me ligt de Amati.

'Het kostte wat overtuigingskracht,' legt Luca uit. 'Maar het is Annie, Elizabeth en mij uiteindelijk gelukt monsieur Rousseau zover te krijgen dat hij afstand deed van zijn schat.'

Ik raak de viool niet aan. In plaats daarvan draai ik me om en kijk Luca aan. 'Maar... waarom?' Ik gebaar naar de verder lege ruimte om ons heen, het hoge plafond, het uitzicht.

Luca glimlacht. 'Ik moet eerlijk zeggen dat ik een beetje tegen je gelogen heb. Jullie noemen dat geloof ik een *fib*. De kleur van het schilderwerk is... nou ja, dat is geen vergissing. Het zijn de kleuren waarom je dochter heeft gevraagd.'

'Mijn dochter?'

'Het is waar dat ik heb lopen rondkijken naar huizen. Maar niet om te investeren. Meer om jouw Elizabeth te helpen.'

'Liz...?'

'*Sì. Elizabet.* Zij heeft dit appartement voor je gekocht.' Luca knikt naar de viool. 'Maar lees het briefje maar. Dan hoor je het van haarzelf.'

Ik beef wanneer ik het stukje papier vanonder de snaren

van de Amati vandaan trek. Ik lees het en Luca, een echte heer, staat naast me met een zakdoek om de tranen te deppen die langs mijn wangen stromen.

Je ziet het, Mimi – het is nooit *te laat om te worden wat je had kunnen zijn.*